LIVRE DU PROFESSEUR

J. GIRARDET

C. GIBBE

www.cle-inter.com

Direction éditoriale : Michèle Grandmangin
Édition : Christine Grall
Conception et réalisation : Nada Abaïdia
Illustrations : Jean-Pierre Foissy

ISBN : 978-2-09-038-566-3

Sommaire

Cet ouvrage est destiné aux professeurs qui utilisent la méthode *ÉCHO*.
Il comporte une introduction présentant les différents éléments de la méthode, son orientation méthodologique et son mode d'emploi.
Ensuite, pour chaque unité d'enseignement (en général une double page), il propose :
- un tableau détaillé des objectifs ;
- une ou plusieurs démarches pédagogiques pour traiter les documents et animer la classe ;
- les corrigés des exercices ;
- des encadrés d'informations didactiques ;
- des encadrés d'informations culturelles.

N.B. – Dans ce livre du professeur, les activités d'écoute sont signalées avec le numéro de la piste de l'enregistrement.
Exemple : **1-48** signifie que l'enregistrement se situe sur la piste 48 du CD1.

Survol des éléments de la méthode

Le livre de l'élève

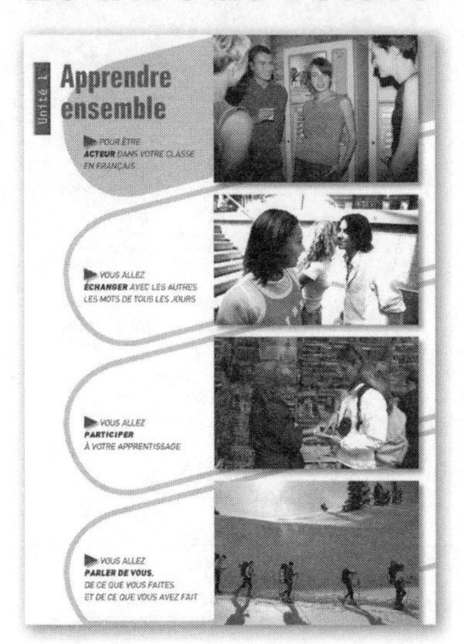

Trois unités de 4 leçons + une leçon 0

Chaque unité correspond à 30 à 40 heures d'apprentissage. Elle vise à adapter l'étudiant à un contexte situationnel global. Par exemple, le début de l'apprentissage dans une classe de langue où on ne parle que français (unité 1 : « Apprendre ensemble») ou bien un premier voyage en France (unité 2 : « Survivre en français »).
Chaque unité comporte 4 leçons de 8 pages.
Elle se termine par :
- une auto-évaluation de 4 pages ;
- 3 pages « Évasion, Projet » dans lesquelles on propose à l'étudiant un projet créatif à partir de réalités francophones diverses (sites Internet, poésie, théâtre, littérature).

Une leçon de 4 doubles pages

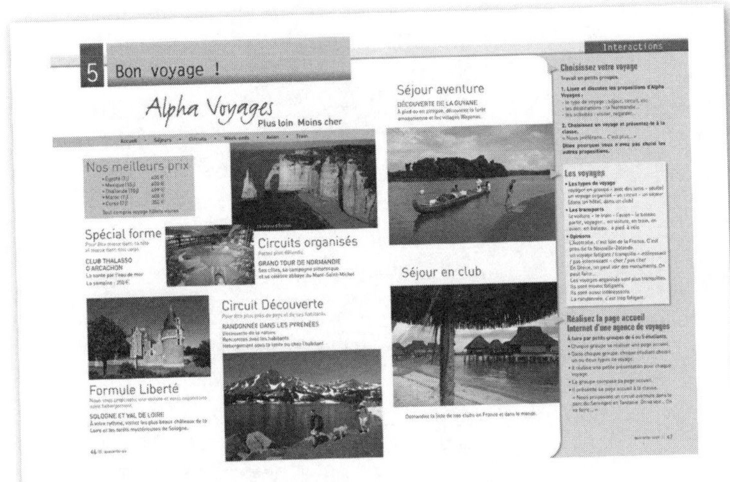

Deux pages « Interactions »

Un ou plusieurs documents permettent aux étudiants d'échanger des informations et des opinions ou de s'exprimer dans le cadre d'une réalisation commune (projet).
Les documents et les prises de parole permettent d'introduire des éléments lexicaux et grammaticaux.

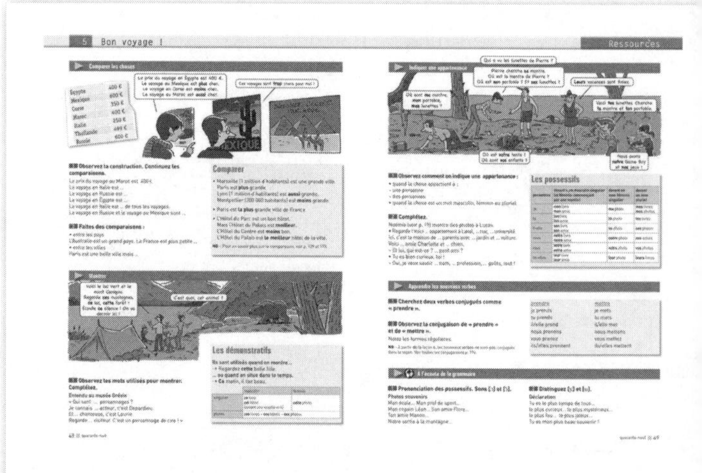

Deux pages « Ressources »

Les principaux points de langue de la leçon, essentiellement des points de grammaire aux niveaux A1 et A2, sont développés selon un parcours qui va de l'observation à la systématisation.
Les particularités orales de ces faits grammaticaux sont travaillées dans la partie « À l'écoute de la grammaire ».

Deux pages « Simulations »

Cette double page propose des scènes dialoguées qui illustrent des situations pratiques de communication.
Ces scènes s'inscrivent dans une histoire qui se déroule sur les quatre leçons de l'unité et qui est représentative de l'objectif général de cette unité.
Ces dialogues donnent lieu à des activités d'écoute, de simulation et de prononciation.

À la fin de chaque unité

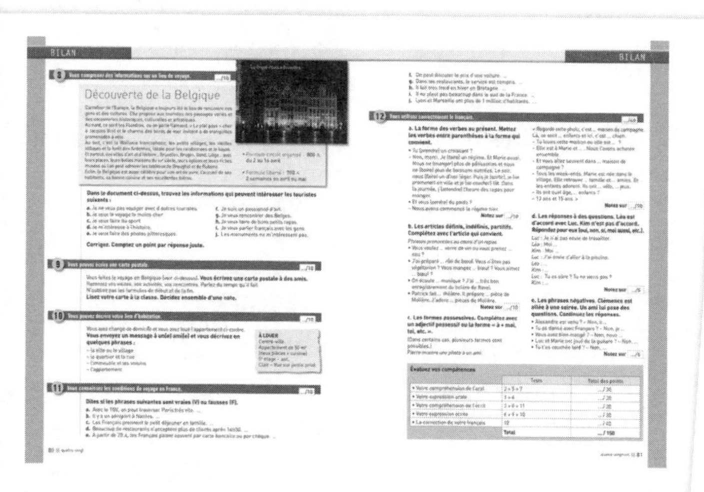

BILAN

Découverte de la Belgique

BILAN

4 pages « Bilan »
À la fin de chaque unité 4 pages d'évaluation permettent de vérifier les capacités de l'étudiant à transposer les savoir-faire qu'il a acquis.

ÉVASION DANS LA POÉSIE

Projet : poésie en liberté

Regards

PROJET

Recette

Zoom

3 pages « Évasion... » et « Projet »
Ces pages sont prévues pour inciter les étudiants à s'évader de la méthode pour aller lire et écouter du français par d'autres moyens. Elles proposent à l'étudiant un projet de réalisation concrète.

À la fin du livre

- un aide-mémoire pour les nombres, la grammaire et les conjugaisons ;
- des cartes : France physique, France touristique, Paris touristique, plan du métro de Paris ;
- les transcriptions des documents sonores qui ne sont pas transcrits dans les leçons : rubriques « À l'écoute de la grammaire » et « Prononciation », dialogues non transcrits des pages « Simulations», autres documents sonores pouvant figurer dans les pages « Interactions », « Écrits » ou « Civilisation ».

Les CD collectifs

On y trouve les enregistrements :
- des scènes des histoires des pages « Simulations » ;
- des exercices des rubriques « À l'écoute de la grammaire » et « Sons, rythmes, intonations » ;
- des activités d'écoute qu'on peut rencontrer aussi bien dans les pages « Interactions », dans les pages « Écrits » que dans les pages « Civilisation » ;
- les tests oraux du portfolio.

Toutes les transcriptions de ces enregistrements se trouvent dans le livre de l'élève soit dans les leçons, soit dans la partie « Transcription » en fin d'ouvrage.

Le DVD - ROM

Le DVD-ROM (audio et vidéo) joint au livre de l'élève comprend l'audio des CD collectifs et le DVD d'une fiction pleine d'humour en 16 épisodes complétée par 8 reportages issus de France 24.

Le portfolio

Ce petit livret joint au livre de l'élève permet à l'étudiant de noter les étapes de sa biographie langagière, d'indiquer le niveau de compétence qu'il a atteint pour chacun des objectifs poursuivis dans la méthode et de se situer sur l'échelle des niveaux du CECR (Cadre européen commun de référence).

Le cahier personnel d'apprentissage

(avec CD audio et livret de corrigés)
Il permet à l'étudiant de travailler seul après la classe. Pour chaque double page du livre, l'étudiant retrouvera le vocabulaire nouveau. Il pourra vérifier sa compréhension des textes et des dialogues étudiés, faire des exercices oraux et écrits pour l'automatisation des conjugaisons et des structures syntaxiques, travailler sur des documents complémentaires à ceux du livre de l'élève.
Un livret de corrigés des exercices est joint à ce cahier.

Une approche actionnelle

L'apprenant futur acteur social

ÉCHO est une méthode pour l'apprentissage du français langue étrangère par des adultes ou de grands adolescents, débutants ou faux débutants. Elle vise à préparer ces étudiants à vivre et à communiquer dans un environnement francophone. Ses objectifs sont donc formulés en termes :
- de **savoir-faire** : acheter un objet, commander un repas, demander des nouvelles de quelqu'un, etc. ;
- de **savoir être** : aborder quelqu'un, s'adapter au rythme de vie, savoir se comporter lors d'un dîner, etc. ;
- de **savoir apprendre** : comprendre le sens d'un mot à partir du contexte, mémoriser la conjugaison d'un verbe pour que la forme soit produite naturellement, utiliser un dictionnaire, etc.

Les éléments linguistiques (la grammaire, le vocabulaire, la prononciation), tout en étant introduits progressivement, sont donc subordonnés aux savoir-faire qu'il s'agit d'acquérir.

La méthode *ÉCHO* est née de la convergence de deux perspectives :
- **une méthodologie d'inspiration communicative** que les auteurs ont conçue, évaluée et amendée dans différentes productions, notamment *Panorama* (1996) et *Campus* (2002) ;
- **les recommandations du Cadre européen commun de référence** (CECR1*), document élaboré par le Conseil de l'Europe qui propose des orientations pour apprendre une langue étrangère, l'enseigner et l'évaluer. Rappelons que le CECR préconise une approche « actionnelle » (orientée vers l'action) et qu'il considère l'apprenant, futur utilisateur de la langue, comme « un acteur social qui a des tâches à accomplir ».

ÉCHO propose donc une méthodologie où l'apprenant est à la fois :
- acteur social dans le groupe classe ;
- acteur dans les simulations des situations qu'il aura à vivre dans un environnement francophone ;
- acteur qui prend en charge son apprentissage.

Une approche par l'interaction

1. L'espace social de la classe générateur d'apprentissage

Avec *ÉCHO*, les premiers mots, les premières formes grammaticales sont découverts et utilisés grâce à l'espace social du groupe classe. On fait connaissance, on demande des explications au professeur, on donne des informations aux membres du groupe. Puis, progressivement, au fur et à mesure que les moyens linguistiques le permettent, on réagit aux documents proposés dans le livre, on échange des points de vue, on fait des projets.

Ces interactions sont naturelles. Quand il salue, s'excuse d'être arrivé en retard ou évoque un souvenir, l'étudiant est lui-même. Il ne joue pas au futur touriste ou au futur résident qu'il sera peut-être un jour dans un pays francophone. Il est pleinement acteur, en français, dans la micro-société de la classe.

Cette parole authentique sera un grand facteur de motivation et de mémorisation. Les interactions seront le moteur de l'apprentissage. Ce sont elles qui susciteront les apports langagiers et justifieront le travail en langue.

2. Le nécessaire recours à la simulation

Il est évident que l'espace classe ne peut pas générer de façon naturelle toutes les situations que l'étudiant rencontrera dans un pays francophone. Pour apprendre à réserver une chambre d'hôtel, à acheter un billet de train ou à demander son chemin dans la rue, on aura recours à des activités de simulations. On jouera au vendeur et au client et on fera semblant d'être obligé de remplir une

---

* Bien que le CECR ait été conçu à l'intention des pays d'Europe, la plupart des enseignements de langue étrangère dans le monde peuvent se reconnaître dans ses recommandations et s'en inspirer. Il fixe en effet comme objectif à l'enseignement d'une langue l'adaptation à un milieu linguistique et social. Il n'est pas dogmatique dans ses indications méthodologiques. Il a le mérite de donner un cadre conceptuel pour l'apprentissage, l'enseignement et l'évaluation qui permet à tous les enseignants d'avoir un langage commun.
Dans ce livre du professeur, nous utiliserons la terminologie du CECR.

fiche d'hôtel. Mais comme l'apprenti pilote d'Airbus qui accepte de s'entraîner sur son simulateur de vol, on abordera ces jeux de rôles non pas comme des moments de divertissement (encore qu'ils puissent l'être) mais comme les étapes obligées d'une formation. Et cette **validation sociale** convaincra peut-être les étudiants qui restaient rétifs à ce type d'activité.

L'étudiant acteur de son apprentissage

1. L'apprentissage par les tâches

Nous adopterons la définition du mot « **tâche** » donnée par le CECR : « *Est définie comme tâche toute visée actionnelle que l'acteur se représente comme devant parvenir à un résultat donné en fonction d'un problème à résoudre* » (CECR, p. 16).

Remplir une demande de visa, retrouver un objet perdu (en cherchant, en demandant, en téléphonant aux objets trouvés), dire quelques mots à la gardienne de son immeuble en la croisant dans l'escalier sont des tâches car, pour un étranger, elles posent des problèmes (linguistiques et comportementaux) qu'il peut se représenter clairement.

Dans son déroulement, un cours avec *ÉCHO* se présentera comme une suite de tâches de nature variée.

a. Les tâches naturelles

Ce sont celles qui sont suscitées naturellement par le groupe social de la classe. Comme dans tout groupe social, ses membres ont envie de parler d'eux, de connaître les autres, de réaliser des choses ensemble, de maintenir la cohésion du groupe.

Ces tâches peuvent être **individuelles** (tenir un journal d'apprentissage, faire un test sur la connaissance du monde francophone) mais la plupart du temps, elles sont **collectives** (donner son opinion sur des destinations de voyage, faire un projet de fête, organiser un petit spectacle).

b. Les tâches simulées

Ce sont celles qui ne peuvent pas apparaître naturellement dans la vie de la classe mais que l'étudiant devra effectuer dans un pays francophone et qu'il devra par conséquent anticiper. Il s'agit en particulier des nombreuses tâches quotidiennes ou pratiques : ouvrir un compte en banque, acheter un vêtement, s'inscrire à un club, etc.

c. Les tâches techniques d'apprentissage

On pense ici aux *tâches d'observation de la langue, de conceptualisation, de mémorisation et d'automatisation des formes linguistiques ainsi que des tâches qui permettent l'acquisition des stratégies de compréhension et de production.*

Pour des raisons d'usage, nous continuerons à appeler ces tâches « exercices » mais elles correspondent à une évolution de l'exercice traditionnel. En effet :
- nos exercices supposent toujours **une réflexion sur la langue**. L'étudiant est toujours conscient de ce qu'il fait et du pourquoi il le fait ;
- un point de grammaire ou de vocabulaire est toujours abordé selon **une pédagogie de la découverte** qui rend l'étudiant actif. La règle ne lui est pas donnée, c'est à lui de la déduire à partir d'activités concrètes de repérage et de classement ;
- ces exercices ont comme support **de petits textes ou dialogues qui ont du sens**, au même titre que les autres documents de la méthode ;
- ils mettent en jeu **les processus mentaux qui interviennent généralement dans la production ou la compréhension langagière**. Pour l'exercice classique dit « à trous », c'est la recherche d'un mot ou d'une forme dans la mémoire. Lorsqu'on demande à l'étudiant de combiner deux phrases (pour travailler les propositions relatives), c'est le processus d'addition d'information.

2. L'apprentissage de l'autonomie

Hormis en immersion totale ou dans un cours très intensif, il n'est pas possible d'apprendre une langue étrangère sans fournir un travail personnel important.

La classe est le lieu où on motive, où on apporte les outils de la communication et où on met ces outils en œuvre. Mais pour la majorité des étudiants, ce n'est pas le lieu où on mémorise. Il y a trop de parasitages, de tensions, de stress pour que la mémorisation soit efficace.

Par ailleurs, avec des adultes ayant des activités professionnelles, une parfaite assiduité au cours est rarement possible. *Il faut donc savoir travailler seul et être capable de prendre en charge une partie de son apprentissage.*

ÉCHO propose divers instruments pour l'autonomie de l'apprenant.

a. Le cahier personnel d'apprentissage (CPA)

Pour chaque partie de leçon du livre de l'élève, ce cahier permet :
- de retrouver les mots nouveaux classés par ordre alphabétique et d'écrire leur traduction ;
- de vérifier que le travail fait en classe, par exemple la compréhension d'un texte, a bien été assimilé ;

– de faire des exercices de systématisation et de mémorisation portant sur la morphologie (notamment les conjugaisons), la syntaxe et le vocabulaire ;
– de s'entraîner à la prononciation et de vérifier sa compréhension de l'oral à partir de petits documents sonores fabriqués avec des éléments vus dans la leçon.

b. Des outils pour l'auto-évaluation

À la fin de chaque unité, **un bilan de quatre pages** propose des tâches parallèles à celles qui ont été travaillées dans l'unité. C'est l'occasion de vérifier sa capacité à transposer les savoir-faire abordés.

L'étudiant corrige lui-même ces tests. Il a la possibilité de se noter et de comparer l'évolution de ses différentes compétences.

Le portfolio joint au livre de l'élève sera le passeport de l'étudiant. Il y notera les détails de sa biographie langagière, les différents savoir-faire acquis ou en cours d'acquisition et il aura la possibilité de vérifier s'il a atteint le niveau A1 du CECR.

À côté de ces instruments d'auto-évaluation, le professeur disposera d'un **fichier d'évaluation** photocopiable. Il pourra tester les compétences de ses étudiants soit à la fin de chaque leçon, soit à la fin de chaque unité.

Précisons que, dans tous ces outils pour l'évaluation, cinq compétences sont évaluées : la compréhension orale, la compréhension écrite, la production écrite, la connaissance des moyens linguistiques utilisés dans les situations orales et la correction de la langue.

c. Des pages « Ressources » « à la carte »

La double page « Ressources » de chaque leçon présente plusieurs points de langue (grammaire ou moyens expressifs organisés autour d'un objectif de communication). Cette double page peut être utilisée selon les besoins des étudiants.

Dans une activité où il s'agit de choisir une destination de voyage (page 46), les étudiants auront peut-être besoin de quelques expressions comparatives. Ils pourront alors décider d'interrompre la tâche en cours pour consacrer quelques minutes à la découverte de ces nouvelles formes grammaticales. La rubrique « Comparer » (page 48) servira de support à cette activité.

d. Les outils de référence

Pour que l'étudiant puisse facilement retrouver et mémoriser un point de langue ou de vocabulaire, *ÉCHO* met à sa disposition :
– dans les leçons : **des tableaux** de grammaire, de conjugaison ou de vocabulaire ;
– à la fin du livre élève : **un aide-mémoire** pour les nombres, la grammaire et les conjugaisons ;
– dans le cahier personnel d'apprentissage : **la liste des mots nouveaux** introduits dans chaque double page du livre élève.

Une progression par unités d'adaptation

ÉCHO se présente comme une succession d'unités correspondant à 30 à 40 heures d'apprentissage (selon la langue maternelle de l'apprenant, son expérience en matière d'apprentissage des langues étrangères, etc.).

Chaque unité vise à *adapter* l'étudiant à un contexte, c'est-à-dire à un environnement dans lequel il aura à vivre différentes situations langagières et à accomplir certaines tâches.

Par exemple, dans **l'unité 1 « Apprendre ensemble »**, on prépare l'étudiant à vivre en français la situation d'apprentissage en classe. Il s'agit pour lui de s'intégrer dans le groupe et de faire en sorte que cette intégration dynamise l'apprentissage.

L'unité 2 « Survivre en français » le prépare à faire un bref séjour dans un pays francophone. Il apprendra à faire des réservations, voyager, se loger, se nourrir, trouver de l'aide en cas de problème, etc.

Dans **l'unité 3 « Établir des contacts »**, le contexte est celui de premiers échanges avec des francophones, que ce soit par écrit (en particulier par Internet), par téléphone ou en direct. Ce contexte ne se situe pas forcément dans un pays francophone.

Des moyens linguistiques adaptés aux besoins et aux capacités des étudiants

Les capacités des étudiants ne sont pas les mêmes selon les compétences. La **compréhension écrite** est le domaine où les progrès sont les plus rapides, surtout avec les étudiants dont la langue maternelle est proche du français ou qui tout simplement connaissent déjà l'anglais lorsqu'ils abordent le français. La compétence de **compréhension orale** est toujours la plus difficile à acquérir dans une classe de langue où l'on ne peut écouter que le professeur ou quelques enregistrements. La compétence de **production orale** est souvent la plus demandée par les étudiants. Quant à la **production écrite**, en dehors du fait qu'elle est un instrument d'apprentissage, elle ne motive pas tous les étudiants de la même manière.

Il serait donc peu judicieux de vouloir travailler les quatre compétences à égalité.

Dans *ÉCHO*, leur acquisition est modulée de la façon suivante :

1. Dans les documents proposés pour la compréhension écrite, on ne s'interdit pas un vocabulaire plus important qu'à l'oral et de temps en temps une tournure grammaticale qui n'a pas encore été abordée. L'étudiant est mis progressivement en situation de lecture de documents authentiques de façon à appréhender le sens d'un texte sans forcément tout comprendre. Mais la masse lexicale donnée à lire dans *ÉCHO 1* ne dépasse pas 1 400 mots.

2. Les documents sonores utilisés pour les activités d'écoute (dialogues et autres exercices d'écoute) sont en revanche beaucoup moins riches du point de vue du vocabulaire et de la grammaire. On retrouvera très souvent les mots les plus fréquents (verbes, indicateurs de temps et d'espace, formes expressives de la surprise, de la satisfaction, etc.) employés dans des situations et avec des intonations différentes (moins de 800 mots).

Il s'agit de fixer des repères dans la mémoire sonore de l'étudiant et de lui montrer qu'on peut dire beaucoup de choses avec un minimum de mots.

3. Cette stratégie de rentabilisation maximale du capital linguistique sous-tend **les activités d'expression orale et écrite**. Par ailleurs, l'étudiant adulte a envie très tôt d'exprimer des opinions et de manier des outils argumentatifs. On n'attendra pas le niveau 2 pour lui en donner les moyens en introduisant des expressions comme « Il a raison » ou « pourtant ».

Une adaptation à la société française

Être un acteur social suppose une certaine connaissance de l'environnement dans lequel on va vivre.

Apporter cette connaissance pour l'ensemble des zones francophones aurait nécessité trop de place. On s'est donc limité à la France et à ses territoires d'outre-mer. Toutefois, **la francophonie** est loin d'être absente. C'est par un repérage des pays francophones du monde que débute la méthode. Au fil des histoires et des textes, on parlera de Bruxelles, du Québec, de la Suisse et des pays d'Afrique (niveau 2).

La découverte de la société française se fait non seulement dans les pages « Civilisation » mais aussi par petites touches grâce à la plupart des documents de la méthode. On abordera ainsi les différents aspects de l'univers culturel :

- les repères d'espace et de temps (la géographie, les lieux et les personnages célèbres à plusieurs titres) ;
- les préoccupations actuelles des Français ;
- les comportements (rencontres, repas, conversations, etc.) ;
- les systèmes scolaire, administratif, politique, le système de santé ;
- l'actualité politique, économique, artistique des années post 2000.

ÉCHO mode d'emploi

La classe « tout en français »

La méthodologie de *ÉCHO* est celle des classes internationales où les étudiants n'ont aucune langue en commun lorsqu'ils débutent leur apprentissage du français. Le professeur peut donc, s'il le souhaite, se passer de la langue maternelle.
Rappelons brièvement les avantages d'une telle méthodologie :
– les acquisitions exigent un certain **effort cognitif** qui est un facteur de mémorisation (un mot acquis grâce à sa traduction est moins bien retenu que si sa compréhension a nécessité un travail d'hypothèses/vérifications) ;
– la **fonction de répétition** y apparaît de manière naturelle. Le professeur utilise sans cesse les acquisitions antérieures pour expliquer les nouvelles. Les étudiants développent des stratégies de gestion de leurs acquis ;
– la situation de classe se rapproche des situations naturelles d'expression et de compréhension. L'étudiant apprend progressivement à **vaincre ses inhibitions et sa peur de parler**.
La recette pour réussir une classe « tout en français » est simple mais elle exige de la rigueur et de la vigilance.
Voici quelques règles utiles :

1. Introduire les mots nouveaux à petites doses.
Essayer de ne pas augmenter le lexique présenté dans le livre. ÉCHO introduit en moyenne une douzaine de mots nouveaux par heure de cours. Ils ne sont certes pas tous à mémoriser car certains apparaissent de manière fortuite. Mais ce volume suffit amplement à la mémoire de l'étudiant. Cela dit, la capacité d'appropriation dépend du degré de transparence entre le français et la langue maternelle.

2. Garder les mots connus en mémoire. Les réutiliser constamment :
– **pour l'explication des mots nouveaux** ;
– **pour tout ce qui concerne la vie de la classe**. Au début, le rituel en français sera pauvre (*bonjour – comment allez-vous ? – ça va – au revoir*). Petit à petit, introduire des consignes, des demandes, des commentaires, etc.
Exemple : le seul fait de dire à chaque séance *« Ouvrez votre livre, page ... »* permettra l'acquisition progressive du verbe « ouvrir ». Ce mot sera tout de suite compris lorsqu'il apparaîtra dans la leçon 4.

3. Expliquer les mots et les formes grammaticales en utilisant le contexte, les mots déjà connus, le dessin, le mime, la gestuelle et surtout les connaissances générales de l'étudiant.
Exemple : le mot « *banlieue* » sera tout de suite compris si on le fait suivre du nom d'une banlieue connue des étudiants.
Dans ce livre du professeur, après chaque texte ou dialogue, on trouvera la recommandation « Expliquer » suivie des mots nouveaux du texte et d'une proposition d'accès au sens. Dans notre esprit il ne s'agit pas d'une explication magistrale mais d'une découverte active du sens par les étudiants.

4. Faire en sorte que chaque mot ou forme grammaticale soit compris, manipulé et mémorisé. Après une activité de compréhension de texte, regrouper les mots nouveaux et les faire employer dans un échange guidé (questions/réponses).

5. Instaurer la règle du jeu dès le début du cours. Si dès le début, la communication s'installe en langue maternelle, il sera difficile de revenir en arrière.

Les pages d'ouverture des unités

Chaque unité s'ouvre par une page qui présente brièvement et de manière très illustrée *l'objectif général de l'unité* (la situation d'adaptation) et les objectifs secondaires qui en découlent.

Ces objectifs formulés en terme de savoir-faire sont aisément compréhensibles par les étudiants.

Dès la deuxième unité, on pourra présenter l'objectif général de l'unité et poser aux étudiants la question : *« Nous allons faire un petit voyage en France. Qu'est-ce qu'on doit savoir faire et dire... ? »* On fera alors collectivement la liste des situations qui doivent être préparées (à l'aéroport, dans l'avion, etc.).

Il est important que l'étudiant ait une conscience claire de l'objectif général (très concret) de l'unité et des différentes étapes qui permettront d'arriver à ce but. Il pourra ainsi à tout moment visualiser le chemin parcouru et ce qui reste à faire.

Cette page fixe par ailleurs **un contrat de travail** entre les étudiants et l'enseignant. Notons que ce contrat est négociable, les étudiants pouvant ajouter ou supprimer certains objectifs secondaires. Des étudiants qui envisagent à brève échéance un voyage dans un pays francophone voudront peut-être ajouter des objectifs secondaires à l'unité 2 (« **Survivre en français** »). D'autres pourront estimer que la connaissance du système éducatif français n'est pas une priorité.

Les pages « Interactions »

Chaque leçon débute par une double page « Interactions » qui propose un ou plusieurs documents (parmi lesquels il peut y avoir un document sonore) choisis pour leur pouvoir déclencheur d'expression orale ou écrite.

1. Types de pages « Interactions »

Selon le document, la classe interactive peut prendre des formes diverses.

a. Le document est un questionnaire, par exemple *un test de connaissance* (p. 14), *un forum Internet de type questions/réponses* (p. 62) ou *un sondage* (p. 94). Guidés par le professeur qui explique les mots difficiles, les étudiants remplissent le questionnaire individuellement, puis comparent leurs résultats et échangent des opinions.
Il peut leur être demandé d'adapter le test ou le sondage pour leur pays. Le travail se fait alors en petits groupes.

b. Le document invite à faire des choix. C'est le cas de la *page accueil du site Internet d'une agence de voyages* (p. 46) *ou d'une agence immobilière* (p. 70) ou bien de la *publicité d'un traiteur* qui propose des menus et des animations de soirée (p. 54). Ici l'échange est immédiat. Les étudiants discutent pour choisir leur destination de voyage, le logement dans lequel ils veulent vivre, ou se mettent d'accord sur les détails de la fête qu'ils vont organiser.

c. Le document déclenche des prises de position. Il peut s'agir d'un *sondage sur les nouvelles technologies* (p. 94) ou d'un *forum Internet* (p. 102). La classe se partage les différents documents. Chaque petit groupe prépare une intervention pour rendre compte du contenu du document au reste de la classe et pour donner son opinion. Le reste de la classe donne ensuite son avis.

d. Le document suscite l'envie de réaliser un projet individuel ou collectif. La découverte d'un *album de souvenirs* (p. 86) donne à l'étudiant l'envie de créer son propre recueil de souvenirs. La lecture d'un *document intitulé « Des idées pour créer votre entreprise »* débouchera sur des projets de création d'entreprises réalisés en petits groupes.

2. Caractéristiques des pages « Interactions »

Dans le travail réalisé avec ces pages, l'étudiant sera pleinement « acteur social ». Les échanges, qu'il s'agisse de brèves interactions ou de paroles en continu (monologue suivi), seront de même nature que les conversations de la vie réelle.
En plus des savoir-faire langagiers, il va acquérir des « savoir être » (vaincre sa peur de parler, développer des stratégies d'interaction, gérer ses manques, prendre de l'assurance).

3. Conseils pour réussir un cours avec ces pages « Interactions »

a. Le professeur doit prévoir avec assez de précision le déroulement de sa classe. La colonne « activités », à droite de la double page, lui propose un déroulement possible. Les activités collectives, en petits groupes et les prises de parole individuelles doivent alterner. Chaque étudiant doit avoir l'occasion de s'exprimer non seulement dans le petit groupe mais aussi devant le groupe classe.

b. L'enseignant guide les étudiants dans la découverte du document. Il fait expliquer ou explique lui-même les mots nouveaux.

c. Il est bon que les productions orales (sauf lorsqu'il s'agit de réactions brèves et spontanées) **soient précédées d'un moment de réflexion** ou de prises de notes écrites. Dans l'activité de la p. 62 (Forum : quel est votre meilleur moment de la journée ?), on donnera aux étudiants quelques minutes de préparation pour développer les raisons de leur choix. Sinon on court le risque d'avoir des réponses laconiques qui rendront le tour de table ennuyeux.

d. Les activités de type « d » (projet individuel ou collectif) doivent être précédées d'une mise en condition pour motiver les étudiants. Il faut créer le désir de se lancer dans le projet.
Certains projets commencés en classe peuvent être poursuivis en travail personnel. C'est le cas de l'album des souvenirs (p. 86), du logement idéal (p. 70), ainsi que des projets qu'on trouve ailleurs que dans les pages « Interactions » : par exemple « Le journal en français » (p. 36).

On trouvera aussi des projets dans les pages « Évasion » (voir ci-après).

e. L'introduction ou l'explication d'un point de langue peut se faire :
– de façon complète si elle a lieu entre deux activités différentes ;
– rapidement au cours d'une activité.

Les pages « Ressources »

Chaque double page « Ressources » propose deux ou trois points de langue : points de grammaire (Nommer – Préciser), de conjugaison (Conjuguer les verbes) ou regroupement de formes autour d'un acte de parole (Parler de ses activités).

Chaque point est autonome. Il propose un parcours qui va de l'observation à l'emploi des formes étudiées :

a. Un dessin humoristique proposant un corpus d'expressions qui va permettre l'observation du point de langue (les deux ou trois dessins de la double page sont liés par une trame narrative).
Ce dessin est suivi d'une *activité de découverte* (grille à remplir, mots à rechercher, etc.) qui permet de conceptualiser, de classer, d'induire des règles du système de la langue.
Il est impératif que l'enseignant guide les étudiants dans ce travail.

b. Un tableau de présentation didactique des points de grammaire. C'est la mise en forme, complétée par certains points particuliers, de ce que les étudiants auront découvert avec l'aide de l'enseignant.

c. Des exercices de systématisation. Ces exercices permettent de vérifier que la forme nouvelle peut être comprise et employée. Selon le degré de réussite de l'activité de découverte, cet exercice peut se faire individuellement ou collectivement. Rappelons que les exercices de fixation et de mémorisation se trouvent dans le *cahier personnel d'apprentissage*.

d. Dans certains cas, le travail sur le point de langue se termine par **une activité de réemploi plus libre**. Par exemple, la découverte de quelques formes comparatives débouche sur la production de phrases où l'on compare deux villes ou deux pays.

e. La dernière rubrique de la double page « Ressources » intitulée « À l'écoute de la grammaire » permet de travailler les incidences orales de la grammaire (marques orales du pluriel ou du féminin, différenciation présent/passé, etc.).

Quand utiliser les pages « Ressources » ?
Il est tout à fait possible de les utiliser au moment de leur apparition dans le livre. Le travail sur les pages « Interactions » aura sensibilisé les étudiants à certains points de langue. La découverte des autres points préparera le travail sur les pages « Simulations ».
Mais on peut aussi les utiliser « à la carte » soit en fonction des demandes des étudiants entre deux activités des pages « Interactions », soit comme préparation à la découverte des pages « Interactions » ou « Simulations ».

Les pages « Simulations »

Dans ces pages, l'étudiant va être confronté aux **situations orales interactives** qu'il aura l'occasion de vivre dans un pays francophone et qui ne sont pas naturellement suscitées par la vie de la classe. C'est le cas des situations pratiques (acheter, s'orienter, prendre un rendez-vous, etc.) ainsi que des interactions liées à des contextes particuliers (le logement, les transports, la voiture, etc.).
Ces situations sont mises en scène dans **des dialogues qui s'enchaînent pour raconter une histoire. Cette histoire se déroule sur une unité**.

1. Coup d'œil sur les histoires

Unité 1 – « On connaît la chanson »

Des jeunes se retrouvent à Paris dans le cadre d'un stage de comédie musicale. Ils vont vivre une histoire parallèle à celle du groupe classe. Ils font connaissance, suivent des cours de chant et de danse, se détendent en allant au café, en organisant des sorties ou en faisant du sport, ont des moments d'enthousiasme ou de découragement.

Il y a bien sûr une intrigue. *Mélissa*, une jeune Guadeloupéenne, qui est venue avec son ami *Florent*, est séduite par la verve et l'assurance du Toulousain *Lucas*. Florent et Lucas sont en compétition pour le rôle de Quasimodo car, à la fin du stage, les chanteurs et danseurs interprètent « Notre-Dame de Paris ». Qui aura le rôle ? Florent se consolera-t-il auprès de *Noémie* la Québécoise ? Le spectacle sera-t-il prêt à temps ?

Unité 2 – « La traversée de l'Hexagone »

Après avoir hésité à partir en vacances par l'intermédiaire d'une agence de voyages, *Fanny* et *Bertrand* décident d'aller chez des amis qui rénovent une vieille ferme dans l'Ariège. Ils vont vivre toutes les péripéties qui émaillent un voyage mouvementé : erreurs de réservation d'hôtel et sur la note du restaurant, achats malvenus pour les amis qui les reçoivent, surprises à l'arrivée (ils doivent dormir dans une caravane, aider leurs amis dans leurs nombreuses tâches). Ils se perdent au cours d'une promenade. Il faut donc trouver une idée pour partir au plus vite.

Unité 3 – « Mon oncle de Bretagne »

Camille, qui vit en Nouvelle-Calédonie et qui vient de réussir sa licence de sciences, décide de poursuivre ses études à Rennes. Elle compte bien y retrouver la famille de son père avec qui celui-ci s'est fâché il y a 25 ans. Camille va trouver une famille dispersée où chaque membre aura eu un destin particulier. Il faut tenter de réconcilier les uns avec les autres. C'est l'occasion de découvrir certaines facettes de la société française (les types de famille, la mobilité, les niveaux socio-économiques).

2. Caractéristiques des histoires

- Les histoires sont **des métaphores du contenu général de l'unité**. Dans l'histoire « On connaît la chanson » par exemple, on trouvera les situations courantes d'un cours de langue pour débutants.
- **Les situations de la vie quotidienne apparaissent dans un contexte précis**. Il y a un avant et un après de la communication qui facilite la compréhension. Par ailleurs, le comportement des personnages n'est pas perçu comme celui d'un Français type mais comme celui d'un individu particulier, ce qui permet d'éviter les généralisations abusives.
- **Certains dialogues ou parties de dialogues ne sont pas transcrits dans la leçon**. Ils servent d'exercices d'écoute. Ils sont notés par le sigle « *Transcription* ». Celle-ci se trouve à la fin du livre de l'élève
- Certaines scènes sont seulement illustrées. **Le dialogue est à imaginer par les étudiants.**
- **Dans le bandeau d'exploitation** à droite de la double page, on trouvera :
  - pour chaque scène **une procédure d'écoute** (questions, texte ou grille à compléter). Mais la pédagogie de l'écoute est surtout développée dans ce guide pour le professeur ;
  - une ou plusieurs **propositions de jeux de rôles**. Il s'agit la plupart du temps de transposer une scène de l'histoire ;
  - **une rubrique « Sons, rythmes, intonations »** qui propose un travail de prononciation.

Quelques techniques pour travailler avec un document audio

Selon le dialogue, chacune de ces techniques est plus ou moins appropriée. Elles peuvent également se combiner.

a. Hypothèses sur le contenu du dialogue d'après les éléments situationnels (à faire par exemple avec la scène 4, p. 11)
(1) Observation de l'image. Lecture de la phrase d'introduction et éventuellement de la première réplique. On peut présenter la page, dialogue caché, avec le rétroprojecteur.
(2 Hypothèses sur ce qui se passe et sur le contenu du dialogue. Cette étape peut servir de préparation lexicale et grammaticale à l'écoute.
(3) Écoute et mise au point de la compréhension.

b. Écriture du dialogue

Même démarche que la précédente lorsque la scène est la conséquence logique du début de l'histoire ou que l'environnement écrit est suffisamment explicite. Exemple : dans la scène 3, p. 11, on imagine les dialogues entre les stagiaires et le secrétaire.

c. Compléter le dialogue dont on a préalablement effacé quelques répliques
Le professeur peut écrire au tableau le dialogue à une entrée.

d. Dévoilement progressif du dialogue (à l'oral ou à l'écrit selon la difficulté)
On procède de la manière suivante :
- écoute de la première réplique ;
- analyse collective. Propositions de réponse ;
- écoute de la réponse ;
- etc.

À faire par exemple avec la scène 1, p. 26.

e. Écoute directe après préparation lexicale minimale (cas d'un dialogue facile, par exemple scène 4, p. 19)
On écoute le dialogue. On note ce que les étudiants ont compris. On procède à plusieurs écoutes en reconstituant progressivement le texte.

f. Mise en scène et interprétation d'un dialogue

On écoute le dialogue puis on travaille à partir du texte écrit. On recherche la position et les mouvements des personnages, leurs expressions et leurs gestuelles comme si on préparait une pièce de théâtre. Le travail de compréhension linguistique est intégré au projet d'interprétation. À faire par exemple avec la scène 5, p. 67.

g. Imaginer un avant et un après du dialogue

Que vont devenir les personnages après la scène 4, p. 35 ? Pourquoi François s'est-il fâché avec sa famille (scène 1, p. 90) ?

h. Transcription du dialogue

Dans chaque double page « Simulations », au moins un dialogue est à transcrire.

La page « Écrits »

Elle est spécialement consacrée à la compréhension et à la production écrites mais ces deux compétences sont aussi souvent travaillées dans les pages « Interactions » et les pages « Civilisation ».

Cette page « Écrits » est toujours en liaison thématique avec la page « Civilisation » et il peut arriver que les deux pages soient combinées, par exemple p. 116 et 117, la découverte de quelques stéréotypes vestimentaires et comportementaux.

Les pages « Écrits » présentent toutes la même organisation :

a. Un texte est proposé à la lecture (ou plusieurs petits textes lorsqu'il s'agit de brefs messages, petites annonces, etc.).

Tout au long de la méthode, on abordera les différents types de texte : messages familiers, cartes postales et lettres amicales, carton d'invitation, extraits d'ouvrages touristiques, extraits de journaux ou de magazines. Beaucoup de textes sont des documents authentiques légèrement simplifiés au niveau 1.

b. Un travail d'exploration du texte qui s'appuie généralement sur *un projet de lecture*. Par exemple p. 60, il s'agit de choisir un restaurant dans un guide consacré aux restaurants originaux de Paris.

Ce travail vise également à développer des stratégies de lecture :

- repérage des éléments situationnels (p. 28, qui écrit ? à qui ? etc.) ;
- induction du sens d'un mot nouveau d'après le contexte (p. 60) ;
- balayage du texte pour retrouver une information (p. 68).

c. Un travail de production écrite

ÉCHO donne la priorité aux **situations de production écrite fréquentes et prévisibles** pour un étudiant qui a des contacts avec des francophones (messages ou lettres de prise de contact, d'échange d'informations, de prise de rendez-vous, d'invitation, de remerciements, etc.).

Mais **la production écrite pour le plaisir** n'est pas pour autant négligée car c'est un moyen efficace de motivation et d'apprentissage de la langue. Les étudiants sont par exemple incités à tenir leur journal en français (à partir de la leçon 4). Les différents projets donnent également lieu à des exposés écrits.

La page « Civilisation »

Par civilisation, on entend les savoirs et les savoir-faire langagiers et non langagiers qui permettent une adaptation à une société francophone. Toutefois, lorsqu'on aborde le système éducatif ou l'organisation politique et administrative du pays, on s'est limité, pour des raisons d'espace, à la société française.

Cette page propose des documents divers : photos, analyses, statistiques, témoignages, micro-trottoir, interviews, conseils pratiques, etc.

Ces documents permettront de mettre en valeur :

- la culture partagée par une majorité de Français (environnement géographique, actualité artistique, sociale, politique, Histoire, etc.) ;
- les habitudes et les comportements dans les différents domaines de la vie quotidienne.

Les pages « Évasion, Projet »

Ces pages sont prévues pour inciter les étudiants à s'évader de la méthode pour aller lire et écouter du français par d'autres moyens. Elles sont organisées selon la dynamique du projet.

On trouvera trois pages « Évasion » à la fin de chaque unité.

- *Unité 1, « Évasion en français »*. Les étudiants sont invités à découvrir des sites Internet, des journaux ou des magazines, ou à explorer les éventuels lieux francophones de leur environnement. Ils doivent rendre compte de leur découverte.
- *Unité 2, « Évasion dans la poésie »*. On lit et on interprète de petits poèmes sur le thème de la ville construits sur des structures simples et répétitives. On découvre qu'il est facile d'en créer en jouant sur les répétitions structurales. On réalise ainsi un petit recueil collectif de poésies.
- *Unité 3, « Évasion au théâtre »*. Les étudiants découvrent quelques scènes comiques du théâtre contemporain. Le projet consiste à créer par petits groupes une série de sketches pour réaliser un spectacle.

ÉCHO, le Cadre européen et le DELF

Les pages qui précèdent auront montré que, par ses objectifs généraux et ses orientations méthodologiques, la méthode *ÉCHO* s'inscrit dans le Cadre européen commun de référence.

Elle suit aussi les recommandations du Cadre dans ses contenus et ses objectifs spécifiques.
Les différents niveaux du Cadre et du DELF (diplôme élémentaire de langue française) sont atteints selon la progression suivante :

	Nombre d'unités	Cadre européen	DELF
Écho A1	3	A1	A1
Écho A2	3	A2	A2
Écho B1 (vol. 1)	3	B1	B1
Écho B1 (vol. 2)	3	B1	
Écho B2	4	B2	B2

Le portfolio et son utilisation

Le portfolio joint au livre élève comporte trois parties :

1. La biographie langagière. Il s'agit d'un questionnaire dans lequel l'étudiant note ses expériences en français en dehors du cadre de la classe (voyages, spectacles, rencontres, etc.). Ces pages peuvent s'utiliser dès la première heure de cours avec des étudiants faux débutants ou si l'enseignant utilise la langue maternelle. Dans le cas contraire, on peut commencer à remplir ces pages après la leçon 2.

2. Les compétences. À la fin de chaque unité, l'étudiant indexera les savoir-faire et les savoirs abordés en indiquant s'ils sont « acquis », « en cours d'acquisition » ou « non acquis ». Il mettra à jour les listes d'objectifs des unités précédentes si tout n'avait été acquis.

3. Une série de tests « Avez-vous atteint le niveau A1 ? ». À faire à la fin de l'unité 3 pour vérifier si le niveau est atteint.

Leçon 0 – Parcours d'initiation

Ce parcours d'initiation a été conçu pour des étudiants vrais débutants. Il peut être fait plus ou moins rapidement selon le profil des étudiants. La distance entre la langue maternelle de l'étudiant et le français, la connaissance d'une autre langue étrangère notamment d'une langue romane ou de l'anglais ainsi que de quelques notions de français permettront au professeur de moduler l'importance accordée à ces huit pages.

p. IX

Objectifs

Savoir-faire
- Dire son nom.
- Demander le nom de quelqu'un.

Vocabulaire
- *un/une guide – un/une touriste – un enfant – le tour du monde – un voyage*
- *s'appeler – épeler – pouvoir (vous pouvez)*
- *oui – non*

Grammaire
- Conjugaison du présent : je, tu, vous.

Activité 1

La première demi-heure de cours peut se faire livre fermé ou bien avec la page IX de la leçon 0. L'important est d'établir une communication en français dans la classe et de faire en sorte que les étudiants commencent à se connaître.
Quand le public est international, les étudiants peuvent montrer leur pays d'origine sur la carte du monde de la page 6.
a. Le professeur se présente (il peut écrire la phrase au tableau) *« Bonjour, je m'appelle... »*
Il demande ensuite à un étudiant : « *Comment vous vous appelez / Comment tu t'appelles ?* » (Pour le choix du « tu » ou du « vous » voir l'encadré ci-dessous) et invite l'étudiant à répondre en utilisant la phrase écrite au tableau.
b. Les étudiants se présentent. Faire un tour de table. Chaque étudiant interroge son voisin qui interroge à son tour un autre étudiant.
Le professeur corrige ponctuellement la prononciation en veillant à ne pas bloquer la communication.
Il fait au tableau une liste des noms des étudiants.

Activité 2

a. Compréhension de la situation. Observer le petit dessin, à gauche du titre, la photo et la petite affiche « Écho voyage ». Faire comprendre le sens de « monde », puis de « tour du monde » et enfin de « voyage autour du monde » à l'aide des éléments iconographiques. Faire comprendre aussi « francophone » par rapprochement avec France et français.
En s'appuyant sur la photo introduire « touristes » et « guide ».
b. Mise en relation des dialogues et des dessins « a », « b » et « c ». Le professeur lit les trois dialogues une première fois. Lors d'une seconde lecture, il s'arrête à chaque dialogue et fait trouver aux étudiants le dessin qui correspond.
c. Compréhension du détail des dialogues.
« Madame, Monsieur » : en référence à des étudiants ou à des professeurs connus des étudiants.
« Comment ? » (expression de l'incompréhension, demande de répétition) : par le mime.
« Épeler » : le mot se comprend aisément par l'action.
« Merci » : le mot aura été introduit en situation de classe. Le professeur demande son nom à un élève, puis il lui demande de répéter et lui dit « merci ».
d. Compréhension des formes du verbe. Faire prendre conscience de l'opposition « je/ tu ou vous » par la gestuelle. Faire une première approche de l'opposition « tu / vous » grâce à l'observation des dessins.
Sur cette opposition le professeur pourra éventuellement faire un petit développement en langue maternelle pour justifier le choix du mode de communication en classe.

Activité 3

Les étudiants se présentent dans un tour de table s'ils ne l'ont pas fait précédemment.

Activité 4

Le professeur écrit les lettres de l'alphabet au tableau. Les étudiants les écrivent sur une feuille. Écoute de l'enregistrement de l'alphabet (page 12) en suivant les lettres écrites au tableau. Faire une écoute globale puis une écoute en s'arrêtant aux voyelles et enfin, une écoute en s'arrêtant aux consonnes. Les étudiants notent sur leur cahier les différences de prononciation avec la langue maternelle.

Activité 5

À tour de rôle les étudiants épellent leur nom. Le professeur corrige la prononciation.

« Tu » ou « vous » en classe

Selon sa personnalité et l'âge de ses étudiants, l'enseignant optera pour l'usage du tutoiement ou du vouvoiement en classe. Pour certains enseignants, le « tu » contribue à créer une ambiance plus détendue. Il évite par ailleurs certains problèmes de morphologie. L'enseignant n'aura donc pas à interrompre souvent la classe pour corriger. Mais la similitude « je » « tu » risque de se généraliser aux autres formes.
Le « vous » permet de sensibiliser dès le début les étudiants au phénomène de la conjugaison des verbes.
L'utilisation du « tu » et du « vous » hors du contexte de la classe sera vue également dans les pages « Ressources » de la leçon 1.
Au début de l'apprentissage, on peut donner quelques règles simples :
– d'une manière générale on dit « vous » à un inconnu sauf s'il s'agit d'un enfant. Il est préférable que l'étranger qui ne maîtrise pas bien le français attende que son interlocuteur francophone le tutoie pour passer au tutoiement ;
– les jeunes et en particulier les étudiants se disent « tu » dès la première rencontre.

p. X

Objectifs

Savoir-faire
• Trouver un interlocuteur qui parle français.

Vocabulaire
• *le Parlement européen*
• *parler*
• *français – allemand – arabe, etc.* (adjectifs de nationalité)
• *Excusez-moi, moi.*

Grammaire
• Formes « il » et « elle » de la conjugaison.

Activité 1

a. Compréhension de la situation. Faire observer que l'on poursuit le tour du monde francophone. Montrer le Parlement européen. La compréhension du lieu est assurée par le panneau en plusieurs langues.
b. Compréhension du dialogue. Le professeur lit le dialogue et s'assure de la compréhension du détail.
« Parler » : le professeur dit une phrase dans la langue maternelle des étudiants et dit en français « *Je parle...* »
« Excusez-moi » : à expliquer en situation de classe.
« Moi » : par la gestuelle.
c. Compréhension de l'opposition « il » / « elle ». Par la situation du dialogue.
d. Associer les mots de l'exercice 1 avec les différentes traductions de « Parlement européen ». Laisser quelques minutes aux étudiants pour faire ce travail d'association avant de corriger.
Compléter en fonction des langues parlées par les étudiants.

> De haut en bas : 1 : espagnol et italien – 2 : anglais – 3 : portugais – 4 : allemand – 5 : polonais – 6 : français – 7 : grec – 8 : hollandais – 9 : bulgare.

Activité 2

Observer la liste des participants. Le professeur donne la première phrase.
« Elle s'appelle Akima El Messaoudi. Elle parle arabe. Elle parle français. »
À tour de rôle les étudiants produisent des phrases à partir des noms de la liste. Il s'agit évidemment d'hypothèses. L'important est la production de phrases correctes.

> À titre indicatif : Akima (elle parle arabe) – Amparo (elle parle espagnol) – Dieter (il parle allemand) – Igor (il parle russe) – Vincent (il parle français) – Luigi (il parle italien) – Adriano (il parle portugais) – Azra (elle parle turc) – Liu (elle parle chinois) – Diana (elle parle anglais).

Activité 3

À faire sous forme de tour de table. Chaque étudiant indique les langues qu'il parle.

p. XI

Objectifs

Savoir-faire
• Demander à quelqu'un sa nationalité.
• Dire sa nationalité.

Vocabulaire
• *un café – une serveuse – une nationalité*
• *être*
• *bien – voici*

Grammaire
• Conjugaison du verbe « être ».
• Structure « être + adjectif ».
• Marques du féminin / du masculin.

Activité 1

a. Compréhension de la situation. Faire le point sur le tour du monde francophone. Faire produire : « Bruxelles est en Belgique. » Faire identifier la photo (la Grand-Place de Bruxelles).
Observer la situation dialoguée (la serveuse et le touriste client).
b. Lecture et compréhension du dialogue.
« Et voici... » : par le mime.
« Verbe être + nationalité » : le professeur écrit au tableau « Je suis + sa nationalité ».
« Bien » : « *Le professeur parle bien français ?* » – « *Oui.* » / « *Les étudiants ?* » – « *Non.* »
c. Faire jouer le dialogue. Les étudiants donnent leur propre nationalité.
d. Les étudiants qui n'ont pas joué le dialogue donnent leur nationalité.

Activité 2

a. Observer et lire le tableau « Les nationalités ». Repérer les marques écrites et orales qui distinguent le féminin du masculin. Compléter le tableau avec des adjectifs de nationalités utiles pour les étudiants de la classe.
b. Faire l'exercice par déduction avec les formes du tableau. On trouvera « anglais / anglaise » par rapprochement avec « français / française » – « italien / italienne » par déduction avec « canadien / canadienne ».
L'enseignant montre les deux premiers items, les étudiants font le reste en autonomie.

> Anglaise – italien – espagnole – suédois – indonésienne – russe – marocaine – grec.

Activité 3

a. Revoir les conjugaisons des trois verbes connus (formes « je, tu / vous, il / elle »).
b. Exercice individuel et correction collective.

> Je m'appelle Eva Conti. Je suis députée... – Vous êtes italienne ? – Non, je suis allemande. – Vous parlez français ? Moi, je suis polonais. – Ah, je parle un peu polonais.

Activité 4

Commencer l'activité avec des personnalités connues des étudiants, puis avec celles du livre. Le professeur donne un nom qu'il écrit au tableau. Les élèves doivent produire la phrase : « Il / Elle est plus + adjectif de nationalité »
Un/une étudiant(e) prend la place du professeur.

> La photo représente « Anggun », chanteuse indonésienne – Charles Aznavour, chanteur français – Oum Kalsoum, chanteuse égyptienne – Céline Dion, chanteuse québécoise – Mika, chanteur libanais et américain – Mickael Jackson, chanteur américain.

p. XII

Objectifs

Savoir-faire
- Indiquer une adresse.

Vocabulaire
- *un restaurant – un hôtel – un musée – une adresse – un enfant – une rue – une avenue – une place*
- *habiter*
- Les nombres de 1 à 10.

Grammaire
- Préposition de localisation (à + ville – en / au / aux + pays).

Compréhension du dialogue

Lecture du dialogue par le professeur. Pour comprendre le sens de « habiter » partir d'expressions personnelles : « *J'habite à...* », « *Vous habitez où ?* »
Faire aussi observer la nouvelle étape du voyage francophone et faire produire : « *Où est Genève ?* » – « *C'est en Suisse.* »
Construire un petit corpus de phrases écrites au tableau avec le lieu d'habitation des étudiants et la localisation de certaines villes.
À partir de ce corpus, faire induire le système d'emploi des prépositions de lieu.
Lire la partie de l'encadré « *L'adresse* » dans le tableau de vocabulaire et de grammaire.

Activité 1

Activité de prononciation. Enchaînement article indéfini ou adjectif numéral avec le nom. Le professeur prononce, les étudiants répètent (ne pas faire de répétition collective).

Activité 2

Consolidation de l'emploi des prépositions de lieu.
Après avoir fait les phrases de l'exercice, les étudiants continuent en se posant des questions. Cette activité peut prendre la forme d'un jeu concours. Deux équipes se posent dix questions chacune.

> ... *au* Brésil ? *en* Argentine. ... *à* São Paulo, *au* Brésil. – Il est *en* France, *à* Paris. – Il est *à* New York, *aux* États-Unis. – Il est *à* Rome, *en* Italie.

Activité 3

a. Compréhension du document « Bonnes adresses » (extrait d'un guide touristique sur Genève).
Classer les types de lieux : restaurant, hôtel, café, musée.
S'assurer de la compréhension des mots « rue, avenue, place » en les rapprochant de lieux connus des étudiants.
Introduire les nombres de 1 à 5.
b. Par petits groupes les étudiants font la liste des bonnes adresses de leur ville.

Activité 4

Par deux, les étudiants imaginent le dialogue de la rencontre entre un(e) touriste et un(e) habitant(e) d'une ville. Réutilisation des actes de parole déjà abordés : saluer, demander si on parle telle langue, poser des questions sur un lieu, etc.

p. XIII

Objectifs

Savoir-faire
- identifier une chose ou un lieu.

Vocabulaire
- *Un palais – un roi – un quartier*
- *beau – belle*
- *Qu'est-ce que c'est ?*

Grammaire
- Les articles indéfinis et les articles définis – la construction servant à identifier : « C'est + nom » – la construction servant à préciser : « Nom + de (du, de la, des) + nom ».

Activité 1

a. Observation du dessin de l'itinéraire et des photos. Le professeur fait faire des hypothèses sur le lieu (« *C'est où ?* » (*à Rabat, au Maroc*)... « *Qu'est-ce que c'est ?* » (*C'est un palais, une rue*).
b. Compréhension du dialogue. Observation du dessin : Les touristes visitent Rabat. La guide montre les lieux de la ville. Au fur et à mesure de la lecture, compléter le tableau :
Indications imprécises : un palais – une belle avenue – un beau quartier ;
Indications précises : le palais du roi – l'avenue Mohamed V – le quartier des Oudayas.
Faire induire l'emploi des articles :
- selon le genre et le nombre ;
- selon que le nom est une identification générale (article indéfini) ou qu'il désigne une chose ou un lieu précis (article défini).

Activité 2

Choix de l'article indéfini selon le genre et le nombre du nom.

> Une rue – des avenues – un quartier – un café – un théâtre – des restaurants.

Activité 3

Choix de l'article défini selon le genre et le nombre du nom.

Le Parlement... – l'hôtel... – les rues... – le musée... – les restaurants... – la rue...

Activité 4

Choix de l'article défini ou indéfini selon le contexte.

Vue de la tour Eiffel... le quartier... l'Arc de Triomphe, un monument...

Activité 5

Peut se faire par groupe de deux ou trois. Le professeur présente le but de l'activité en faisant le premier item. Les étudiants peuvent ensuite poursuivre l'activité sous forme de jeu comme dans l'activité 2, page XI.

Le cabaret du Moulin Rouge – le film *Titanic* – le journal « le Times » – le musée du Prado – la banque « Le Crédit lyonnais » – la boutique Chanel – la place de la Concorde – la radio « BBC » – la chaîne de télévision « CBS ».

p. XIV

Objectifs

Savoir-faire
- Identifier une personne.

Vocabulaire
- Noms et adjectifs de profession (chanteur, comédien, etc.) – *une statue* – *un navigateur*
- *regarder*
- *premier*

Grammaire
- Marques du masculin / du féminin – construction « Il est + adjectif » opposée à « C'est + nom précédé d'un article ».

Compréhension du dialogue

a. Compréhension de la situation. Situer le lieu où sont les touristes (à Montréal, au Canada). Observer la région francophone du Québec, au Canada, sur la carte de la page 6. Identifier les personnages sur le dessin, la guide, les touristes. Présenter la photo. Introduire « statue ». Faire des hypothèses sur l'identité du personnage.
b. Découverte et explication du dialogue. Lecture par le professeur.
« Regardez » : par la gestuelle
« Qui est-ce ? » : comparer à « Qu'est-ce que c'est ? » (qui est déjà vu et qui s'applique aux choses). Utiliser cette question pour identifier des étudiants de la classe.
« navigateur » : citer des navigateurs connus des étudiants (Christophe Colomb, Magellan).

Activité 1

Choix de l'article indéfini ou défini selon le contexte.

C'est *un* chanteur. C'est *le* chanteur... – C'est *le* président – ... *la* guide.

Activités 2 et 3

Procéder comme dans l'activité 5, page XIII. On peut faire produire deux types d'énoncés :
Barak Obama... Il est américain. C'est un homme politique.

Barak Obama (homme politique, américain) – Albert Einstein (scientifique, allemand, puis suisse et américain) – Beethoven (musicien, allemand) – Antonio Banderas (comédien, espagnol) – Pablo Picasso (artiste, espagnol) – Garou (chanteur, canadien) – Angela Merkel (femme politique, allemande) – Penelope Cruz (comédienne, espagnole) – Madonna (chanteuse, américaine)

p. XV

Objectifs

Savoir-faire
- Comprendre une pièce d'identité (passeport, carte de visite).
- Remplir une fiche d'identité.

Vocabulaire
- *une fiche de renseignements – le nom – le prénom – le numéro de téléphone – une adresse électronique – un médecin – un avocat – des papiers – un passeport – une carte de visite*

Activité 1

a. Compréhension de la situation et du passeport. Identifier la situation. Le groupe de touristes est à Tahiti (situer sur la carte de la page 6). Un(e) touriste donne son passeport à l'hôtesse de l'air.
Retrouver les informations qui figurent sur le passeport. Les faire oraliser : « *Elle s'appelle Anne-Laure Vincent. Elle est française. Elle est née...* »
Écrire au tableau les indications correspondantes à ces informations : nom, prénom, nationalité, date de naissance, etc.
b. Les étudiants reportent sur la fiche de renseignements les informations les concernant.
Expliquer en langue maternelle « nom de jeune fille ».

Activité 2

Travail sur les questions qui permettent de demander des informations sur l'identité d'une personne.

a : nationalité – b : adresse – c : nom, nom de jeune fille, prénom – d : adresse électronique.

Activité 3

a. Lecture des cartes de visite. Faire formuler les informations (Il s'appelle Dieter Grünberg. Il est… . Il habite… .)

b. Associer les phrases et les cartes de visite.

a : Clarisse Loiseul – b : Manon Lombardo – c : Dieter Grünberg.

p. XVI

Objectifs

Savoir-faire
- Rédiger une brève carte postale.
- Se présenter brièvement sur un forum Internet.

Vocabulaire
- *une carte postale – un message – la mer – une plage – un groupe – un ami – une bise – une rencontre – une fille – un garçon – un blog – le tennis*
- *aimer*
- *sympa – super*
- *salut*

Grammaire
- Conjugaison du verbe « aimer ».

Activité 1

a. Travail en autonomie. Les étudiants, individuellement ou en petit groupe, lisent les documents et complètent les questions de l'activité 1.

b. Correction collective.

a. un blog (Vincent), une carte postale (Liu), un message (Igor) – b. le sport (Igor), la photo (Vincent), Tahiti (Liu) – c. Igor – d. Liu.

c. Présentation des documents et des personnes qui les ont écrits. Exemple : « C'est une carte postale. Elle est de Liu. Liu est à Tahiti, etc. »
Au cours de cette présentation expliquer les mots nouveaux.

Activité 2

Les étudiants utilisent les structures du message d'Igor pour se présenter sur un site de rencontre. Laisser 10 minutes de préparation. Puis, chaque étudiant lit le message qu'il a rédigé.

Activité 3

Activité de production écrite en s'appuyant sur les phrases de la carte postale de Liu. Chaque étudiant choisit un lieu de vacances et rédige une brève carte postale à l'intention d'un autre étudiant (une vingtaine de mots). Le professeur les assiste dans ces productions. Laisser un quart d'heure de préparation. Les étudiants lisent à la classe la carte qu'ils ont reçue.

Unité 1 Apprendre ensemble

▶ Objectifs généraux de l'unité

Adapter les étudiants à vivre la situation de classe en français.
Leur donner les outils qui permettent :
– de comprendre les consignes et les explications de l'enseignant ;
– de poser à l'enseignant des questions relatives à l'apprentissage ;
– de réaliser en français les actes sociaux langagiers du groupe classe (salutations, prise de congé, demande de permission, remerciements, excuses) ;
– de comprendre les règles simples de la vie de la classe et de s'excuser si on les transgresse ;
– de faire connaissance avec les autres étudiants et d'échanger avec eux des propos sur ses goûts, ses loisirs, ses activités présentes ou passées, ses projets ;
– d'organiser des activités communes avec d'autres étudiants (propositions de sorties, etc.).

▶ L'histoire des pages « Simulations »

« Vous connaissez la chanson ? »

Des jeunes venus de différents pays du monde francophone se retrouvent à Paris dans le cadre d'un stage de comédie musicale. Ils logent à la Cité universitaire internationale, suivent des cours de chant et de danse et préparent pour la fin de leur séjour un spectacle au cours duquel ils vont représenter la comédie musicale *Notre-Dame de Paris*. Ils vont donc vivre une histoire parallèle à celle du groupe classe. Ils travaillent, font connaissance, se détendent en allant au café, en organisant des sorties ou en faisant du sport.

Mélissa, une jeune Guadeloupéenne, professeur de danse, est venue avec son ami *Florent*, enseignant à Fort-de-France. Dès son arrivée, elle est séduite par la verve et l'assurance du Toulousain *Lucas* et petit à petit elle se détache de Florent. Mais *Noémie*, une étudiante québécoise, n'est pas insensible au charme discret de celui-ci.

Ce chassé-croisé amoureux se double d'une compétition pour le rôle de Quasimodo que convoitent Lucas et Florent.

C'est finalement Florent qui aura le rôle mais une heure avant la représentation, il n'est toujours pas arrivé. Petit moment de panique qui débouche sur une issue heureuse pour le spectacle mais incertaine pour le destin des quatre personnages.

Leçon 1 - Vous comprenez ?

Interactions, p. 6-7

Objectifs

Savoir-faire
- Savoir dire si on comprend ou si on ne comprend pas.
- Savoir dire si on connaît (un lieu) ou si on ne connaît pas.

Savoir être
- Accepter la règle d'une classe tout en français.
- Se sentir membre d'une microsociété qui poursuit un objectif commun à tous.

Vocabulaire
- *Connaître – comprendre (uniquement pour je comprends / je ne comprends pas – je connais / je ne connais pas).*
- Quelques noms de lieux correspondant aux photos : *le musée, le parc, la pyramide, etc.*
- Noms des pays du monde.

Grammaire
- La forme négative ne fera pas l'objet d'une explication détaillée.

Prononciation / orthographe
- Sensibilisation aux rapports formes écrite / forme orale.
- Différence de prononciation de l'écrit français et de l'écrit dans les langues connues des étudiants.
- Sensibilisation aux phonèmes difficiles du français.

Les pays francophones

1. 1-1 Exercice d'écoute 1. Le nom des pays où le français est très utilisé.
Arrêter l'enregistrement à chaque nom de pays. Poser la question : « *Vous comprenez ?* » Selon la réponse des étudiants écrire au tableau :
« *Il comprend* » ou « *Il ne comprend pas* ». La construction négative sera comprise en situation naturelle de communication. Aider les étudiants à produire « *Je comprends* », « *Je ne comprends pas* ».
Au fur et à mesure situer chaque pays sur la carte.

2. Écriture des noms de pays et classement dans le tableau selon le genre et le nombre de l'article défini. Activité à faire collectivement. On réécoute l'enregistrement en s'arrêtant à chaque nom de pays. Un étudiant reproduit ce qu'il a entendu. On identifie l'article. Le professeur écrit le nom du pays au tableau. Les étudiants l'écrivent à leur tour. L'activité 3 (repérage des différences de prononciation) peut se faire en même temps.

le	la	l'	les
Le Sénégal Le Canada Le Maroc Le Liban	La Suisse La Martinique La Nouvelle-Calédonie La Guyane française La Tunisie La Réunion	L'Algérie L'île de la Réunion	Les Comores

3. Repérage des différences de prononciation. Cette activité permettra de faire une première approche des difficultés phonétiques que les étudiants vont rencontrer lors de leur apprentissage. Il est, en effet, important d'identifier d'ores et déjà les sons difficiles à prononcer et surtout les graphies qui ne se prononcent pas comme dans la langue maternelle de l'étudiant. Les étudiants entourent ces difficultés dans les mots qu'ils ont écrits.

Vous connaissez ?

1. Observation de la carte et identification de quelques pays connus des étudiants. Le professeur prononce le nom d'un pays et pose les deux questions :
« *La Chine... Vous comprenez ?... Vous connaissez la Chine ?* »
Selon les réponses des étudiants introduire la forme négative du verbe « connaître »

2. 1-2 Exercice d'écoute 2. Nom des lieux en photo sur le document.
Écoute du document. À chaque nom de lieu, poser la question : « Vous comprenez, etc. ». Les étudiants associent les noms de lieu avec la photo. Faire produire des énoncés de localisation.
« *Le parc du Serengeti est au Kenya (et en Tanzanie)* ».
Pour chaque nom, **faire remarquer l'article (le, la, l', les)**. On peut visualiser par un dessin l'opposition *le / les* (la pyramide du Louvre, les pyramides d'Égypte – la tour de Londres / les tours de Shanghai). On peut aussi visualiser le *l'* devant voyelle.
En revanche il est impossible de donner une explication de l'opposition masculin / féminin sauf à dire dans une langue connue des étudiants que l'attribution masculin / féminin pour les noms de chose est arbitraire.
Rechercher d'autres exemples de lieux utilisant le même vocabulaire (exemples : les pyramides Mayas au Mexique, l'université de Yale, le parc des Laurentides, l'île de Pâques, etc.)

À savoir

Les photos illustrant la carte du monde ont été choisies parce qu'il s'agit de lieux universellement connus et pour permettre le travail de sensibilisation grammaticale et de prononciation.

- Le seul lieu peu connu est **l'île de Marie-Galante** qui fait partie du département français de la Guadeloupe dans l'archipel des Antilles. On retrouvera ce lieu dans l'histoire dialoguée des pages « Simulations ».
- **Dans la cour du musée du Louvre**, on pourra observer la célèbre pyramide conçue par l'architecte Peï en 1989 dans le cadre de la rénovation du musée. C'est un bel exemple d'harmonisation de l'art classique et de l'art moderne (lui-même inspiré par une forme ancienne).
- **L'université de Mexico** est célèbre pour sa mosaïque réalisée par Juan O'Gorman et racontant l'histoire du Mexique.
- **La tour de Londres** est un ancien château de défense construit par Guillaume le Conquérant au XIe siècle.
- **Les tours de Shanghai**, symbole du développement de la Chine, comptent parmi les plus hautes tours du monde.

→ Possibilité de traiter la rubrique « Distinguer le masculin et le féminin, le singulier et le pluriel » de la partie « Ressources »

Ressources, p. 8-9

Objectifs

Grammaire
- Vue d'ensemble de la conjugaison des verbes au présent.
- Sensibilisation à l'opposition masculin / féminin et à ses marques graphiques et sonores.
- Sensibilisation à l'opposition singulier / pluriel et à ses marques graphiques et sonores.
- Interrogation par l'intonation.
- Négation simple.

Prononciation
- « Je » et « tu ».
- Courbe intonative de l'interrogation.

Conjuguer les verbes

Prise de conscience du changement de la forme du verbe selon la personne. Début de systématisation.
Suite de la sensibilisation à l'emploi de « tu » et de « vous ».

1. Le professeur introduit la conjugaison des verbes par une gestuelle (« je » : index pointé sur lui-même, « tu » index pointé sur un étudiant, « il » désignation d'un étudiant, etc.).
Observer le dessin. (Nous nommerons désormais « dessin » la bande dessinée qui permet la présentation des éléments grammaticaux dans les pages Ressources. « Observez le dessin » signifie donc à la fois observation de l'image et lecture attentive du texte des bulles.).
Retrouver les formes indiquées par la gestuelle, les personnes qui parlent, à qui l'on parle, de qui l'on parle.
Observer les formes toniques « moi » et « toi ». On introduira plus tard les autres formes.
Observer la forme négative (paroles de la petite fille).

2. 1-3 **Exercice 2.** Écoute des quatre mini dialogues.
Retrouver le dessin correspondant à chaque forme.
Transcrire ce que l'on entend.

1, b – 2, c – 3, a – 4, d

Observer dans quels cas le « tu » et le « vous » sont employés.
Emploi du « tu » : adulte qui s'adresse à un enfant, entre amis ; emploi du « vous » : personnes qu'on ne connaît pas.

3. Exercice 3. Observer les cinq verbes conjugués dans le tableau. Noter les similitudes à l'écrit et à l'oral.

Verbes en *-er*, parler, habiter : 3 formes à l'oral (terminaisons [ə], [ɔ̃], [e]), 5 formes à l'écrit

Verbes connaître et comprendre : 4 formes à l'oral , 5 formes à l'écrit (terminaisons [ɛ], [ɔ̃], [e], [ə])
Verbe être : 5 formes à l'oral, 6 formes à l'écrit

4. Exercice 4. Exercice de systématisation des conjugaisons

Vous êtes française... Je suis espagnole... Monica est italienne... Nous comprenons... Tu es français... Nous connaissons Marseille.

Distinguer le masculin et le féminin, le singulier et le pluriel

Ces oppositions seront travaillées à partir de la désignation de choses et de lieux définis (précédés de l'article défini). On commencera par ceux de la bulle du dessin. On continuera avec les noms qui ont été vus au cours du travail sur les pages « Interactions » (le musée, l'île, etc.). On pourra poursuivre avec d'autres noms connus de certains étudiants.
Classer les mots dans le tableau.
Faire observer les marques du féminin et du pluriel.

	Noms de personnes		Noms de choses	
	masculin	féminin	masculin	féminin
singulier	le directeur l'étudiant le professeur	l'actrice l'étudiante le professeur	le palais l'hôtel le film	la mer la tour la forêt ...
pluriel	les acteurs les étudiants	les étudiantes		les pyramides

Les articles

La présentation des articles se fait dans *Écho* selon la progression suivante.

Leçon 1 : *l'article défini* pour *désigner* des objets ou des personnes uniques ou déterminées.
Le musée du Louvre, le professeur, les étudiants (de la classe)

Leçon 2 : l'article indéfini différencié de l'article défini dans :
– *l'identification des personnes et des choses*
Qu'est-ce que c'est ? – C'est *un* musée / *le* musée du Louvre.
– *l'expression de l'existence*
Il y a *une* Anglaise dans la classe.
Tu as *un* dictionnaire ?

Leçon 3 : l'article défini déterminant *une catégorie générale.*
J'aime *le* cinéma.

Leçon 6 : l'article partitif déterminant des *ensembles perçus comme non comptables ou non différenciables.*
Voulez-vous *du* sucre ?

Interroger - répondre

Sensibilisation à la question par intonation et à la négation simple.

1. Exercice 1. Lire les bulles du dessin puis compléter le texte. Selon la phrase, il faut rajouter les éléments de la négation. Faire observer la modification graphique et l'enchaînement sonore de « n' » devant une voyelle ou *h*.

Elle ne s'appelle pas Maria Monti. Elle ne parle pas italien. Elle ne connaît pas Maria Monti. Elle n'habite pas à Rome. Elle est secrétaire. Elle est française.

2. Exercice 2
Les étudiants répondent par écrit aux cinq questions selon leur situation.
Lecture des réponses et correction.

3. Exercice 3. Dialogue avec le voisin ou la voisine. Les étudiants se posent les questions de l'exercice 2.

À l'écoute de la grammaire

1. 1-4 **Exercice 1.** Il s'agit d'éviter dès le début une mauvaise prononciation de « je ». Notamment :
– « dje » séparer les deux sons initiaux en faisant dire « déjà », « des jours », etc. ;
– « ze » ou « che ».
Écouter l'enregistrement puis faire prononcer chaque mot séparément.

2. 1-5 **Exercice 2.** Dès le début de l'apprentissage, insister sur la prononciation correcte de [y] qu'on trouve dans « tu » et dans des mots constamment utilisés (salut, rue, musée, etc.).

3. 1-6 **Exercice 3.** Différenciation des intonations interrogatives (**i**) et affirmatives (**a**).
■ 1, a – 2, a – 3, i – 4, a – 5, i – 6, i.

Simulations, p. 10-11

Objectifs

Savoir-faire (situations orales)
- Reprise des savoir-faire introduits dans les pages « Interactions ».
- Aborder quelqu'un (*Excusez-moi – Pardon*).
- S'excuser (*Excusez-moi – Je suis désolé(e)*).
- Apprécier (*Pas mal, bon, très bon, excellent – Tout va bien*).
- Remercier (*Merci*).
- Demander (*S'il vous plaît – Je peux ?*).

Vocabulaire autre que ci-dessus
- Renseignements sur les personnes : *nom, prénom, profession, nationalité, adresse, rue, boulevard, avenue.*
- Inscription à un stage : *fiche, inscription, accueil, secrétaire.*

Prononciation
- Rythmes des groupes sonores.
- Enchaînement des groupes sonores.

L' histoire
Un stage international de comédie musicale, le stage « Musiques et danse », a lieu à Paris au mois de juillet. Au cours de ce stage, les participants prépareront la comédie musicale *Notre-Dame de Paris*. Ces participants sont logés à la Cité internationale. L'un des stagiaires, Lucas, originaire de Toulouse, est déjà arrivé. Il accueille deux autres participants, Mélissa et Florent, qui arrivent ensemble des Antilles.
Les scènes 2 et 3 nous montrent une quatrième stagiaire, Noémie, qui vient du Québec. Elle cherche la Cité universitaire puis s'adresse au secrétariat du stage.
La scène 4 se situe le lendemain à la cafétéria. Sarah, la professeur de chant, salue les stagiaires réunis pour le petit déjeuner.

Scène 1

1. Observation du dessin et des photos.
Le professeur présente la situation. Il peut faire produire des phrases simples comme « *C'est la Cité internationale. Il y a un stage de comédie musicale. C'est le stage Musique et danse.* »

2. 1-7 **Écoute fragmentée du document livre fermé ou en cachant le dialogue.**
Transcrire le dialogue au tableau au fur et à mesure de l'écoute.
Expliquer :
– *super* par l'intonation et la gestuelle.
– *chanson* : Lucas chante une chanson.
– *pas mal* : se contenter d'une signification générale : bien. À réutiliser dans les situations de classe.
– *Toulouse* : montrer sur la carte.
– *ensemble* : par la gestuelle.

3. Répondre aux questions posées dans le livre.
a. Oui, Lucas est français. Mélissa est française aussi. (Les Antilles sont des îles françaises.) – **b.** Non, Lucas n'habite pas à Paris. Il habite à Toulouse. – **c.** Oui, Mélissa connaît Florent – **d.** Ils sont à la Cité internationale à Paris.

4. Faire jouer le dialogue.

Scène 2

Seul le début de la scène est transcrit dans la leçon. L'exercice peut se faire livre ouvert en exercice d'écoute.

1. Observation du dessin et lecture des deux premières répliques. Faire identifier Noémie et la jeune femme. Le sens des expressions « Excusez-moi » et « Désolée » se précisera progressivement.

2. 1-8 **Écoute et transcription de la suite du dialogue.**
Faire une écoute complète du dialogue. Repérer le nombre des personnages qui interviennent. Noter au tableau la succession des intervenants.
Noémie : ____________
La jeune femme : ____________
Noémie : ____________
Un homme : ____________
Etc.
Écouter et transcrire phrase par phrase.

Expliquer :
– *étranger* : Il est espagnol, elle est italienne, il est chinois : ils sont étrangers.

Noter au tableau. Mimer ces deux situations en classe :
– les formules lorsqu'on aborde quelqu'un « *Excusez-moi* », « *Pardon* ».
– les formules d'excuse : « *Désolé* », « *Excusez-moi* ».

Scène 3

1. Faire imaginer la scène par les étudiants.
Faire observer le dessin et la fiche d'inscription de Noémie.
1-9 Rechercher en commun les questions du secrétaire : « *Vous vous appelez ? Vous habitez où ? Vous êtes française ? Vous êtes étudiante ?* »
Avec des étudiants faux débutants, on pourra préciser : « *Quel est votre nom, votre prénom, etc. ?* »

2. Travail en autonomie. Les étudiants se partagent les tâches suivantes :
– Imaginer la scène d'inscription de Florent à partir de sa fiche.
– Imaginer les fiches d'inscription de Mélissa et de Lucas et imaginer la scène de leur inscription.

Scène 4

1-10 Faire écouter le dialogue en observant le dessin, transcription cachée. Faire reconnaître les intervenants.

Expliquer :
– *prof* : professeur.
– *bon, très bon, excellent*. Utiliser un plat ou une boisson connue des étudiants. *Exemple* : les pizzas en Italie, c'est excellent ! Les pizzas en France, c'est bon ?

– *au revoir* et *à bientôt* : par la gestuelle, puis à réutiliser en situation de classe.
– *Je peux ?* Noémie ne connaît pas Lucas, Mélissa et Florent. Pour s'asseoir à leur table, elle dit « Je peux ? »

Jeux de rôles

Présenter les deux situations. Les étudiants se mettent par deux et choisissent une situation. Indiquer qu'on peut s'inspirer des scènes 1 et 3 pour la première situation et de la scène 2 pour la seconde. Laisser cinq à dix minutes de préparation puis faire jouer les élèves.

Productions possibles :
Nouvel étudiant en classe : « *Comment tu t'appelles ? Tu habites où ? Tu parles un peu français ? Tu connais la France ? ...* »
Française qui demande son chemin : « *Le musée du Prado, s'il vous plaît ? – Je ne connais pas. Je ne suis pas de Madrid...* »

Sons, rythmes, intonations

1-11 **Exercice 1** – Textes « Au téléphone ». Il s'agit d'un travail sur le rythme des groupes sonores. Se succèdent des groupes à un temps, à deux temps, à trois temps, etc. La difficulté augmente à chaque groupe. Bien faire prononcer « un étudiant », « il comprend l'anglais » en une seule émission de voix.

1-12 **Exercice 2** – Travail sur l'enchaînement à l'intérieur des groupes sonores. Écrire au tableau les premières phrases du texte pour pouvoir visualiser les lettres non prononcées et les enchaînements. Faire écouter et répéter

À savoir

- **La Cité internationale universitaire de Paris.** Située boulevard Jourdan, dans le 14e arrondissement, dans le sud de la capitale, elle a été construite à partir de 1925 dans le contexte pacifiste de l'entre-deux-guerres.

  Des mécènes, des industriels ou des gouvernements étrangers ont participé à la construction de ces bâtiments, chacun ayant son style et son architecture. Parmi les plus typiques on trouve la Maison du Japon, celles de l'Italie, du Maroc et le Collège franco-britannique. Elle accueille 5 600 personnes (étudiants, chercheurs, stagiaires) de 532 nationalités différentes. C'est aussi un lieu important de vie culturelle.
- **La comédie musicale.** Ce genre venu des pays anglo-saxons a pris en France la succession de l'opérette qui a commencé à décliner à partir des années cinquante. Il est en train de devenir très populaire avec des réalisations comme « Starmania » (années 70), « Émilie jolie » (spectacle pour enfants) et plus récemment « Les Misérables », « Notre-Dame de Paris », « Le Roi Soleil ».
- **La chanson « Belle-Île-en-Mer »**, paroles d'Alain Souchon, musique de Laurent Voulzy, est un grand succès des années 1980 : « Belle-Île-en-Mer, Marie-Galante, Saint-Vincent, Loin Singapour ... »

Écrits et Civilisation, p. 12-13

Objectifs

Savoir-faire
- Épeler un mot.

Prononciation
- Présentation du système phonologique du français.

Orthographe
- Principales graphies de chacun des sons du français.

N.B. Il n'est pas nécessaire de faire toutes les activités de cette double page à la fin de la leçon 1. Certaines peuvent être faites au cours de la leçon suivante.
La page 12 est une page à laquelle on pourra se référer souvent lorsqu'un problème de prononciation surviendra.

Les sons et les lettres

1-13 Écouter l'enregistrement en suivant sur le livre.
Le professeur reprend ensuite chaque mot et le fait prononcer par quelques étudiants.
Le travail à faire dépend évidemment beaucoup des difficultés propres à chaque groupe linguistique et à chaque étudiant.
Procéder par groupe de sons. Par exemple : les voyelles fermées.
S'arrêter aux sons qui sont difficiles à prononcer. Préciser le point d'articulation : en avant ou en arrière de la bouche.
Pour les consonnes, opposer les sourdes et les sonores.
Tous ces sons seront progressivement travaillés tout au long de la méthode. L'objectif est ici d'en donner une vue d'ensemble car les étudiants vont devoir tous les prononcer au cours des activités orales.
Faire remarquer que certains sons peuvent être transcrits par différentes graphies. Par exemple [o] transcrit par « o », « au », « eau ».

Épeler

1-14 Écouter la prononciation des lettres de l'alphabet.
Observer les graphies. Faire remarquer les différences avec celles de la langue maternelle de l'étudiant.
Les étudiants épellent leur nom, leur prénom et un mot français qu'ils choisissent.

Écrit et prononciation

1. 1-15 **Écoute fragmentée de l'enregistrement.** S'arrêter à chaque mot et le faire prononcer.
Retrouver les sons difficiles dans le tableau de la page 12.

2. 1-16 **Écoute des demandes.** Présenter la situation : des personnes demandent quelque chose ou un lieu. Les étudiants prennent en note ce qui est demandé (le parc, l'avenue Victor-Hugo, etc.).

Les mots internationaux

Dernières activités pour la prise de conscience de la spécificité du rapport son / graphie en français.

1. 1-17 Écoute de la prononciation de certains mots étrangers ou d'origine étrangère. Remarquer la façon de prononcer à la française.

2. Les étudiants essaient de trouver l'origine de ces mots.

allemand : *gâteau* – anglais : *steak* – arabe : *merguez* – espagnol : *chorizo* – italien : *spaghetti* – japonais : *sushi* – mexicain : *chocolat* – portugais : *marmelade.*

3. Recherche en groupe des mots français utilisés dans la langue maternelle de l'étudiant.

Interactions, p. 14-15

Objectifs

Savoir-faire
- Identifier une personne (*Qui est-ce ? - C'est...*) ou un objet (*Qu'est-ce que c'est ? - C'est...*).
- Demander / donner des précisions sur une personne ou un objet : existence (*Est-ce qu'il y a ?*), nom (*Quel est le nom ?*), lieu (*Où est... ?*).
- Dire si on aime ou si on n'aime pas.

Grammaire
- Interrogation avec la forme *Est-ce que ?*
- Interrogation avec *quel* (*quelle, quels, quelles*).
- Sensibilisation à l'opposition article défini / article indéfini.

Vocabulaire
- *les pays, la capitale, la frontière, la région, la ville, un habitant, le drapeau*
les gens, un homme, une femme, un artiste, un chanteur, un écrivain
les choses, un avion, un journal, une montre, un parfum, une voiture
- *beau, célèbre, grand, national, politique, sportif*
- *aimer, avoir, compléter, il y a*
- *avec*

Faites le test

Ce test est un prétexte à une activité interactive au cours de laquelle seront introduits les moyens linguistiques permettant l'expression de l'identification des personnes et des objets, et la demande de précisions.
Il ne s'agit pas de réussir le test en donnant les réponses justes mais de réussir une activité d'apprentissage visant à s'approprier des moyens d'expression nouveaux.

Déroulement de l'activité
Le professeur mène le jeu. Pour chacune des dix questions du test :
- il lit la question et explique les mots nouveaux ;
- les étudiants proposent des réponses ;
- le professeur donne la bonne réponse et les étudiants se notent ;
- le professeur vérifie la compréhension des éléments introduits en posant une question parallèle.

- ***Question 1 :*** expliquer « capitale » (*Washington est la capitale des États-Unis*). Donner la structure question / réponse :
« *Quelle est la capitale des États-Unis ? - C'est Washington.* »
Revenir à la question 1 posée dans le livre. Faire produire « *La capitale de la France est Paris.* », etc.
- ***Question 2 :*** pour expliquer « frontière », observer la carte de la page 184. Se contenter d'une compréhension approximative du verbe « avoir ».
- ***Question 3 :*** expliquer « habitant ». Le rapprocher du verbe « habiter » déjà vu. Proposer les trois réponses possibles : « *À Paris il y a 3 / 4 / 10 millions d'habitants* ».
- ***Question 4 :*** faire identifier l'origine des drapeaux et faire produire « *C'est le drapeau français, etc.* »
- ***Question 5 :*** expliquer « chant national français » (fredonner *la Marseillaise*). Présenter « quel » et récapituler les différentes formes du pronom interrogatif.
- ***Questions 6 et 7 :*** présenter « Qui est-ce ? » à partir d'un exemple pris en classe. Présenter « un », « une », l'opposition défini / indéfini se précisera dans les pages « Ressources ».
- ***Questions 8 et 9 :*** présenter « Qu'est-ce que c'est ? » à partir d'un exemple pris en classe (*C'est un livre. - C'est le livre de français.*)
- ***Question 10 :*** se contenter de relier la marque et le produit sans chercher à faire produire de phrase. Présenter l'article « des » pluriel.

Poser des questions : *Vous connaissez des voitures italiennes, des montres suisses, etc. ?*

Utiliser le corpus du test pour :
- conceptualiser l'opposition articles définis / indéfinis (voir pages « Ressources ») ;
- récapituler les moyens qui permettent de poser des questions (voir tableau de la page 15).

(1) France (Paris), Belgique (Bruxelles), Lille et Marseille sont les deux plus grandes villes de France après Paris.
(2) La France a une frontière avec l'Espagne, l'Allemagne et la Suisse.
(3) Paris (10), Montréal (3), Abidjan (4).
(4) Drapeaux 1 français, 2 italien, 3 suisse, 4 suédois.
(5) *la Marseillaise.*
(6) a : un film, b : une sportive, c : une femme écrivain.
(7) a : un homme politique, b : un chanteur, c : un écrivain.
(8) Il s'agit du musée des Arts Premiers, appelé aussi musée du quai Branly.
(9) a : une belle région, b : un grand journal, c : une bonne bière.
(10) Renault : des voitures, J.-P. Gaultier : des parfums, Airbus : des avions, Rollex : des montres.

À savoir

Amélie Poulain : nom de l'héroïne du film de Jean-Pierre Jeunet, *Le Fabuleux Destin d'Amélie Poulain*, sorti en 2001, fantaisie poétique évoquant la vie quotidienne dans le quartier de Montmartre.
Amélie Mauresmo (photo) : championne de tennis, première Française de l'histoire à être classée au premier rang mondial.
Amélie Nothomb : écrivain belge de langue française, célèbre pour sa verve et son imagination. Elle a écrit *Hygiène de l'assassin, Stupeur et tremblements, Le Robert des noms propres.*
Charles de Gaulle : général, homme politique français et président de la République de 1959 à 1969.
Charles Aznavour : chanteur, compositeur et acteur très populaire. (Dans l'histoire « Vous connaissez la chanson ? », Lucas fredonne un de ses succès, « Je me voyais déjà », p. 27.
Charles Baudelaire (1821-1867) : poète, auteur du recueil *Les Fleurs du mal.*
Les autres photos de cette double page représentent :
- l'équipe de France de football chantant *la Marseillaise* (lors de la Coupe du Monde 2006).
- le musée du quai Branly, ouvert en 2006, qui est consacré aux arts traditionnels ;
- la voiture de Formule 1 Renault.

Imaginez un test

1. Les étudiants se mettent en petits groupes de deux ou trois. Chaque groupe prépare dix questions en utilisant les structures du tableau de la page 15.
Exemple : *Quelle est la capitale de l'Équateur ? – C'est Quito. / Qui est John Lennon ? ...*

2. Chaque groupe pose ses dix questions à un autre groupe.

3. Chaque groupe fait le compte de ses bonnes réponses.

Parlez de vos goûts

1. Introduire le verbe « aimer » : *Vous connaissez l'Espagne ? Vous aimez Séville ? .... Qu'est-ce que vous aimez en Espagne ?...*
Faire observer les formes répertoriées dans le tableau « Parler de ses goûts ».

2. Écrire au tableau la liste des catégories qui est détaillée p. 15 (les pays, les gens, les choses). Tous ces mots sont maintenant connus des étudiants.

3. Les étudiants travaillent par deux. Ils s'interrogent sur leurs goûts. Chacun doit ensuite nommer cinq personnes ou choses appréciées de son partenaire : « *Luigi aime l'actrice Ornella Muti. Il aime aussi les îles grecques.* »

Ressources, p. 16-17

Objectifs

Grammaire
• Emploi des articles indéfinis : classement dans une catégorie ou définition (*C'est un musée*) – expression de l'existence (*Il y a un musée de peinture à Avignon*).
• Emploi des articles définis : objet unique (*le musée Picasso*) – nom suivi d'un complément déterminatif (*les tableaux du musée*).
• Le complément déterminatif *de* et sa construction avec l'article défini (*du, de la, de l', des*).
• Masculin et féminin des noms et des adjectifs.
• Conjugaison des verbes en *-er* et des verbes *avoir, lire, écrire*.
• *On* pronom sujet.

Vocabulaire
• *un ami, une cathédrale, un peintre, une salle, un tableau, une équipe, le football, l'histoire*
• *écouter, écrire, regarder, lire*

Prononciation
• Marques orales du féminin – opposition *un /une*.
• Marques orales du pluriel.
• *avec*

Nommer – Préciser

1. Activité 1. À faire collectivement. Le professeur fait observer les différentes façons de nommer les personnes et les choses :
a. lorsqu'on identifie la personne ou la chose (après des questions comme « *Qui est-ce ? Qu'est-ce que c'est ?* ») ;
b. lorsqu'on nomme une chose précise.
Opposer « *C'est une voiture* » (on identifie) / « *C'est la voiture de l'artiste* » (on précise).
Faire ensuite la liste des noms qui sont déterminés par un complément déterminatif et analyser la structure « *de* + nom ».
Observer les contractions « *de + le = du* », « *de + les = des* » et la forme « *de l'* » devant voyelle.

2. Exercice 2
la pyramide *du* Louvre – le cinéma *de la* rue Champollion – un professeur *de l'*université de Mexico – le nom *de l'*étudiant – un tableau *de* Monet – la maison *des* étudiants.

3. Exercice 3
une belle ville ... *un* beau musée ... *une* grande université ... *la* ville de Paul Cézanne, *le* célèbre peintre ... j'ai *des* amis ... *les* professeurs ... de *l'*université et *le* directeur.

Accorder les noms et les adjectifs

1. 1-18 Écouter l'enregistrement. Remarquer :
a. les marques du féminin
– *à l'écrit* : le « e » final, le doublement de la consonne (*italien, italienne*), les transformations *-eur à -euse, -teur à -trice* ;
– *à l'oral* : l'article est la seule marque du féminin (*un ami, une amie*), la terminaison (*chanteur/chanteuse*).
b. les marques du pluriel
– *à l'écrit* : le « s » ou le « x » final, la modification (*journal, journaux*) ;
– *à l'oral* : l'article est la seule marque du pluriel, l'article et la liaison (*des artistes*), la terminaison (*international, internationaux*).
Faire remarquer la transformation *des* → *de* quand l'adjectif pluriel est devant le nom (*des artistes internationaux / de grands artistes*).

2. Exercice 2
un Brésilien – une étudiante – une actrice – un artiste.

3. Exercice 3
les bons restaurants – les grandes voitures – les belles femmes célèbres (les femmes belles et célèbres) – les hôtels internationaux.

Conjuguer les verbes

1. Retrouver dans le tableau les régularités que l'on a observées dans la leçon 1.
Présenter la conjugaison des verbes *avoir, lire* et *écrire*.
Introduire *on* qui sera utilisé fréquemment en classe.

2. Activité 1
Présenter le petit dialogue proposé dans le livre pour travailler la conjugaison du verbe *aimer*.
Les étudiants se mettent par deux et choisissent un des verbes déjà introduits (*connaître, comprendre, être, avoir, lire, écouter, regarder, parler, habiter*).
Ils écrivent un petit dialogue qu'ils lisent ou jouent devant la classe.

3. Activité 2. À partir de chacune des questions posées, on imagine une réponse, une autre question, etc.
Exemple : « *Tu connais des pays étrangers ? – Oui, je connais l'Argentine. / Tu aimes Buenos Aires ? ... Tu parles espagnol ?, etc.* »

À l'écoute de la grammaire

1. 1-19 Exercice 1. Différenciation un / une. Faire écouter par fragments et répéter le petit texte.

2. 1-20 **Exercice 2.** Cocher la bonne case selon que le mot entendu est masculin ou féminin.

3. 1-21 **Exercice 3**. Cocher la bonne case selon que le mot entendu est singulier ou pluriel.

Simulations, p. 18-19

Objectifs

Savoir-faire
- Donner des instructions.
- Apprécier une action (*ça va/ ça ne va pas*).
- Identifier une personne ou une chose.
- Demander quelque chose (*je voudrais...*).
- Dire où on travaille.

Grammaire
- Impératif des verbes connus.
- Emploi des formes interrogatives vues précédemment.

Vocabulaire
- *un copain, un garçon, un musicien, une stagiaire, une école, un livre, une pause, une répétition, un texte, le rythme, une nouvelle*
- *curieux, difficile, professionnel, seul*
- *arrêter, répéter, travailler, vouloir*
- *après, beaucoup, bien, comme, juste, mais*

Prononciation
- Rythme des enchaînements sonores.
- Opposition *je / j'ai / j'aime*.

L'histoire
Les participants au stage « Musique et danse » commencent à travailler. Au cours des pauses, ils font connaissance, Mélissa se trouve des affinités avec Lucas. Quelques jours plus tard, Noémie rencontre Florent qui se promène seul au bord de la Seine où a lieu l'animation Paris-Plage.

Scène 1

1. 1-22 Seul le début de la scène est transcrit. **Écouter la scène en observant le dessin.**
Repérer le lieu, les personnages, l'activité.
Repérer des mots connus dans l'enregistrement (*écouter, regarder*, etc.)

2. **Expliquer :**
- *un garçon* : introduire *une fille*.
- *le rythme* (d'après la musique qui accompagne le dialogue).
- *difficile* (*La conjugaison du verbe* parler *n'est pas difficile. / La conjugaison du verbe* avoir *est difficile*)

3. **Transcrire la fin du dialogue.**

Scène 2

1. 1-23 **Faire une écoute globale** en regardant seulement le dessin.
Identifier les personnages, le lieu.

2. **Réécouter en quatre étapes.**
a. La chanson de Lucas. Seuls les noms de lieux et *comme* ne sont pas connus. Écrire les noms de lieux au tableau et les montrer sur une carte.
Expliquer :
- *comme* : Mélissa vient de Guadeloupe comme Florent.

b. Les questions de Mélissa : l'identification de la chanson de Lucas.
Expliquer :
- *beaucoup* (*J'aime Charles Aznavour, j'aime beaucoup Céline Dion, je n'aime pas ...*).
- *chanson* (d'après *chanteur*).

c. Les activités de Lucas. Vérifier la compréhension du nom de famille de Lucas (Lucas Marti).
Expliquer :
- *juste la musique* : Dans une chanson, il y a le texte et la musique. (Lucas écrit juste la musique, il n'écrit pas les textes.)
- *professionnel* (d'après profession).
- *travailler* (*il est acteur, il travaille au théâtre...*).

d. Les activités de Mélissa.
Expliquer :
- *je voudrais* (*l'étudiant voudrait parler français*).

3. **Compléter les phrases de l'activité 2.**

4. **Imaginer la suite du dialogue.** Faire produire des phrases comme « *Mélissa écoute les chansons de Lucas* », « *Lucas lit les textes de Mélissa* ». « *Lucas travaille avec Mélissa pour écrire une chanson* ».

Scène 3

1-24 **Écouter le dialogue et répondre aux questions de l'activité 4.**
Expliquer :
- *nouvelle* (*Dans le journal* Le Monde, *il y a des nouvelles*).
- *copain* (un ami).
- *curieux* (À faire comprendre d'après les questions indiscrètes de Lucas à la fin du dialogue – *Maxime est un copain, juste un copain* – ou par le mime – ouvrir tiroirs et armoires).

Jeux de rôles

Présenter les deux situations en faisant une petite mise en scène.
a. Denis est dans la rue avec Marie. Marie dit bonjour à un garçon. Denis ne connaît pas le garçon. Imaginer les questions de Denis.
b. Marie regarde son téléphone portable. Denis est curieux.
Dans ces deux situations, on s'attend au réemploi des formes des dialogues 2 et 3.

Scène 4

1. 1-25 Écouter la scène en regardant le dessin et la photo. Faire raconter la scène (*Florent est à Paris-Plage. Il demande un coca. Il est seul. Noémie rencontre Florent*).

2. Imaginer la suite (Florent : *Non, elle n'est pas avec moi.* – Noémie : *Elle est où ?* – Florent : *Elle est avec Lucas. Elle écoute les chansons de Lucas.*)

3. Faire jouer le dialogue.

Sons, rythmes, intonations

1. 1-26 **Exercice 1.** Travail sur le rythme. Faire reconnaître le nombre de temps. Montrer que l'accent tonique est sur le dernier temps. Faire répéter les groupes du texte.

2. 1-27 **Exercice 2.** Avant de faire l'exercice, noter au tableau *je, j'ai, j'aime* et faire observer l'ouverture progressive de la voyelle.

À savoir

La brasserie La Rotonde (photo) : elle fait partie des célèbres brasseries du quartier Montparnasse où se réunissaient dans les années 1920 et 1930 les peintres et les poètes surréalistes. Aujourd'hui, ce sont les artistes et les gens du cinéma. Autres brasseries connues : La Coupole, Le Dôme, Le Select.

Paris-Plage : chaque année, de la mi-juillet à la fin août, sur 4 kilomètres, en plein centre de Paris, les bords de la Seine sont transformés en station balnéaire avec plage de sable, gazon, parasols, jeux et sports de plage.

Écrits, p. 20

Objectifs

Savoir-faire
- Développement de la stratégie de recherche d'informations dans un texte.
- Développement de la stratégie de compréhension d'un mot inconnu d'après le contexte.

Vocabulaire
- *le journal télévisé, un présentateur, un journaliste, un animateur, une passion, un roman, le charme*
- *ancien, charmant, dynamique, jeune, nouveau, nouvelle, diplômé*
- *adorer, animer, préférer*
- *aussi, tout*

Lecture de l'article

1. Repérage des informations demandées dans l'exercice 1. Les étudiants travaillent en autonomie, éventuellement par deux. Ce travail est suivi d'une mise au point collective.

nom : *Pulvar* – prénom : *Audrey* – date de naissance : *1974* – lieu de naissance : *Fort-de-France (Martinique)* – profession : *journaliste, présentatrice du journal télévisé* – études : *École supérieure de journalisme de Paris* – expériences : *animatrice à Antilles Télévision, à LCI et à TV5, animatrice des Victoires de la musique* – lieu de travail : *FR3* – activités non professionnelles : *sorties (jazz, musées, théâtre, cinéma), lecture, écriture de romans.*

2. Identification de mots inconnus

Faire collectivement des hypothèses sur les mots inconnus des étudiants. Se contenter d'une définition approximative.
LCI : une télévision
Les Victoires de la musique : un programme de télévision
Le JT : le journal télévisé

3. 1-28 **Écoute du document oral.** Validation ou correction des phrases entendues.

a, non – b, oui – c, oui – d, non (elle aime le jazz) – e, si – f, non (elle écrit des romans).

Production écrite

Les étudiants doivent se présenter sur un site Internet en donnant des informations sur eux. On peut écrire les débuts de phrase au tableau : *Je m'appelle, J'habite, Je suis, J'aime...*
Lecture des productions ou correction par le professeur.

Civilisation, p. 21

Objectifs

Connaissances culturelles
- Caractéristiques de la population française.

Vocabulaire
- *l'âge, un an, un immigré, un village*
- *né, petit*
- *autre, dans, ou*

Connaître les Français

1. Observation collective de la carte d'identité. Repérer les différentes informations.

2. Activité 1. À partir du document « École de journalisme ».
Peut se faire collectivement ou en petits groupes.
Faire remarquer les prénoms composés et les noms composés. Une femme peut ajouter son nom de jeune fille à son nom de femme mariée.
Rechercher l'origine des noms.

a. nom de lieux : Duparc (du parc), Laplace (la place) – b. un métier : Boucher, Couturier – c. caractère : Bon, Petit – d. noms étrangers : Gonzalvès (espagnol), Kaddouri (arabe), Kozlowski (polonais), Marini (italien), N'Guyen (vietnamien).

3. Activité 2. Observation de la liste des prénoms préférés des Français.
Rechercher des prénoms similaires dans les différentes langues connues des étudiants.
Rechercher d'autres prénoms français connus des étudiants et leurs équivalents dans d'autres langues.

4. Lecture de l'article « Étrangers et immigrés ». Faire la liste des catégories d'immigrés et des pays d'origine (Algériens → Algérie, Marocains → Maroc, etc.).
Faire des comparaisons avec la situation dans le pays des étudiants (En Allemagne, il y a des immigrés turcs, etc.).
Noter la population de la France et sa répartition dans les villes et les villages.

5. Observer le document « L'âge des Français »
Comparer la répartition par tranche d'âge avec celle du pays des étudiants (*En France, il y a beaucoup de personnes âgées. Il n'y a pas beaucoup d'enfants et de jeunes. Dans mon pays ...*).

Interactions, p. 22-23

Objectifs

Savoir-faire
- Parler de ses activités de loisirs.
- Exprimer ses goûts et ses préférences.
- Prélever des informations dans un document publicitaire.

Vocabulaire
- *les loisirs* (voir tableau p. 23)
- *une activité, une association, un atelier, un espace, une exposition, une journée, une heure, octobre, septembre*
- *classique, moderne*
- *aller, se détendre, devoir, faire, jouer, partir, proposer, rencontrer, rester, venir*
- *un peu*

N.B. Les étudiants vont rencontrer beaucoup de vocabulaire nouveau dans cette double page et notamment des verbes à la conjugaison complexe (*aller, venir, partir*). L'objectif n'est pas de mémoriser ce vocabulaire ni à plus forte raison de connaître la conjugaison de ces verbes mais d'habituer les étudiants à évoluer dans un environnement verbal relativement riche.
Les verbes introduits ici seront sans cesse repris dans la progression. Les étudiants s'en approprieront petit à petit le sens et les formes.

Au forum des associations

1. Compréhension du document « Forum des associations »
Observer le document. Montrer les différentes associations. Dire que chaque association fait sa publicité. Montrer les différentes publicités sur la double page.

2. Compréhension collective du document « J'aime ma ville »
Pour qui est l'association « J'aime ma ville » ? – les nouveaux résidents (habitants), les personnes seules
Que fait l'association « J'aime ma ville » ? Faire produire et écrire au tableau « *On rencontre de nouveaux amis. On fait des fêtes. On fait du sport. On visite la région.* »
Présenter le verbe *faire*.

3. Travail en petit groupe
Les étudiants se répartissent les autres documents et doivent les présenter selon un questionnaire qu'on peut écrire au tableau :
- le nom de l'association
- l'adresse
- les activités

4. Mise en commun et compréhension des documents
a. *En forme : Le Club*
Vérifier la compréhension des activités (utiliser les photos, le mime, le dessin).
Expliquer :
- *être en forme* (par le mime).
- *vouloir* (les étudiants connaissent déjà *je voudrais*).
- *devoir* (revenir au dialogue prescriptif de la page 18, scène 1. *Arrêtez !* = Vous devez arrêter – Donner d'autres exemples : *Pour apprendre le français, vous devez travailler.*)
- *venir* (appeler un étudiant : « *Venez !* »)

b. *Le cybercafé*
Utiliser les connaissances des étudiants pour donner des exemples de forums et de jeux en réseaux.
c. *Atelier hip hop*
Qu'est-ce qu'on fait à l'atelier hip hop ? – On danse, on écrit, on chante.
Mettre en relation les noms avec les verbes : la danse → danser, etc.
d. *Jungle Aventure*
Expliquer *partir* (en situation de classe, « *Partez !* », par opposition à « *Venez !* »)

5. Activité 2 et découverte du tableau « Parler des loisirs »
a. En petits groupes, les étudiants découvrent le vocabulaire du tableau (utilisation du dictionnaire et recours à l'enseignant).
b. Chacun doit ensuite rédiger trois phrases pour présenter ce qu'il fait :
- après le travail – le week-end – en vacances

Lecture des productions.

Les loisirs de deux étudiants

1-29 Écoute fragmentée du document pour compléter le tableau.

Emma	Thomas
Randonnée (le week-end) Ski Piscine Musique (piano et chant). Elle aime les chansons et les comédies musicales	Gymnastique (après les cours) Football (le week-end) Va à des concerts de musique classique

Créer votre club de loisirs (projet)

1. Travail en petits groupes. La consigne doit être bien comprise des étudiants. Toutes les publicités de la double page sont des publicités de clubs de loisirs.
Les étudiants imaginent un type de club de loisirs (nom, lieu, type d'activité, etc.).
Ils réalisent ensuite une affiche publicitaire pour ce club.

2. Présentation des affiches et explications orales par chaque groupe.

À savoir
Les associations en France. On compte en France de très nombreuses associations. Il peut en exister plusieurs milliers dans une ville de 100 000 habitants. Ce sont des groupements de personnes qui n'ont pas d'intérêts commerciaux mais dont le but est l'éducation, les loisirs, l'assistance aux personnes malades, âgées, en difficulté, etc., la protection et la défense de la nature, des animaux, etc.
Pour ne prendre que le domaine de la musique, on pourra trouver des associations qui se consacrent au chant, à la pratique d'instruments de musique, à l'organisation de sorties pour assister à des concerts, etc.
Pour la majorité des Français, l'association reste le principal moyen de se rencontrer en dehors des milieux familiaux, amicaux et professionnels.

Ressources, p. 24-25

Objectifs

Savoir-faire
• Parler d'une activité (verbes *faire, aller, venir*).
• Exprimer la volonté (*vouloir*), la possibilité (*pouvoir*), l'obligation (*devoir*).
• Parler d'un projet.

Grammaire
• Constructions des compléments des verbes :
– *aller* (*à... au... à la... aux... chez...*) ;
– *faire* (*du... de la...*).
• Emploi des pronoms toniques (*moi, toi, lui*, etc.) après une préposition.
• Emploi de la forme « *aller* + verbe à l'infinitif » (futur proche).
• Conjugaison des verbes ci-dessus.

Vocabulaire
• le jour, la nuit, la natation, la plage, les toilettes, décembre
• fatigué
• savoir
• chez, demain, sans, ici

Prononciation
• Opposition *je fais / je vais.*
• Rythme des constructions « verbe + verbe à l'infinitif ».

Parler de ses activités

1. Observation des bulles du dessin
a. Pour chaque verbe, trouver l'infinitif et faire induire le reste de la conjugaison.
b. Observer les constructions des verbes :
– aimer (adorer) le tennis, le VTT, la randonnée
– faire du tennis, du VTT, de la randonnée
– aller au Maroc, à la plage, au village, à Ibiza
– être au Maroc, en Espagne, chez Tony
c. Retrouver et compléter ces constructions dans le tableau.

2. Exercice 2
Je *vais* faire du ski ... Tu *viens* avec moi ... Je *vais* dans les Vosges ... D'accord *je viens* ... Elle peut *venir*...

3. Exercice 3
de la natation ... *chez* des amis ... *au* théâtre ... *à* Recife ... *au* Brésil ... elle adore *le* théâtre ... *en* France ... *à la* piscine ... *du* tennis ...

Les pronoms *moi, toi, lui, elle*, etc.

Observer le dessin. Visualiser le sens des pronoms par une gestuelle.
Associer les pronoms sujets et les pronoms toniques correspondants.

Exercice 1
elle fait du tennis avec *eux* ... elle habite chez *elle* ... elle travaille pour *lui* ... elle vient avec *nous* ...

Faire un projet

Il est préférable de faire cette partie à la suite de la scène 1 des pages « Simulations ».

1. Introduction du futur proche
Expliquer *demain* et *aujourd'hui* en utilisant un calendrier ou la date écrite au tableau.
Écrire les deux phrases : « *Aujourd'hui je travaille. Demain je vais faire du tennis.* »
Montrer la construction verbale qui marque le futur proche.

2. Compréhension du dessin. Activité 1
Observer les constructions du futur proche à la forme affirmative et interrogative.

3. Pratique de l'expression du futur proche
a. En situation de classe. Demander aux étudiants ce qu'ils vont faire demain, pour le week-end, etc.
b. Activité 2. À faire par groupes de deux. Il s'agit de produire le plus possible de phrases pour décrire les activités des quatre personnages. *Mélissa va faire du tennis avec Lucas ... Florent va écouter un concert...*

Pour exprimer la possibilité, l'obligation

Il est préférable de faire cette partie à la suite de la scène 3 de la page « Simulations ».

1. Observation du dessin.
Seul le verbe *savoir* n'a pas été introduit. Vérifier la compréhension des verbes en transposant la situation (*Tu veux danser le rock – Je ne sais pas danser – Tu dois apprendre*).

2. Activité 1. Les étudiants recherchent des phrases utiles en classe.
Le professeur : *Vous devez travailler, écouter les enregistrements, apprendre le vocabulaire, etc.*
Est-ce que vous savez conjuguer le verbe aller, *épeler votre nom en français, etc. ?*
L'étudiant : *Je ne sais pas écrire* randonnée, *je ne sais pas prononcer* Lucas, *je ne peux pas faire l'exercice...*

3. Exercice 2
Tu *veux* faire du ski ? ... Je ne *sais* pas skier... Je ne *peux* pas. Je *dois* travailler...
Est-ce que je *peux* regarder ? Tu *dois* faire le travail.

À l'écoute de la grammaire

1. 1-30 **Exercice 1.** Faire entendre l'opposition entre la consonne sonore [v] et la sourde [f]. Quand on prononce la sonore, il y a une vibration particulière dans la gorge.

2. 1-31 **Exercice 2.** Travailler l'enchaînement des groupes à l'intérieur de chaque phrase. L'accent est toujours en finale du groupe. Exemple : Il veut aller / au cinéma.

Simulations, p. 26-27

Objectifs

Savoir-faire
• Proposer à quelqu'un de faire une activité.
• Accepter une proposition et remercier.
• Refuser une proposition et s'excuser.
• Demander une explication sur le sens d'un mot.

Grammaire
• Futur proche.

Vocabulaire
• *un cours, une discothèque, une expression, un problème, un quartier, un rôle, un siècle, un capitaine, une note* (*de musique*), *avoir de la misère* (expression québécoise)
• *jaloux, laid, pauvre, faux*
• *apprendre, dire, entrer, avoir envie, vouloir dire, traduire*
• *d'accord, dommage, encore*

Prononciation
• Rythme des groupes sonores.
• Rythme de la phrase négative.

L'histoire
La préparation de la comédie musicale « Notre-Dame de Paris » se poursuit. Lucas et Florent sont en compétition pour le rôle de Quasimodo. Et c'est finalement Florent qui l'emporte.
Pendant leur temps libre, les stagiaires ont des activités de loisirs. On s'aperçoit que Mélissa et Lucas ont des goûts communs et que Noémie est prête à consoler Florent.

Scène 1

1. 1-32 **Écoute directe du dialogue** après avoir regardé l'illustration. Celui-ci ne présente pas de difficulté.
Expliquer :
– *entrer* (mime en classe).
– *le rôle de Quasimodo* (évoquer les personnages de l'histoire à partir du document du bas de la page 27).
– *apprendre* (le vocabulaire, les conjugaisons).

2. Compléter le texte de l'activité 1.
Mélissa et Noémie vont faire un jogging. Elles invitent Lucas. Lucas reste à la Cité universitaire. Il doit travailler. Il veut apprendre le rôle de Quasimodo.

3. Faire jouer la scène.

4. Lecture du document « Théâtre du Châtelet : Notre-Dame de Paris » de la page 27. Pour la compréhension du résumé, faire appel à des étudiants qui connaissent l'histoire. Ce document peut être présenté avant l'écoute de la scène 1.

Scène 2

1. Préparation avant écoute. Présenter et écrire au tableau : *musée d'Orsay, Jungle Aventure* (revoir le document de la page Interactions), *forêt de Fontainebleau* (forêt au sud de Paris).

2. 1-33 Écoute progressive et transcription du dialogue.
Expliquer :
– *proposer (Lucas veut aller dans la forêt avec ses amis. Il propose à ses amis d'aller dans la forêt.)*
– *encore* (en situation de classe, à partir d'une répétition : *Répétez ! Répétez encore !*)

Jeux de rôles (activité 3)

1. Répertorier les moyens linguistiques utilisés pour proposer de faire quelque chose. Accepter ou refuser. Compléter avec le vocabulaire du tableau.

2. Les étudiants préparent le jeu de rôles. À faire à trois ou quatre. Lire la présentation de la situation et vérifier sa compréhension. Un(e) étudiant(e) du groupe va téléphoner aux autres pour leur proposer une activité. Les trois refusent et donnent une excuse.

3. Présentation des jeux de rôles.

Scène 3

1. Observer le dessin et faire imaginer le dialogue entre Noémie et Florent ainsi que le dialogue entre Lucas et Mélissa.

2. 1-34 **Écoute fragmentée du dialogue.**
Expliquer :
– *avoir envie* (*vouloir*).
– *dire* (*Que dit Florent ?*)
– *vouloir dire* (*le mot anglais* car *veut dire « voiture »*).
– *un problème* (expliquer à partir du problème de Florent : *son amie Mélissa aime Lucas*).
– *fatigué* (par le mime).

3. Raconter la scène et faire des hypothèses sur la suite (*Noémie et Florent partent ensemble. Ils vont se promener. Ils vont au café. Ils parlent...*)

Scène 4

1. 1-35 Dévoiler progressivement le dialogue en faisant chaque fois des hypothèses sur la réplique suivante.
Expliquer *dommage* par l'intonation.

2. Avec des étudiants faux débutants, on peut faire imaginer d'autres versions de la scène :
a. avec un Lucas jaloux de Florent. Dialogue avec Mélissa (*Alors tu as le rôle de Quasimodo ? – Non, Sarah préfère Florent. Ce n'est pas un bon chanteur. Moi je sais bien le rôle, etc.*)
b. avec un Lucas triste que Mélissa vient consoler. S'inspirer du dialogue 3.

Sons, rythmes, intonations

1-36 et 1-37 Les deux exercices portent sur le rythme des groupes sonores.

À savoir

Notre-Dame de Paris est la cathédrale de Paris. C'est aussi un roman de Victor Hugo dont l'action se passe au Moyen Âge autour de cet édifice. Esméralda, une jeune bohémienne, danse et prédit l'avenir sur le parvis de la cathédrale. Elle inspire un amour passionné au prêtre Claude Frollo et à Quasimodo, le sonneur de cloches, bossu et difforme mais doté d'une force colossale. Frollo charge Quasimodo d'enlever Esméralda. Mais la jeune fille est sauvée par Phoebus, un jeune capitaine, qui voit en elle la possibilité d'une aventure sans lendemain.
La Coulée verte. Promenade aménagée sur un ancien trajet de chemin de fer dans l'est de Paris.
Le musée d'Orsay. Musée ouvert en 1986 dans une ancienne gare. Il réunit les œuvres des grands mouvements de la peinture française (deuxième moitié du XIXe siècle et début du XXe) : réalisme, impressionnisme, symbolisme.
La forêt de Fontainebleau. Grande forêt située au sud de Paris.
La chanson « Je m'voyais déjà ». Chanson de Charles Aznavour (1960) dans laquelle un jeune chanteur ambitieux raconte ses débuts.

Écrits, p. 28

Objectifs

Savoir -faire
• Comprendre et rédiger une carte postale ou un message :
- d'invitation
- de réponse à une invitation

Vocabulaire
• *une amitié, le golf, une invitation, un objet* (message Internet), *un programme*
• *cher (cher ami), magnifique, sympathique*
• *découvrir*
• *pour*

Lecture des textes

1. La classe se partage les deux textes et complète le questionnaire.

	1	2
a	courriel	carte postale
b	Jérémy Bonal	Maurane et Laurent
c	Sylvain, un ami	Anne et Pierre Duchamp, des amis
d	Réponse à une invitation au festival des Vieilles Charrues, le week-end du 28 juillet. Jérémy ne peut pas aller au festival. Il est invité à une fête.	Informations sur les vacances. Invitation à venir passer un week-end.
e	Le festival des Vieilles Charrues, festival de musique avec des concerts (Mickey 3D)	L'île d'Oléron, île magnifique, beau temps, gens sympathiques, on peut faire du golf et du vélo.

2. Les étudiants imaginent et rédigent (à ce niveau, on ne peut attendre des étudiants qu'une brève production)
a. le message d'invitation de Sylvain adressé à Jérémy
Bonjour Jérémy, je vais au festival des Vieilles Charrues le 28 juillet. Le programme est super. Il y a Mickey 3D. Est-ce que tu veux venir ? Sylvain
b. la réponse d'Anne et Pierre Duchamp à Maurane et Laurent
Chers amis, merci de votre carte. Nous avons bien envie de venir chez vous à l'île d'Oléron mais le week-end du 24, nous allons faire une randonnée dans les Alpes. Nous sommes désolés. À bientôt. Bonnes vacances. Amitiés.
Anne et Pierre

Écriture. L'invité surprise

Suivre les instructions données dans le livre. Dire aux étudiants de se limiter à quelques lignes comme dans les messages ci-dessus. Faire une lecture des messages et des réponses afin de corriger l'expression.

À savoir
Le festival des Vieilles Charrues. Festival de musique et de chansons qui a lieu en juillet à Carhaix (Bretagne).
Mickey 3D. Groupe de rock souvent primé aux Victoires de la musique.
Biarritz. Ville située au bord de l'océan Atlantique, près des Pyrénées. Station balnéaire.
L'île d'Oléron. Île de l'Atlantique située près de La Rochelle et de l'île de Ré. Les deux îles sont très appréciées en été.

Civilisation, p. 29

Objectifs

Savoir-faire
• Présenter brièvement les caractéristiques physiques et touristiques de son pays.

Connaissances culturelles
• Connaître les principales caractéristiques physiques et touristiques de la France.

Vocabulaire
• *le paysage (la montagne, la mer, l'océan, la côte), le tourisme (un département, une commune, une tradition)*
• *varié*
• *visiter*
• *chaque, sur*

Regards sur la carte de France

1. Lecture du texte. Repérer les quatre centres d'intérêt du texte (montagne, mer, histoire, spectacles).
Pour chaque sujet, relever les lieux qui sont cités et les trouver sur la carte.
Selon les connaissances des étudiants, compléter avec d'autres exemples.
Utiliser aussi les cartes des pages 184 et 185 pour expliquer certains mots nouveaux (*côte, département, commune*, etc.).
Il est possible de compléter le vocabulaire descriptif du paysage et des lieux touristiques si les étudiants le souhaitent (en préparation à l'activité suivante).

Écriture. Présentation de votre pays (projet)

Les étudiants s'inspirent de la construction du texte pour rédiger une présentation de leur pays.

À savoir
Les festivals en France. En France, il y a toujours un festival quelque part. Il en existe pour tous les goûts : théâtre (Avignon), opéra (Aix-en-Provence, Orange), danse (Montpellier), bande dessinée (Angoulême), musique et chanson (Printemps de Bourges, Francofolies de La Rochelle, Vieilles Charrues à Carhaix) et en toutes saisons. En été, le moindre petit village, pour attirer les touristes, propose un festival dans son vieux château ou sur sa place ombragée.
Région, département, commune.

Interactions, p. 30-31

Objectifs

Savoir-faire
- Donner quelques éléments de la biographie d'une personne (naissance, activités marquantes, incidents marquants, mort).

Grammaire
- Découvrir et utiliser le passé composé pour dire ce qu'on a fait (voir les objectifs de la partie « Ressources »).

Connaissances culturelles
- Le musée Grévin et quelques personnalités célèbres.

Vocabulaire
- *une actualité, un chien, la cire, la Coupe (du monde), la lune, un personnage, un philosophe, une pièce (de théâtre), un président, rendez-vous, un souvenir, les vacances*
- *scolaire, férié, entier*
- *ouvrir, gagner*
- *aujourd'hui, hier*

Lecture du document « Musée Grévin »

1. Compréhension du document à l'exclusion de la partie horaire
Faire reconnaître le type de musée en faisant appel aux connaissances des étudiants ou en le rapprochant d'un musée connu. Par exemple, Madame Tussaud à Londres.
Nommer les personnages de cire. Peut-être certains reconnaîtront-ils le styliste Jean-Paul Gaultier, la cantatrice Maria Callas et le cinéaste Jean-Pierre Mocky.
La compréhension du document devrait être plus facile. Pour aider les étudiants à entrer dans le texte, poser les questions :
« *Qu'est-ce qu'il y a au musée Grévin ?* » (3 000 personnages de cire, des personnages de l'histoire de France, de l'actualité, des grandes heures du XXe siècle.)
« *Qu'est-ce qu'on peut faire ?* » (découvrir, faire des rencontres, des photos, des souvenirs)
Expliquer :
- *hier et aujourd'hui* d'après la date et un calendrier. Revoir demain.
- *heure* d'après la montre ou l'horloge.
- *histoire* et *actualité* en opposant les personnages (Shakespeare et Umberto Eco).
- *la cire* (les personnages du musée Grévin sont en cire).

2. Compréhension de la partie horaire
Les étudiants font des hypothèses sur le sens des mots. Observer un calendrier, compléter la liste « Les jours de la semaine ».
Expliquer :
- *ouvert* (ouvrir la porte).
- *vacances scolaires.* Le mot *vacances* est connu. Rapprocher *scolaire* de *école*.
- *jour férié* (jour de fête, jour où on ne travaille pas).

Jeu « Qui est qui ? »

1. Montrer les huit phrases et les huit photos de la p. 31. Dire qu'il faut associer chaque phrase à une photo. Il est possible de faire cette activité en petits groupes de deux ou trois.

2. Mise en commun et analyse de chaque phrase. Les étudiants indiquent les mots qui leur ont servi à reconnaître le personnage dont il est question. On s'assure ensuite de la compréhension des autres mots de la phrase.
Dans chaque phrase, faire observer les verbes. Les étudiants auront compris que l'on parle du passé. Il suffit de faire observer la formation du passé.
Au fur et à mesure de la découverte des phrases, on note au tableau la forme verbale et son infinitif sur deux colonnes (construction avec *avoir* et avec *être*. On fait remarquer la construction.

Construction avec « avoir »	Construction avec « être »
j'ai joué (jouer)	*je suis née (naître)*
j'ai été (être)	*je suis allé (aller)*
j'ai gagné (gagner)	

Expliquer :
- *le monde entier* (montrer la totalité de la carte du monde p. 6-7).
- *gagner* (à partir d'un exemple comme la dernière Coupe du monde).
- *pièce de théâtre* (roman, livre de philosophie. Donner des exemples).

3. Observer la conjugaison du passé composé p. 32 et notamment la forme *il / elle*. Chaque étudiant prépare la présentation d'un des huit personnages en transformant les phrases écrites à la première personne et en ajoutant éventuellement une autre information.
À tour de rôle, les étudiants présentent le personnage qu'ils ont choisi.

Imaginez votre musée Grévin (projet)

Activité à faire en petits groupes. Bien préciser la tâche : « *Nous allons faire un musée Grévin dans notre école. Quels personnages choisissons-nous ? Réfléchissez. Trouvez dix personnages. Sur chaque personnage, écrivez une phrase pour dire ce qu'il a fait d'important.* »
Les étudiants préparent leur liste et la présentent à la classe.
Gandhi. C'est un grand homme politique indien, etc.
Corriger la construction du passé composé.

Entrez au musée Grévin (projet)

Cette activité peut donner lieu à un projet développé commencé en classe et poursuivi à la maison.
Les étudiants écriront une biographie imaginaire qu'ils accompagneront d'une photo ou d'un dessin. Avec ces réalisations, on fabriquera un document de présentation du « musée Grévin » de l'école. Par exemple, une affiche publicitaire qui intègre les productions des étudiants.
Le professeur présente la consigne : « *Vous êtes un personnage extraordinaire, célèbre, historique, etc. Vous allez entrer au musée Grévin. Écrivez votre biographie en cinq ou six phrases courtes.* »

À savoir

Le musée Grévin. Musée de cire situé à Paris, créé en 1882 sur le modèle du musée de Madame Tussaud à Londres. Alfred Grévin fut le premier sculpteur des personnages de cire qui sont actualisés régulièrement.

Marie-Antoinette (1755-1793). Fille de l'empereur germanique et épouse du roi de France Louis XVI. Sa vie romanesque a inspiré des biographies, des films et des romans.

Zinedine Zidane. Joueur de football vedette de l'équipe de France dans les années avant et après 2000.

Céline Dion. Chanteuse canadienne québécoise. Son album « D'eux » a battu le record des ventes de chansons francophones

Monica Bellucci. Mannequin et actrice italienne qui a joué dans de nombreux films français (*Le Pacte des loups, Astérix et Obélix mission Cléopâtre, Le Concile de pierre*).

Laure Manaudou. Championne de natation. A gagné plusieurs records du monde et plusieurs médailles olympiques.

Jean-Paul Sartre. Philosophe et écrivain politiquement engagé à gauche. Il a marqué la pensée française après la guerre de 1939-1945 grâce à ses pièces de théâtre et à ses romans.

Tintin. Personnage de bande dessinée créé en 1929 par le dessinateur belge Hergé. Les BD de Tintin sont toujours très populaires.

Charles de Gaulle. Général, initiateur de la Résistance pendant la guerre de 1939-1945. Président de la République de 1959 à 1969. On lui doit la fin de la guerre d'Algérie, la décolonisation, l'indépendance militaire de la France.

Ressources, p. 32-33

Objectifs

Savoir-faire
- Dire ce qu'on a fait.
- Présenter un événement passé.
- Demander / donner la date et l'heure.

Grammaire
- Le passé composé (relation d'un événement passé). Construction avec *avoir* et *être*. Nous introduisons très tôt le passé composé pour qu'il soit utilisé dans la communication courante de la classe (*Je n'ai pas compris – Vous avez appris le vocabulaire ? – Qu'est-ce que tu as fait pendant le week-end ?*)
- Emploi des prépositions qui permettent d'indiquer la date et l'heure.

Vocabulaire
- *les jours de la semaine, les mois de l'année, les moments de la journée : matin, midi, après-midi, soir, nuit, minuit – le départ, l'arrivée*
- *prochain, dernier*
- *déjeuner*
- *quand, en avance, en retard*

Prononciation
- Différenciation présent / passé à l'oral.

Présenter des événements passés

1. Observation du dessin. Lire le début du programme du week-end à Paris. Lire les phrases des bulles en remarquant comment l'information indiquée dans le programme est relatée.
6 h : départ de Marseille → Nous sommes partis à 6 heures.
Trouver de quel verbe il s'agit : *fait → faire*, etc.
Observer les deux modes de formation du passé composé.

2. Lecture du tableau du bas de la page 32. Au fur et à mesure de la lecture, faire les exercices correspondants.

3. Exercice 2
Exercice qui permet d'observer l'accord du participe passé avec *être* et *avoir*. À ce niveau de l'apprentissage, on n'envisage pas l'accord du participe passé avec l'auxiliaire *avoir* dans le cas où le verbe a un complément antéposé. On attendra l'introduction des pronoms compléments antéposés.

4. Exercice 3
Qu'est-ce que tu as fait ? ... Je suis allé ... Nous avons vu ... Nous avons fait une promenade ...
Je suis rentré(e) (l'orthographe dépend de la personne qui parle) chez moi et j'ai travaillé...

5. Exercice 4
Il s'agit de préparer un répertoire de questions et de réponses qui seront utilisées dans la communication courante de la classe.
Envisager les situations suivantes et faire trouver les formules aux étudiants :
a. les demandes du professeur : *Vous avez fait votre travail ? Vous avez fini l'exercice ?*
b. les demandes des étudiants au professeur : *Je n'ai pas compris.*
c. les questions qu'on se pose avant le début du cours : *Tu as appris le vocabulaire ? Qu'est-ce que tu as fait hier soir ? Tu as vu le film à la télévision ?*

Préciser la date et l'heure

1. Lecture des trois premières rubriques du tableau. Bien faire observer l'emploi des articles ou des prépositions. Compléter la connaissance des mois de l'année.

2. Exercice 1
b. elle est entrée à l'université en 1990 – c. de 1992 à 1994, elle a fait un stage à Cambridge – d. en juin 1995, elle a eu le diplôme de professeur d'anglais – e. elle a rencontré William le 25 août 1994 – f. ils sont partis pour l'Australie en septembre 1998.

3. 1-38 **Exercice 2,** exercice d'écoute
Activité de reconnaissance des dates.
b. Victor Hugo : 1802-1885, mort à 83 ans
c. Marilyn Monroe : 1926-1962, morte à 36 ans
d. Alexandre : 356 av. J.-C.-323 av. J.-C., mort à 33 ans
e. Indira Gandhi : 1917-1984, morte à 67 ans

4. Lecture de la rubrique « L'heure » du tableau ou présentation par le professeur. Faire remarquer les différences avec la façon de dire l'heure dans la langue des étudiants.

5. Exercice 3a
3h10 (15.10) – 5h15 (17.15) – 7h35 (19.35) – 9h30 (21.30)

6. Exercice 3b. Lecture de l'heure à haute voix.

7. 1-39 Exercice d'écoute. Écouter chaque document sonore. Trouver le document écrit auquel il correspond et compléter celui-ci.

cinéma Forum, *Le Jour d'après* : 14h30 – 18h15
Docteur Paul Reeves, rendez-vous le 10 février à 10h45
Bibliothèque André Malraux, ouverte de 10h à 18 h du mardi au samedi

À l'écoute de la grammaire

1. 1-40 **Exercice 1**
Présent (1 – 4 – 7) - Passé (2 – 3 – 5 – 6)

2. 1-41 **Exercice 2.** Il est possible d'imaginer individuellement ou collectivement une suite à l'histoire : simple succession de verbes au passé composé.
... Je suis rentré chez moi. J'ai lu. J'ai regardé la télévision. J'ai dormi. Le matin j'ai appelé Marie, une amie ...

Simulations, p. 34-35

Objectifs

Savoir-faire
- Demander / donner l'heure.
- S'excuser pour être arrivé en retard.
- Féliciter quelqu'un.
- Faire un projet avec des indications de temps.
- Porter un toast.

Grammaire
- Employer le passé composé.
- Répondre (moi aussi / moi non plus).

Vocabulaire
- *l'amour, les félicitations, un téléphone portable, un SMS, la santé, un jardin, un casting*
- *bizarre, génial, intéressé*
- *arriver, continuer, dormir, rentrer, voir*
- *jusqu'à, puis*

Prononciation
- L'enchaînement (l'heure – les groupes adjectifs + noms).

Scène 1

1. 1-42 Observer le dessin, dialogue caché. Écouter le dialogue phrase par phrase. Le transcrire progressivement.
Expliquer :
- *voir / vu.*
- *bizarre* (par la situation et une mimique d'étonnement.
- *arriver* (par opposition à *partir*).
- *rentrer* (noter au tableau les différents moments de la journée de Noémie et visualiser ses mouvements : elle est partie de la Cité internationale à 9 h elle est arrivée au théâtre à 10 h ... À 4 h, elle est rentrée à la Cité.)

2. Faire dire quel est le problème (*Florent est en retard. Le spectacle est à 21 h. Il est 20 h. Est-ce que Florent va arriver ?*)

3. Imaginer la journée complète de Florent (*Il a déjeuné avec Noémie... À 4 h ...*)

Scènes 2 et 3

1. 1-43 Écoute et transcription de la scène 2.
Expliquer
- *jusqu'à (Nous avons cours jusqu'à 20 h.)*

2. 1-44 Écoute et transcription de la scène 3.
Noter les expressions qui permettent de féliciter (*bravo, félicitations, tu as été génial*). Noter aussi l'intonation des phrases de félicitations et des phrases où on porte des toasts.

3. À la suite de la dernière réplique de Lucas, lire le SMS qu'il a reçu. *Qui écrit ce SMS ? Que propose-t-elle ?*

4. Lire le tableau « Moi aussi / moi non plus » et faire pratiquer ces réponses à partir de quelques exemples (*Tu fais de la musique ? – Oui / Non. – Et toi ? – Moi aussi / Moi non / Moi non plus / Moi si*).

Jeux de rôles (activité 3)

Les étudiants se mettent par deux. Présenter les trois situations. Les étudiants choisissent une situation et déterminent leur rôle. Laisser 10 minutes de préparation.

Scène 4 et hypothèses sur la suite de l'histoire

1. 1-45 Écoute et compréhension de la proposition de Sarah puis des réponses de Mélissa et de Florent.
Expliquer :
- *intéresser* (*Mélissa aime la danse. Elle est intéressée par la danse*).
- *continuer* (par opposition à *arrêter*, introduit à la leçon 2).

2. Faire raconter ce qui se passe à la fin du document. Observer le dessin. *Qui Noémie rencontre-t-elle ?*

3. Les étudiants se mettent par groupes. Chaque groupe choisit un personnage de l'histoire et imagine l'avenir de ce personnage. Utiliser le futur proche (*Lucas va partir en vacances avec Élise. Il va faire du surf. Puis il va téléphoner à Mélissa. Il va aller aux Antilles ...*).

Sons, rythmes, intonations

1-46 et 1-47 Dans les deux exercices, bien faire observer et reproduire les liaisons. Attention à la liaison deux heures : prononcer [z] et non [s].

À savoir

Le théâtre du Châtelet. Théâtre situé près de l'île de la Cité. On y donne surtout des concerts classiques et des opéras.
Les Champs-Élysées. C'est la principale avenue de l'axe est-ouest de Paris. Elle part de la place de la Concorde et se prolonge jusqu'à **l'Arc de triomphe** (monument commandé par Napoléon Ier pour commémorer ses victoires ; il abrite la flamme du soldat inconnu qui brûle en permanence).
Le jardin des Tuileries. Jardin public situé à l'ouest du Louvre au centre de Paris. Construit au XVIe siècle et réaménagé au XVIIe, c'est un bon exemple de jardin classique « à la française ». Il a été le théâtre de nombreux épisodes de l'histoire de Paris.
La chanson « Aux Champs-Élysées ». Chanson de Pierre Delanoé interprétée par Joe Dassin, créée en 1969.
La chanson « Il est cinq heures Paris s'éveille ». Chanson interprétée par Jacques Dutronc dans laquelle un fêtard évoque la poésie de Paris à cinq heures du matin.

Écrits, p. 36

Objectifs

Savoir-faire
• Comprendre une chronologie d'événements familiers.
• Rédiger un fragment de journal personnel.
• Développer la stratégie de recherche d'informations dans un texte.

Vocabulaire
• *un appartement, un ascenseur, un mot, le nord, un t'chat, une classe, un type*
• *premier*
• *avoir peur, décider, s'inscrire, demander*

Grammaire
• Emploi du passé composé et des indicateurs de temps connus.

Compréhension du journal de Mélina

1. Découverte du document. Plusieurs façons de procéder.
(1) Après avoir identifié le type de document, la classe se partage les quatre fragments du journal. Chaque groupe explore la partie qu'il a choisie (il y a très peu de mots nouveaux. Les étudiants peuvent se débrouiller en autonomie).
Ils relatent au reste de la classe les informations qu'ils ont recueillies.
Les étudiants font ensuite individuellement l'activité 2.
(2) On lit le document avec pour projet de répondre aux questions de l'activité 2. Cette procédure peut être individuelle ou collective.

Réponses aux questions de l'activité 2
a. Oui, j'habite dans l'appartement de M. Kallitos. – b. Non.– c. Je viens de Grèce. – d. Je fais un stage de six mois chez ST Electronics. – e. Non, mais je suis inscrite dans une école de langues. J'ai commencé à apprendre le français.

2. Faire la liste :
– *des points positifs* (L'appartement est bien. – Il est dans le centre-ville. – Les collègues sont sympathiques. – Elle va travailler avec Delphine, une fille sympathique. – Elle a rencontré une voisine.)
– *des points négatifs* (Elle ne comprend pas bien le français. – Elle a peur de parler. – Elle a rencontré un homme bizarre dans l'immeuble. – Elle est un peu seule.)

Journal en français (projet)

L'objectif est d'inciter les étudiants à rédiger chaque jour quelques lignes d'un journal personnel.
L'activité de production écrite peut être consacrée à ce qu'ils ont fait la veille ou le week-end précédent.
Montrer que le journal de Mélina a été écrit avec des mots déjà connus des étudiants. On peut dire beaucoup de choses avec le bagage lexical déjà acquis. Il faut écrire avec les mots que l'on connaît et non pas se jeter sur le dictionnaire pour traduire en langue maternelle les phrases qu'on a dans la tête.
Ce journal peut rester une affaire personnelle, être montré aux amis de la classe ou au professeur.

À savoir
Philippe Labro. Journaliste et écrivain. Dans *L'Étudiant étranger*, il raconte ses années d'études aux États-Unis.
Nancy Huston. Écrivain canadienne d'expression anglaise et française. Les différences culturelles ont été une de ses sources d'inspiration.

Civilisation, p. 37

Objectifs

Connaissances culturelles
• Le calendrier en France.
• Connaître quelques rythmes de vie : journée et année scolaires, heures d'ouverture des magasins et des services, journée de travail.

Savoir-faire
• Comprendre des précisions horaires et un emploi du temps.

Vocabulaire
• un horaire, la poste, le supermarché, une réunion, un dentiste
• dîner

Les rythmes de vie en France

Les étudiants se partagent les documents. Ils doivent noter tout ce qu'ils trouvent différent des réalités de leur pays.
Faire ensuite une mise en commun.
1. Le calendrier : faire retrouver les mois de l'année, les jours de la semaine, faire rechercher les fêtes et les indications de saison.
2. Les affichettes des heures d'ouverture : comparer avec le même type de magasins et de services dans le pays de l'étudiant.
3. Les documents sur l'école.
4. Les journées de vendredi et de lundi de l'agenda de Paul. Faire oraliser le déroulement des activités de Paul.

Complétez l'agenda de Paul

1-48 Activité d'écoute.

Samedi : 10 h tennis avec Clara – 12 h déjeuner avec Clara – début d'après-midi travail avec Clara – vers 17 h cinéma – 20 h invitation.
Dimanche : de 9 h à 18 h randonnée dans la forêt de Fontainebleau avec Odile et Olivier.

À savoir
Le calendrier. Il témoigne :
– de l'histoire religieuse de la France. Chaque jour correspond à un saint ou à une fête religieuse. Ces repères culturels sont toujours vivants. On fête la Saint-Valentin, la Saint-Patrick ou la Saint-Jean et certains se souhaitent « Bonne fête ».
– de son histoire politique. Voir les fêtes civiles : la fête nationale (14 juillet), le 1er mai, le 8 mai.
L'année scolaire
– juillet et août sont les grandes vacances ou vacances de fin d'année scolaire.
– 15 jours de vacances début novembre, pour Noël, à la mi-février et à Pâques.
– le mois de mai comporte plusieurs jours fériés (1er mai, 8 mai, jeudi de l'Ascension). Quand tous ces jours tombent un jeudi, on « fait le pont » ce qui fait trois longs week-ends de 4 jours.
La journée à l'école. De 8h30 à 11h30 et de 13h30 à 16h30 pour les écoles élémentaires (jusqu'à 11 ans). De 8 h à 12 h et de 13 h à 16 h pour les collèges et les lycées.
Les heures de bureau. On travaille de 9 h à 18 h avec une heure de pause pour le déjeuner (mais 35 heures par semaine). **Les banques et les administrations** ouvrent du lundi au vendredi de 9 h à 17 h. Quelques banques sont ouvertes le samedi matin. **Les magasins** sont ouverts au moins de 10 h à 19 h. Les supermarchés de 8 h à 21 h.

Évaluez-vous, p. 38-41

Le professeur explique le but de ces pages « Évaluez-vous ». Les étudiants feront une douzaine de tests. Ils se corrigeront eux-mêmes. Ils se noteront. Ils pourront ainsi voir précisément quels sont leurs défauts et leurs manques en compréhension orale, expression orale, compréhension écrite, expression écrite et correction de la langue.

Test 1

Le professeur oralise les questions posées à l'étudiant. Il donne éventuellement une explication.

1-49 Test 2

Faire observer la liste et faire l'exemple en commun.
a. : a, 7 – b, 1et 2 – c, 10 – d, 5 – e, 9
b. : a, 8 – b, 6 – c, 3 – d, 2 – e, 4

Test 3

Il y a plusieurs réponses possibles.
a. Excusez-moi (pardon), madame. Où est le musée (l'université, etc.), s'il vous plaît ?
b. Bonjour, comment ça va ?
c. Au revoir (bonne nuit, à demain).
d. Bravo ! Félicitations ! (C'est très bien. Vous êtes génial !)
e. Je suis désolé.

Test 4

Expliquer la situation.
Chère Madame, cher Monsieur,
Je suis John ... J'ai 25 ans. Je suis anglais. Je travaille à l'université de Cambridge. Je suis débutant en français. J'aime beaucoup le cinéma et le théâtre, je fais du tennis et du VTT.

Test 5

1	2	3
La Fête de la musique	Une randonnée	Une soirée spéciale
Dans toute la ville	La forêt de Rambouillet	Le Saturne (restaurant)
Le 21 juin	Dimanche 26 octobre, de 8 h à 19 h	La nuit du 31 décembre
Écouter ou faire de la musique	De la randonnée	Danser, dîner

Test 6

a. Le 21 juin, je vais à la Fête de la musique. Est-ce que tu veux venir avec moi ?
b. Merci pour ton invitation à la randonnée. Je viens.
c. Merci pour ton invitation à la soirée du 31 décembre. Je suis désolé(e), je ne peux pas venir. Je suis invité(e) chez des amis.

Test 7

a, F – b, V – c, F – d, F – e, F – f, F – g, V – h, V – i, V – j, F.

Test 8

Chère amie ... Je suis allé(e) à Cannes pour le week-end du 14 juillet. Je suis resté(e) trois jours à l'hôtel Bellevue. J'ai visité le musée de la Castre. Je suis allé(e) en bateau aux îles de Lérins. C'est très beau. Il y a un restaurant excellent, La Méditerranée. Bonnes vacances à toi. Amitiés.

1-50 Test 9

a. jour : jeudi 12 juillet – heure : 12h15
b. jour : 17 juillet – heure : 17h30
c. jour : dimanche 15 – heure : de 9 h à 20 h
d. jusqu'à 2 h du matin
e. jours : du mardi au dimanche – heures : de 10 h à 19 h

Test 10

a, V – b, F (c'est une province du Canada) – c, F (Il y en a 60) – d, V – e, F (Un village ou une ville) – f, V – g, F - h, V – i, F (entre 12 h et 13h30) – j, V.

1-51 Test 11

1, V – 2, F – 3, V – 4, V – 5, F – 6, F – 7, F (port de la Méditerranée) – 8, V – 9, F (un philosophe, auteur de romans et de pièces de théâtre) – 10, V.

Test 12

a. Tu *es* ... Qu'est-ce que tu *fais* ? ... Je *suis* à Paris ... Je *fais* ... Nous *travaillons* ... Les stagiaires *sont* sympathiques ... J'*ai* une amie ... Elle *s'appelle* ... Nous *visitons* ... Nous *allons* ...

b. Non, elle n'est pas française. – Non, elle ne parle pas bien français. – Oui, elle apprend le français. – Oui, elle a des amis à Paris. – Non, ils ne sont pas français.

c.... *un* musée de Paris ... *des* tableaux célèbres ... *la* Joconde .... professeur à *l'*école de musique. C'est *un* bon professeur Marie fait *du* sport. Elle aime *le* tennis. Elle fait aussi *du* vélo. ... *un* bon restaurant sur *l'*avenue des Champs-Élysées.

d. *Chère* Eva ... quinze *jours* avec des copains ... très *belle* ville
... tous les *monuments célèbres*.
... vu de *beaux tableaux*.
... deux *amis allemands* ...

e. .... *en* Espagne. .... *à* Paris ... hier *à* 10 h ... *chez* un ami ... aller *au* musée d'Art moderne.

f. • ... qu'est-ce que tu *as fait* ? – Je *suis allée* à la montagne ... Paul et les enfants *sont partis* ... Moi, je *suis restée* ... J'*ai dormi* et j'*ai lu*... nous *avons dîné* ...
• Vous *n'êtes pas allés faire* une randonnée ? ... nous *sommes allés* au lac Bleu. Nous *avons vu* des chamois. Nous *sommes rentrés* fatigués.

Évasion en français, p. 42-44 (projet)

Objectifs

Savoir-faire
- Faire une recherche sur des sites Internet en français.
- Présenter une recherche sur Internet ou une expérience en français en dehors de la classe.

Savoir être
- Prendre conscience du potentiel francophone en dehors de la classe.
- Acquérir une confiance dans sa capacité d'auto-découverte de ces environnements francophones.
- Développer l'autonomie.

Déroulement du projet
Le but de ces pages est d'inciter les étudiants à découvrir des univers francophones en dehors de la classe : l'Internet, les chaînes francophones de radio et de télévision, le kiosque de presse qui peut exister dans le centre culturel ou l'université, les éventuels lieux francophones de la ville.
La démarche du projet est la suivante :
a. découverte commentée des documents des trois pages ;
b. les étudiants choisissent un secteur à découvrir (Internet, la presse, etc.). Fixer une date pour rendre compte des découvertes ;
c.chaque étudiant fait son compte rendu. Il peut avoir prévu : quelques pages Internet imprimées, un enregistrement d'extrait d'une émission de télé, un journal, etc.

Voyager avec Internet

1. Lire la liste des sujets qu'on peut taper sur le moteur de recherche. Pour chaque thème, les étudiants peuvent proposer d'autres idées.

2. Observer la page accueil du site de la Cité des Sciences et de l'Industrie, bas de la page 42.
Rechercher les informations demandées.
Amener les étudiants à prendre conscience qu'ils peuvent se repérer dans ce menu.

3. Lire le document « Sites Internet » p. 43. Pour chaque site, vérifier la compréhension du contenu explicatif.
Lire le menu « news / magazines » du portail d'Orange. Faire formuler quels types d'informations on peut trouver dans chaque rubrique.

4. Faire appel à l'expérience des étudiants. « *Qui est allé sur des sites Internet en français ? Lesquels ? Etc.* »

Regarder la télévision...

1. Faire appel à l'expérience des étudiants. *Avez-vous regardé des chaînes de télévision francophones ou écouté des radios francophones ?*

2. Lecture du programme de TV5. Imaginer les sujets des émissions.
Un livre un jour : émission littéraire – *Télématin* : magazine d'informations générales – *Un gars, une fille* : série comédie – *Saveurs sans frontières* : cuisine – *Questions pour un champion* : jeu – *Le journal* : informations – *Line Renaud, une histoire de France* : biographie d'une chanteuse et comédienne – *Fil à fil* : mode – *Renoir* : art.

Documents de la page 44

1. Kiosque de presse. Repérage des mots connus et hypothèses sur le contenu des articles.

2. Commenter les documents.

Survivre en français

Objectifs généraux de l'unité

Préparer les étudiants à un bref séjour dans un pays francophone pour qu'ils puissent se débrouiller dans les actes courants de la vie quotidienne :
- préparer un voyage (s'adresser à une agence de voyages, faire des réservations de transports et d'hôtels, prendre contact avec des organismes ou des personnes qui assureront l'hébergement) ;
- utiliser les moyens de transport ;
- se nourrir (aller au restaurant, acheter de la nourriture) ;
- se loger (à l'hôtel, en location, etc.) ;
- s'orienter (demander sa route, comprendre une carte et un plan, comprendre des indications touristiques) ;
- résoudre les problèmes quotidiens propres aux situations ci-dessus.

L'histoire des pages « Simulations »

« La traversée de l'Hexagone »

Fanny et *Bertrand Rochard*, qui vivent et travaillent à Strasbourg, font des projets de vacances. Ils abandonnent vite l'idée de partir pour une destination lointaine à cause de leur fille *Caroline* qui a décidé de passer ses vacances en France chez une amie et de leur chien *Choucroute* que personne ne peut garder. Ils acceptent finalement l'invitation d'un couple d'amis, *Claudia* et *Jérôme*, qui restaurent une vieille maison dans les Pyrénées.
Les voilà partis pour une traversée de l'Hexagone au cours de laquelle ils vont vivre quelques mésaventures : erreur sur le nom de l'hôtel, problème sur la note de la crêperie, achat malvenu d'un cadeau pour leurs amis.
À l'arrivée, d'autres problèmes les attendent. La vieille maison n'a pas encore de chambre et ils doivent loger dans une caravane. Ils sont surpris par de nouveaux rythmes de vie. Ils doivent participer à la rénovation de la ferme. Ils se perdent au cours d'une randonnée...
Il faut trouver une excuse pour partir au plus vite. Ils demandent à Caroline d'appeler au secours.

Leçon 5 - Bon voyage !

Interactions, p. 46-47

Objectifs

Savoir-faire
- Comprendre un document publicitaire d'agence de voyages.
- Parler d'un voyage (destination, moyens de transport, type de voyage, avantages et inconvénients).
- Exprimer une opinion à propos d'un voyage.

Grammaire
- Emploi des formes comparatives simples.

Vocabulaire
- Vocabulaire de l'encadré de la page 47.
- *les voyages : une formule, l'hébergement, un tour, la nature, une tente, la campagne, une abbaye, la découverte, le prix, la tête, le corps, l'eau, la liberté, une pirogue, un euro, une liste*
- *intéressant, loin, près, meilleur, mieux, mystérieux, pittoresque, spécial, tranquille*
- *organiser*
- *plus, moins, trop, sous*

Choisissez votre voyage

1. Faire identifier le document.
Expliquer : *Plus loin – Moins cher.* Introduire les comparatifs à l'aide de la liste des prix. On peut aussi utiliser la rubrique « Comparer les choses » de la page 48.
Découvrir le vocabulaire de la rubrique « Opinions » de l'encadré de vocabulaire.

2. Travail en petits groupes. Chaque petit groupe explore le document de l'agence Alpha Voyages. Il peut s'aider du dictionnaire. Il choisit une destination de voyage.

3. Mise en commun. Chaque groupe présente le voyage qu'il a choisi et dit pourquoi.
Chaque présentation est l'occasion pour l'enseignant de faire une mise au point sur la compréhension du vocabulaire du document. On présentera notamment :
– le type de voyage (séjour, circuit, etc.)
– la destination (situer sur les cartes)
– les lieux visités (falaises d'Étretat, abbaye du Mont-Saint-Michel, etc.)
– les activités (découvrir, se détendre, visiter, rencontrer, etc.)

4. Introduire le vocabulaire des transports en faisant appel aux préférences des étudiants (*Pour aller de ... à ... je préfère prendre le train*)

Réaliser la page accueil d'une agence de voyages (projet)

Il s'agit d'imiter le document qu'on vient d'étudier en proposant d'autres séjours et destinations.
Les étudiants travaillent par groupes. Suivre les consignes données dans le livre.

À savoir

Arcachon. Petite ville située sur la côte atlantique, près de Bordeaux. Station balnéaire. La baie d'Arcachon est célèbre pour sa production d'huîtres
La Normandie (abbaye du Mont-Saint-Michel, falaises d'Étretat). Région située au nord-ouest de Paris, en bordure de la Manche. Elle est célèbre pour ses paysages de prairies bordées de haies, sa production de camembert et ses falaises de craie blanche. **L'abbaye du Mont-Saint-Michel** marque la limite de la Normandie et de la Bretagne. Elle a été édifiée à partir du XIe siècle sur un îlot rocheux. C'est un des monuments les plus visités de France.
Le Val de Loire et ses châteaux. À partir du XVe siècle, les rois de France se font construire de magnifiques châteaux sur les bords de la Loire, dans une région où le climat est agréable et où les terrains de chasses sont nombreux. Chambord, Chenonceau, Azay-le-Rideau sont les témoignages de la Renaissance des arts et des lettres en France.
La Sologne. Située au sud de la Loire et d'Orléans, c'est un pays d'étangs, de forêts et de landes de bruyères. À toutes les époques, les seigneurs y firent construire de petits châteaux. On y retrouve donc tous les styles, de la construction féodale jusqu'à la résidence du XVIIIe siècle.
Les Pyrénées. Chaîne de montagnes séparant la France et l'Espagne. À la différence des Alpes, les Pyrénées ont des vallées profondes et encaissées avec de nombreux lacs.
La Guyane (les Wayanas). Ancienne colonie française devenue département d'outre-mer située au nord du Brésil, sur la côte atlantique. C'est là que se trouve Kourou, la base de lancement de la fusée Ariane. Seule la partie côtière est peuplée, le reste est un parc naturel où les habitants (notamment les Wayanas) ont pu conserver leur mode de vie traditionnel.

Ressources, p. 48-49

Objectifs

Savoir - faire
- Comparer des voyages ou des séjours de vacances.
- Montrer quelque chose.
- Exprimer une appartenance.

Grammaire
- Les constructions comparatives. On se limitera à l'emploi de *plus, aussi, moins, meilleur* dans des constructions du type : *L'hôtel Panorama est cher, l'hôtel de la Plage est moins cher.* On introduira d'autres structures comparatives au niveau A2.
- Les adjectifs démonstratifs.
- Les adjectifs possessifs.
- La conjugaison des verbes *prendre* et *mettre*.

Prononciation
- Son [ɔ̃] pour la prononciation des possessifs.
- Prononciation de *plus*.

Comparer les choses

1. Activité 1. Utiliser la liste des prix pour introduire les formes comparatives.

> Le voyage en Italie est moins cher. – Le voyage en Russie est plus cher. – Le voyage en Égypte est aussi cher. – Le voyage en Italie est le moins cher de tous les voyages. – Le voyage en Russie et le voyage au Mexique sont les plus chers (sont aussi chers).

2. Activité 2. Faire produire des phrases comparatives en comparant des villes, des régions, des pays.

3. Introduire *trop* et le différencier de *très*. « *Le voyage en Italie n'est pas très cher mais il est trop cher pour moi car je n'ai pas d'argent.* » (On peut aussi attendre la scène 1 des pages Simulations pour introduire ce mot)
Très exprime l'intensité.
Trop suppose un élément de comparaison qui peut ne pas être formulé.
Le langage « jeune » d'aujourd'hui a tendance à utiliser « trop » pour « très » à des fins expressives : « Ce plat est trop bon ! » (Il est excellent.)

Montrer

1. Introduire ce mot en situation de classe en désignant un objet. Observer le dessin. Classer les mots démonstratifs selon le genre et le nombre du nom.
S'appuyer sur ces observations pour construire le tableau des comparatifs.

2. Exercice 1

> *ces* personnages ... *cet* acteur ... *cette* chanteuse ... *ce* visiteur.

Indiquer une appartenance

1. Introduire les possessifs en situation de classe avec des objets appartenant au professeur et aux étudiants. Montrer que le possessif change :
a. selon le genre et le nombre de l'objet possédé ;
b. selon la personne ou les personnes qui possèdent. Distinguer un seul possesseur plusieurs possesseurs.

2. Observer le dessin. Visualiser par une gestuelle ce que cherche chaque personnage.
À partir de ces observations, construire collectivement le système des possessifs.

3. Exercice 2 (rappeler la situation de la page 19 où Noémie montre des photos à Lucas)

> Voici *mon* appartement ... *ma* rue ... *mon* université ... la maison de *mes* parents ... avec *leur* jardin et *leur* voiture ... *mon* amie Charlotte et *son* chien ...
> Qui est-ce ? *Ton* petit ami ... Je veux savoir *son* nom, *sa* profession, *ses* goûts.

Apprendre les nouveaux verbes

Observer les deux conjugaisons. Faire relever les régularités à l'écrit et à l'oral. En déduire la conjugaison des verbes *apprendre* et *comprendre*.

À l'écoute de la grammaire

1. 1-52 **Exercice 1**. Faire prendre conscience de l'opposition entre le son [ɔ] et le son nasalisé [ɔ̃] (Résonances dans les fosses nasales)

2. 1-53 **Exercice 2**. Prononciation de [y] qui a tendance pour certains étudiants à être rapproché de [u] ou de [i].

Simulations, p. 50-51

Objectifs

Savoir-faire
- Exprimer une opinion.
- Exprimer l'appartenance.
- Demander/donner une explication (pourquoi/parce que).
- Donner des instructions.

Vocabulaire
- *les parents, un père, une mère, un mari, papa, maman, un bébé, un chat, un oiseau, un catalogue, une idée, une bise, un billet, la gare, un sac, une valise, une décision, une traversée, l'Hexagone, chéri*
- *passer, laisser, composter, penser, changer, noter*
- *pourquoi, parce que*

Prononciation
- Sons [b], [v], [f]

L'histoire
C'est bientôt les vacances. Fanny et Bertrand Rochard, qui vivent à Strasbourg, font des projets devant les propositions alléchantes d'une agence de voyages. Mais leurs goûts contradictoires, la nécessité de rester près de leur fille Caroline qui passe ses vacances chez une amie en France et l'existence du chien Choucroute limitent leurs possibilités. C'est alors qu'ils reçoivent un message de leurs amis Claudia et Jérôme qui les invitent dans leur maison des Pyrénées.

Scène 1

1. 1-54 **Lecture des phrases d'introduction**. Observation du dessin. Écoute des premières répliques. *Où sont Fanny et Bertrand ?– Devant l'agence Alpha Voyages.*

2. Travailler dialogue caché car le texte ne présente pas de difficulté et que la situation est familière. Écoute progressive et transcription du dialogue.
Expliquer :
– *pourquoi* (introduire « parce que » au cours de l'explication). Mettre à profit une situation de classe : *Maria est en retard. Pourquoi ? – John est fatigué. Pourquoi ?* Revenir ensuite à la situation du dialogue.
– *passer des vacances (Florent a passé trois heures à dormir. – J'ai passé mes vacances en Grèce.)*
– *penser (En vacances, vous pensez à votre travail ? Moi, j'oublie mon travail.)*

3. Faire résumer l'histoire en faisant compléter les phrases de l'activité 1.
Bertrand voudrait aller au Mexique. Fanny ne veut pas parce qu'elle veut rester près de Caroline.

4. Faire remarquer et imiter les intonations : enthousiasme, étonnement.

Jeu de rôles (activité 2)

Les étudiants se mettent par deux devant une des pages de sites Internet qui aura été créée au début de la leçon p.47. Ils s'inspirent du dialogue qui vient d'être travaillé pour imaginer une scène de choix de lieu de vacances.

Scène 2

Deux procédures possibles :

(1) Les étudiants se mettent par deux et préparent une mise en scène de ce dialogue. Les mots inconnus peuvent être facilement trouvés dans un dictionnaire.
Chaque couple prépare ensuite son interprétation. Cette présentation est suivie de l'écoute de l'enregistrement.

(2) 1-55 Écoute précédée d'une préparation lexicale. Avant l'écoute, présenter et **expliquer** :
- *parents, père et mère* (à partir d'un petit arbre généalogique).
- *chien* (déjà vu leçon 4), *chat, oiseau, animaux* (à partir de dessins).

Au cours de l'écoute, faire noter les adjectifs possessifs.
Vérifier la compréhension générale. Les étudiants répondent aux questions posées dans l'activité 3.
Faire jouer le dialogue.

Jeu de rôles

Les étudiants sont par deux. Présenter la situation. Ils partent en vacances pendant trois mois. À qui vont-ils confier le chat, etc. ?
Faire en commun, au tableau, une liste de ce qu'on peut confier à quelqu'un quand on part pour longtemps :
- les animaux : le chat, les poissons rouges, etc. ;
- les plantes du jardin, de l'appartement ;
- les clés de la boîte aux lettres, de l'appartement, de la voiture.

Les étudiants s'inspirent de la scène 2 pour imaginer et jouer un petit dialogue.

Scène 3

1. 1-56 Lecture du message de Claudia et Jérôme. *Qui sont Claudia et Jérôme ? Où sont-ils ? Pourquoi écrivent-ils ?*

2. Imaginer collectivement les réactions de Bertrand et Fanny.
Bertrand : *C'est super. On va faire des randonnées. Ils sont sympas. C'est gratuit...*
Fanny : *Ceux sont tes amis. Tu décides...*

3. Rédiger la réponse de Bertrand.

Scène 4

1. Observer la photo et le dessin. Présenter et introduire les mots *composter, billet, valise* et *gare.*
Faire présenter la situation : *Qui sont les personnages ? Que fait Caroline ?*

2. 1-57 Écoute progressive et transcription du dialogue. Au cours de l'écoute, **expliquer** :
- *noter une adresse* (mime).
- *changer, changement de train* (en montrant le trajet Strasbourg-Marseille sur une carte – changement à Lyon).
- *papa, maman* (d'après père et mère déjà introduits).
- *bébé.*
- *faire attention* (*Faites attention à l'orthographe !*)

3. Faire observer les réponses aux questions négatives.
Si : réponse positive (*Tu n'as pas un changement de train ?*
– Si, j'ai un changement à Lyon.)
Non : confirmation du contenu de la question.

Sons, rythmes, intonations

1-58 **Exercice 1.** Faire observer la façon de prononcer les trois sons.
[b] petite explosion sonore sur le devant de la bouche (lèvres avancées)
[v] lèvres rétractées, consonne sonore
[f] même articulation, consonne sourde

[b], bateau, Bourgogne, beau, billet, bien.
[v], va, vélo, valise, viens.
[f], Faro, font, forme.

1-59 **Exercice 2.**

À savoir

Strasbourg. (425 000 habitants pour l'agglomération) Ville de l'est de la France située sur les bords du Rhin. Elle présente de nombreux lieux touristiques, notamment sa cathédrale et son quartier de la Petite France. C'est aussi le siège du **Conseil de l'Europe**, organisation européenne chargée des questions éducatives, culturelles et sociales et des Droits de l'homme.

Écrits et Civilisation, p. 52-53

Objectifs

Savoir-faire
- Réserver un billet de transport / confirmer, annuler, acheter.
- Demander un renseignement concernant le voyage (horaires, prix, etc.).
- Comprendre des indications concernant un voyage (lieu, moyen de transport, mouvements, changement).
- Raconter un voyage.
- Résoudre un problème concernant un voyage (par exemple : un problème de place).
- Développement de la stratégie de compréhension d'un mot par le contexte.

Connaissances culturelles
- Avoir une idée des différents moyens de transport utilisés en France.
- Comprendre les noms spécifiques à ces moyens (TGV, SNCF, etc.).
- Les départs en vacances.

Vocabulaire
- Voir l'encadré p. 53.
- *une route, une autoroute, une aire de service, une destination, un bouchon, la vitesse, un contrôle, un tramway, le sud, le retour, une enquête, une famille, une compagnie, un vol, une place*
- *rouge, joli, content, important, rapide, agréable, bas, grave*
- *réserver, annuler, confirmer*

Lecture de l'article « le week-end rouge »

1. Observation collective du titre, du chapeau et des photos.
Quand l'article a-t-il été écrit ? De quoi parle-t-il ?

2. Travail en petits groupes. La classe se partage les trois paragraphes. Chaque groupe doit répondre aux questions suivantes préalablement écrites au tableau.
Quelle heure est-il ?
Qui voyage ?
Où est-il ? Que fait-il ?
Où va-t-il ?
Par quel moyen ?
Pourquoi ?
Y a-t-il des différences avec les départs en vacances dans votre pays ?

3. Mise en commun. Visualiser les trajets sur une carte. Expliquer les mots inconnus. La plupart de ces mots peuvent être compris grâce au contexte.
- *week-end rouge (Il y a beaucoup de voitures sur les routes. Il faut faire attention.)*
- *à l'aventure (sans réservation).*
- *tranquille (Sur les petites routes, il n'y a pas beaucoup de voitures.)*

4. Chaque étudiant dit avec quel voyageur il aimerait partir et pourquoi.

Écriture

1. À faire par petits groupes de quatre ou cinq étudiants. Si les membres du groupe connaissent le même pays ou la même région, ils mènent leur enquête à partir de différents lieux de ce pays ou de cette région comme dans l'article. Si ce n'est pas le cas, ils choisissent différents points de départ dans le monde, des lieux qu'ils connaissent bien.

2. Chaque étudiant imagine l'interview d'un voyageur ou groupe de voyageurs. Il l'interroge sur sa destination, les raisons de son choix, son moyen de transport, etc.
Il rédige ensuite son interview, soit sous forme de dialogue, soit sous forme de texte comme dans l'article.

3. Les enquêtes sont regroupées dans un article auquel le groupe donne un titre.

Situations en voyage

1-60 **Exercice d'écoute.** Mise en relation de courtes scènes avec un titre et avec les photos de la page.

1. Présenter la consigne. Lire les titres. Observer les photos *(C'est dans un aéroport, etc.).*

2. Écouter et transcrire collectivement chaque document.

Doc 1, b (réservation, photo 2. Expliquer place et vol)
Doc 2, e (problème de place, photo 4. Expliquer voiture lorsqu'il s'agit d'un train)
Doc 3, a (oubli de compostage de billet, photo 4)
Doc 4, d (demande de renseignement, photo 3. Expliquer métro et RER. Montrer le début du trajet sur le plan du métro, p. 187)
Doc 5, c (annulation, photo 2)

3. Dans le tableau de vocabulaire, relever les mots qui n'ont pas encore été introduits. Les expliquer.

Comparaisons

Chaque étudiant donne son opinion sur les moyens de transport dans son pays.
Pour préparer ces prises de parole en continu, mettre au tableau des adjectifs connus : *rapide, agréable, cher, pas cher, moderne, ancien, fatigué, à l'heure.*

À savoir

Les jours de grand départ. Les Français prennent leurs vacances pendant les mois de juillet et d'août. Les week-ends de fin juillet et de début août sont les week-ends où il y a beaucoup de circulation sur les routes. Chacun veut partir le premier jour de ses vacances même s'il sait qu'il va passer des heures dans les embouteillages.
Le viaduc de Millau. Pont mis en service en 2004, enjambant la vallée du Tarn et permettant à l'autoroute d'éviter la ville de Millau, au sud-ouest du Massif central.
Le réseau SNCF. La Société nationale des chemins de fer français a en France le monopole des transports ferroviaires.
Le RER (réseau express régional) assure des liaisons rapides entre le centre de Paris et la banlieue. Il est interconnecté avec le métro.
L'avion en France. Jusque dans les années 1990, le réseau aérien français était en plein développement. La plupart des villes de plus de 100 000 habitants avaient leur aéroport et étaient reliées à Paris. Aujourd'hui, le TGV (train à grande vitesse) concurrence l'avion car il est moins cher et permet d'accéder au centre de la capitale plus rapidement. Les liaisons entre villes de province et pays étrangers se développent et sont assurées par des compagnies à bas coût.
Les transports dans les grandes villes. Lyon, Marseille, Lille ont leur métro ; d'autres villes se dotent de lignes de tramway (plus économique et moins polluant que le bus).

Leçon 6 - Bon appétit !

Interactions, p. 54-55

Objectifs

Savoir-faire
• Comprendre un menu de restaurant (en le lisant ou en demandant des explications et en s'appuyant sur un vocabulaire minimal).
• Exprimer des goûts et des préférences.
• Organiser collectivement une fête en choisissant la nourriture, les boissons, les activités et en prévoyant un budget.
• Rédiger un programme et une invitation.

Connaissances culturelles
• Quelques plats français et de différents pays.

Vocabulaire
• Voir le vocabulaire du tableau de la page 55.
• *un buffet, le marché, un traiteur, une entrée, un plat, une assiette, une spécialité, un plateau, un repas, le plaisir, un mariage, une animation, un magicien, un feu d'artifice*
• *manger, boire*

Organisez une fête (projet)

Les interactions et les apports linguistiques se feront par l'intermédiaire d'un projet. Les étudiants devront préparer une fête et en prévoir tous les détails.
Ce projet peut être réalisé collectivement ou en petits groupes. À certaines étapes, les étudiants seront guidés par l'enseignant, à d'autres, ils travailleront en autonomie.
Comme pour chaque projet, il convient avant tout de motiver les étudiants, de leur donner envie de créer quelque chose ensemble. On peut mettre à profit un événement réel (fête, commémoration, anniversaire d'un étudiant) ou inventé pour la circonstance (l'anniversaire du professeur, l'invitation du directeur, etc.).
On procède ensuite étape par étape. Nous en profiterons pour donner quelques techniques d'animation orale de la classe.

1. Choisir le lieu de la fête
Distribuer aux étudiants des petits papiers. Sur chaque petit papier, ils écrivent un nom de lieu pour la fête et les avantages que présente ce lieu.
Tirer au sort le lieu de la fête.

2. Choisir les invités.
À tour de rôle, chaque étudiant désigne un invité et le présente brièvement (nom, prénom, profession, etc.). On peut laisser la fantaisie s'installer et désigner des personnes lointaines ou imaginaires. Selon le nombre d'étudiants, faire un ou plusieurs tours de table.
Si les étudiants travaillent en petits groupes, ils peuvent négocier entre eux la liste de leurs invités.

3. Organiser le programme de la fête
Même quand la démarche est collective, les étudiants peuvent ici se mettre en petits groupes. Chaque groupe réfléchit à un programme (horaires et activités) et la classe choisit le plus intéressant.

4. Commander le repas au traiteur
a. Observation du document. Expliquer ce que fait le traiteur. Faire chercher les différences avec un menu de restaurant. Lire ensuite la liste des différents plats proposés. Donner les explications nécessaires pour comprendre le nom des aliments. Noter au tableau les noms qui n'ont pas été compris. Les étudiants peuvent alors en chercher le sens dans un dictionnaire.
L'introduction de ce vocabulaire motive en général les étudiants. On peut animer cette succession de définitions en faisant appel :
– aux goûts des étudiants *(Vous aimez le poulet ? Quel fruit préférez-vous ?...)*
– à l'intérêt pour les plats de la cuisine française
– à l'intérêt pour les cuisines étrangères.
b. Lire le tableau de la page 55. Compléter éventuellement certaines catégories.
c. Choisir les plats et les boissons qui figureront au buffet de la fête. Procéder selon un tour de table. Chaque étudiant choisit un plat. On peut prévoir six à dix plats de chaque catégorie (entrées, plat principal). On peut choisir aussi une des formules proposées par le traiteur.

5. Organiser l'animation de la fête
a. Observer les propositions du traiteur (bas de la page 55).
Expliquer :
– *magicien* (par le mime).
– *feu d'artifice* (par le dessin).
b. Prévoir les différentes animations de la fête (animation proposée par le traiteur, par des étudiants, etc.).

6. Si les étudiants ont choisi une des formules du traiteur, ils peuvent **faire le budget** de leur fête.

7. Chaque étudiant rédige une invitation suivie du programme de la fête.

À savoir
Féta : fromage grec à base de lait de brebis.
Couscous : plat traditionnel d'Afrique du Nord à base de semoule, de viande et de légumes.
Curry : nom d'un plat de viande, de poisson, d'œufs ou de légumes préparé avec de la sauce au curry.
Poisson à la bordelaise : poisson préparé dans une sauce au vin blanc.
Crème catalane : crème proche du flan et très sucrée.

Ressources, p. 56-57

Objectifs

Savoir-faire
• Identifier des choses perçues comme indifférenciées ou non comptables.
• Interroger quelqu'un.
• Exprimer la possession.

Grammaire
- Les articles partitifs (*du*, *de la*), déterminant des choses ou des groupes de personnes perçus comme indifférenciés ou non comptables.
- L'article défini déterminant des catégories de personnes ou de choses (*J'aime le cinéma*).
- L'interrogation avec inversion du pronom (*Où allez-vous ?*) ou reprise par le pronom (*Pierre vient-il avec nous ?*).
- La forme possessive « à + *moi, toi, lui, elle*, etc. ».

Prononciation
- Rythme des phrases interrogatives.
- Rythme des phrases négatives.

Nommer les choses

1. Observation du dessin et classement des articles dans le tableau.

a. Selon la langue maternelle des étudiants, il faudra faire comprendre les trois catégories de la colonne de gauche.
Pour conceptualiser le sens de l'article partitif, on pourra :
- l'opposer à l'article défini puis à l'article indéfini ;
- l'opposer à la pluralité (*J'achète du pain / des baguettes de pain*).

Les dessins du tableau « Emploi des articles » pourront permettre de visualiser ces oppositions.

b. Classer les formes des bulles du dessin dans le tableau. Rechercher des exemples pour compléter les cases vides.

c. Observer les phrases négatives. Noter la transformation « *Je veux du gâteau* » / « *Je ne veux pas de gâteau* ».

	masculin	féminin	pluriel
On parle de personnes ou de choses différenciées ou comptables	un jus d'orange un magnifique vélo		
On parle de choses indifférenciées ou non comptables	du poisson du monde du vélo du vin rosé	de la viande	
On parle de personnes ou de choses en général	le saucisson		

L'article partitif
- Comme l'article indéfini, il détermine une chose indéfinie. Il s'oppose donc à l'article défini.
Qu'est-ce que c'est ?
  - *C'est un cahier /C'est le cahier de Pierre.*
  - *C'est du papier / C'est le papier à lettre de Pierre.*
- L'article partitif donne une vision continue de la chose. L'article indéfini en donne une vision discontinue.
On utilise donc l'article partitif quand on perçoit la chose comme indifférenciée (*Je voudrais de la glace*).
On utilise l'article indéfini quand on perçoit les choses de manière différenciée (*Je voudrais une glace*).
- La définition de *du / de la* par « une certaine quantité de » peut aider à conceptualiser le partitif mais cette quantité s'oppose à la pluralité (*J'ai de la bière / des bouteilles de bière*).
- On rencontrera l'article partitif lorsqu'on parle des thématiques suivantes :
  - *la nourriture* (Je voudrais du pain)
  - *la matière* (C'est du bois)
  - *le climat* (Il y a du vent)
  - *les activités* (Je fais du vélo)
- Il faudra veiller à l'automatisation des formes :
  - *J'aime le thé – Je voudrais du thé.*
  - *J'aime la musique – Je fais de la musique.*

2. Exercice 2

Avant le repas : *Un* apéritif ? ... *du* whisky, *du* Martini ... pas *d'*alcool ... *un* jus d'orange ... pas *de* sucre ... j'ai *de l'*eau minérale ... D'accord *un* verre d'eau minérale ... tu veux *des* olives, *des* chips ... je prends *une* olive
Après le repas : Tu veux *du* thé ? ... Je n'aime pas *le* thé. Je préfère *le* café... Alors, *un* café ? ... Avec *du* lait ? ... Avec *du* sucre ? ... *un* morceau de sucre ... tu as aimé *le* repas de Claudia ... j'ai adoré *les* côtelettes d'agneau. Claudia est *une* très bonne cuisinière.

Interroger - Répondre

1. Observer le dessin. Noter les trois façons de poser une question. Indiquer que la question par intonation et la question avec « Est-ce que » sont plus familières que la troisième forme.

2. Découvrir les mots interrogatifs dans le tableau. Faire produire des phrases dans d'autres situations. Exemple : Le voyage : *Où allez-vous ? Quand partez-vous ? Avec qui ?* Etc.

3. Revoir les façons de répondre *oui, si, non* déjà abordées avec la scène 4, p. 51. Faire travailler en situation de classe.

4. Exercice 2

Est-ce que tu pars en vacances ? (Tu pars en vacances ? – Pars-tu en vacances ?)
Où est-ce que tu vas ? (Où vas-tu ?)
Quand est-ce que tu pars ? (Quand pars-tu ?) ...
Avec qui ? (Avec qui pars-tu ?)
Qu'est-ce que tu vas faire ? (Que vas-tu faire ?)
Tu ne fais pas de vélo ?

Exprimer la possession

1. À partir du dessin et des objets appartenant aux étudiants, présenter la forme possessive « à + pronom tonique ».
Utiliser cette forme pour indiquer la personne qui possède une chose. Noter qu'elle ne se substitue pas automatiquement à l'adjectif possessif. Exemple : *Beauvais a une belle cathédrale. Visitez sa cathédrale* (mais pas **la cathédrale est à elle*).

2. Exercice 2

le dictionnaire ... il est à lui ... oui, ils sont à nous ... non, il n'est pas à elle ... si, il est à moi.

À l'écoute de la grammaire

1. 1-61 **Exercice 1**. Faire écouter et reproduire les courbes intonatives. Visualiser la courbe par un dessin au tableau (flèche ascendante vers la fin).

2. 1-62 **Exercice 2**. Repérage auditif des articles.

3. 1-63 **Exercice 3**. Rythme de la phrase négative avec *pas de*. Noter l'élision du « e » de *de* devant une consonne et l'enchaînement « Pas d'vin ».

Simulations, p. 58-59

Objectifs

Savoir-faire
- S'adresser à la réception d'un hôtel.
- Commander un repas.
- Signaler une erreur dans l'addition.
- S'excuser quand on a commis une erreur.
- Caractériser un objet en exprimant la ressemblance ou la différence.

Vocabulaire
- *un(e) réceptionniste, une erreur, le cidre, la confiture, le miel, une lampe, un salon*
- *pareil, même, différent, original*
- *attendre, trouver, commencer, finir*
- *presque*

Connaissances culturelles
- Quelques lieux de France (la Bourgogne, Valence, Carcassonne).

Prononciation
- Le « e » muet.

L'histoire
Fanny et Bertrand ont décidé d'aller passer quelques jours de vacances chez des amis qui habitent dans les Pyrénées. Ils partent de Strasbourg et vont faire le voyage en trois jours par Dijon, la vallée du Rhône et le Languedoc. Chemin faisant, il leur arrive quelques mésaventures. À Dijon, ils se trompent d'hôtel. À Valence, après un repas dans une crêperie, ils doivent faire rectifier une erreur sur l'addition. À Carcassonne, ils achètent une lampe et de la confiture au miel pour leurs amis mais ces cadeaux vont s'avérer inappropriés.

Scène 1

1. Observer le dessin. Rappeler l'histoire. Faire trouver les éléments de la situation.

2. 1-64 Faire écouter le dialogue, texte caché. Peu de vocabulaire nouveau : la situation de réservation a déjà été vue à la leçon précédente.
Expliquer :
– *attendre* (*Le film est à 16 h. J'arrive à 15h30. Je dois attendre.*)
– *pareil, différent, même* (à partir de dessins et en utilisant le tableau de la page 59).
– *presque* (*Il est 15h59. Il est presque 16 h.*)
– *erreur* (écrire au tableau un mot avec une erreur. Rapprocher de *faute*).

3. Faire l'exercice « Vrai ou faux » de l'activité 1.

a, V – b, F (C'est à l'hôtel Panoramique) – c, F (C'est un peu plus loin dans la même rue) – d, V

4. Faire jouer le dialogue.

Scène 2

1. Observer le dessin et lire le menu. Montrer que le nom des crêpes est inspiré des régions de France.
Expliquer :
– *commencer / finir* (*Le cours commence à .... Il finit à ...*)
– *sucré / salé* (*Le gâteau est sucré, le jambon est salé.*)

2. 1-65 Faire écouter le dialogue en ayant pour tâche de noter la commande de Fanny et de Bertrand.

3. Faire une écoute fragmentée.
Expliquer :
– *jambon de pays / jambon blanc* (jambon de pays : jambon cru ; jambon blanc : jambon cuit).
– *être au régime* (faire attention à son alimentation, ne pas manger beaucoup).
– *le cidre* (boisson alcoolisée faite avec des pommes, fabriquée surtout en Normandie et en Bretagne).

4. Faire jouer la scène.

Jeu de rôles

Les étudiants travaillent par deux. Présenter les trois situations et demander un bref dialogue (deux ou trois questions, réponses). La présentation des jeux ne doit pas prendre beaucoup de temps.

Scène 3

1-66 Transcription collective du dialogue.
Expliquer :
– *on vous pardonne* (se contenter d'une compréhension globale : *ça va, ce n'est pas grave, ce n'est rien*).

Scène 4

1. Lire l'introduction et les répliques transcrites dans la leçon.

2. Observer le dessin. Faire collectivement la liste des objets qu'on voit dans le magasin (des lampes, des pots de confiture, des pains, des bouteilles de vin, des fromages, des tableaux, etc.).

3. Par deux, les étudiants imaginent la scène. Présentation de quelques productions.

4. 1-67 Écoute et transcription du dialogue.

Jeu de rôles

À faire par deux. Ce jeu de rôles peut donner des résultats amusants dans une classe détendue où on donne libre cours à son imagination.

Sons, rythmes, intonations

1-68 **Exercice 1**. Écrire les deux premières phrases au tableau pour marquer les lettres non prononcées et les enchaînements.

1-69 **Exercice 2**. Faire produire le rythme des groupes sonores.

Prononciation et parlers régionaux
Les accents régionaux, qui étaient très marqués jusqu'à la deuxième moitié du XXe siècle, ont progressivement tendance à s'effacer. On les entendra encore dans la bouche des personnes ayant peu voyagé, chez les plus de 40 ans et dans les campagnes.
D'autres façons de prononcer le français sont apparues avec l'influence des langues maternelles des immigrés.

La prononciation du « e » dit « e muet » est une des marques de la prononciation de la moitié sud de la France.
Cette prononciation affecte le rythme. Ainsi « samedi » est un mot de deux syllabes pour les uns, de trois syllabes pour les autres.
Autre marque, l'ouverture du « o » dans certains mots (rose prononcée [rɔz]) et la nasalisation abusive (année prononcée [ɑ̃ne]).

À savoir
La Bourgogne. Région de l'est de la France dont la capitale est Dijon. A été longtemps un territoire indépendant du royaume de France. Célèbre pour ses vins.
Valence. Ville de moyenne importance située dans la vallée du Rhône, au sud de Lyon.
Carcassonne. Ville du sud-ouest de la France dont les remparts du Moyen Âge ont été restaurés au XIXe siècle.

Écrits, p. 60

Objectifs

Savoir-faire
• Stratégies de compréhension des mots nouveaux sans utilisation du dictionnaire.

Vocabulaire
• *la poésie, un poème, un poète, un endroit, une cour, un air, une ambiance, un wagon, une vue, un patron, une table, un client, une habitude*
• *gratuit, passionné*
• *participer, imaginer, accueillir*
• *partout*

Lecture du document « Compréhension des mots nouveaux »

1. Les étudiants lisent le document. Ils soulignent les mots qu'ils rencontrent pour la première fois.

2. Le professeur présente deux stratégies de compréhension :
a. par rapprochement avec un mot de la même famille. On rencontre le verbe *accueillir* mais on connaît déjà *accueil* et on sait qu'il y a beaucoup de verbes qui se terminent par *-ir* ;
b. en s'appuyant sur l'environnement du mot. Dans le restaurant, il y a *le patron* et les clients.

3. Les étudiants essaient d'appliquer ces stratégies aux mots qu'ils connaissent.

Choisissez votre restaurant

1. Par petits groupes, les étudiants lisent le texte, discutent de l'originalité de chaque restaurant et leur donnent une note.

2. Chaque groupe présente le restaurant qui a eu pour lui la meilleure note (nom du restaurant, lieu, originalité et autres caractéristiques). Le professeur vérifie la compréhension du texte.

3. Lecture et compréhension des descriptifs des restaurants qui n'ont pas été désignés par les étudiants.

Créez votre restaurant (projet)

Projet à réaliser en petits groupes.
Suivre la démarche présentée dans le livre. Il s'agit d'écrire une phrase pour chacun des éléments à préciser. Chaque descriptif donne lieu à un petit texte qui ne dépasse pas quatre lignes.
L'activité se termine par une lecture des productions et par l'éventuelle élection du restaurant le plus original.

À savoir
Le code postal. Les deux premiers chiffres du code postal correspondent au département (75 correspond à la Seine, c'est-à-dire Paris), les trois derniers chiffres correspondent au numéro de l'arrondissement de la ville principale ou au numéro de la commune.
Les arrondissements de Paris. Paris compte 20 arrondissements. Le premier est au centre de la capitale. Il correspond au quartier du Louvre. Les suivants se déroulent selon une spirale en coquille d'escargot.
Le quartier du Marais. Il doit son nom à des marécages situés au bord de la Seine qui ont été asséchés à la fin du Moyen Âge. Il compte de nombreux hôtels particuliers parmi les plus anciens de la capitale. Voir plan p. 186.
Hercule Poirot. Personnage de nombreux romans policiers écrits par la romancière britannique Agatha Christie. Hercule Poirot est d'origine belge, a émigré en Grande-Bretagne pendant la guerre de 1914-1918. Il se distingue par sa capacité d'écoute, son esprit d'observation et de déduction.

Civilisation, p. 61

Objectifs

Savoir-faire
• Comprendre des informations sur l'alimentation.

Connaissances culturelles
• Habitudes alimentaires en France (horaires, repas, menus).

Vocabulaire
• *une tartine, le pain, le beurre, les céréales, la charcuterie, la soupe, la mayonnaise, la mousse (au chocolat) – un questionnaire – une habitude*
• *commander*
• *toujours, régulièrement*

Repas : les habitudes des Français

1. Lecture du questionnaire. Au fur et à mesure, les étudiants complètent le questionnaire selon leurs habitudes personnelles.

2. 1-70 **Écoute fragmentée du document** (en trois parties)
Les étudiants notent sur le questionnaire ou sur un tableau les habitudes alimentaires des trois Français.

	Petit déjeuner	Déjeuner	Dîner
Le jeune homme	Un café (au café)	Entrée, plat de viande ou de poisson, dessert (à midi, à la cantine)	Pizza à la maison ou dîner au restaurant
La femme	Thé, céréales, lait, jus d'orange	Salade au poulet, au fromage ou au jambon, un café (à midi, au restaurant)	Vrai repas : entrée ou soupe, plat principal, fromage, fruit à la maison
L'homme	Café au lait avec une tartine	Repas complet au restaurant, à midi	Repas complet à la maison

3. Lecture du document « Restaurant du personnel »
Identifier le document. Vérifier la compréhension des plats.

4. Individuellement ou par petits groupes de même nationalité, **les étudiants font la liste des particularités françaises en matière d'habitudes alimentaires** :
- horaires
- importance des repas
- lieu où on prend les repas
- type de plats, d'aliments, de boisson

5. Mise en commun et mise au point par l'enseignant

À savoir

Les Français et la nourriture
Les habitudes alimentaires des Français s'internationalisent et se diversifient. On peut toutefois relever certaines constantes générales.
• Le petit déjeuner. Les Français prennent entre 7 et 8 heures un petit déjeuner très léger comparé à celui des Allemands ou des Britanniques : café au lait, biscottes ou tartines, beurre ou confiture pour 70 % d'entre eux. Mais certains se contentent d'un café, d'autres (en particulier les enfants) optent pour un petit déjeuner plus copieux avec céréales et jus d'orange.
• Les deux autres repas de la journée sont en général assez équilibrés. Mais avec des variantes. Certains mangent léger, à la cantine ou au café à midi, et font un repas plus copieux en famille, le soir. Pour d'autres, au contraire, le principal repas de la journée est celui de midi.
Le repas de midi se prend généralement entre midi et une heure trente. Celui du soir entre 19 h et 20 h.
Les habitudes varient aussi selon les régions. Dans le Sud, en été, on dîne plus tard sans toutefois adopter les habitudes espagnoles.
• La consommation de pain et de vin a considérablement baissé au cours des 40 dernières années. Le pain est toujours présent sur la table mais pas toujours sous la forme de la traditionnelle baguette.
Quant au vin, il est de plus en plus réservé à certaines occasions. On débouche une bouteille parce qu'on a des invités, qu'on fête quelque chose, qu'on a cuisiné un plat un peu élaboré ou tout simplement pour se faire plaisir.

Leçon 7 - Quelle journée !

Interactions, p. 62-63

Objectifs

Savoir-faire
- Parler des activités quotidiennes.
- Situer ces activités dans le temps.
- Exprimer des préférences.

Grammaire
- Verbes à conjugaison pronominale (introduction).

Vocabulaire
- Voir tableau p. 63, *une question, une réponse, un moment, un magasin, le courrier, un projet, une étoile, une glace (miroir)*
- *plein, court, gentil,*
- *poser, sortir, valider*
- *tout de suite, quelque, quelqu'un, quelque chose, devant*

Le forum Questions-Réponses

1. Identification du document : un forum sur Internet. Repérer la question et les différentes réponses.
Expliquer :
- *valider* (d'après l'environnement de la page accueil Internet).

2. Travail par deux. Chaque couple d'étudiants doit choisir un message et essaie d'imaginer la personne auteur du message. Il doit remplir le questionnaire suivant écrit au tableau par le professeur :
Nom de l'auteur du message : ......
Son meilleur moment de la journée : ......
Pourquoi : ......
Âge
Activité (À imaginer)
Comment il vit

3. Mise en commun. Classer par ordre chronologique les différents verbes d'action de la journée.
Compléter à l'aide du tableau de la p. 63.
Expliquer :
- *une étoile* (par le dessin).
- *plein* (par le dessin d'un verre plein et d'un verre vide).
- *court* (par opposition à long).
- *glace* (*miroir* ; à partir de l'expression *se regarder dans la glace*).
- *quelqu'un, quelque chose* (se contenter d'une compréhension approximative : *une personne, une chose*. Le sens de ces mots se précisera avec la scène 5 des pages Simulations).
- *gentil* (à partir d'un personnage connu. *Dans* Notre-Dame de Paris, *Frollo n'est pas gentil.*)

4. Les étudiants répondent à la question du forum. Chacun rédige une réponse. Lecture collective des productions

Les autres questions du forum

Faire observer l'encadré à gauche qui propose deux autres forums.
1. Les étudiants répondent par écrit ou oralement à ces questions.

2. Par petits groupes, les étudiants recherchent des questions qu'ils aimeraient poser sur le forum Questions-Réponses. Revoir à cette occasion les différentes formes interrogatives (p. 57).

Leur journée

La classe se partage les trois photos de la double page. Chaque groupe imagine l'emploi du temps de la personne qui est sur la photo. Chaque groupe produit ensuite un petit texte qui permet de présenter les activités de la journée (*Le petit garçon se lève à 7h30. Il se lave puis ... La comédienne se lève tard ...*).

Votre journée idéale

Chaque étudiant raconte ensuite l'emploi du temps de sa journée idéale (peut se faire en travail personnel à la maison).

Ressources, p. 64-65

Objectifs

Grammaire
- La conjugaison pronominale (voir encadré).
- L'impératif.
- Les adjectifs indéfinis exprimant la quantité (*peu de, un peu de, plusieurs, quelques, beaucoup de*).
- *Quelque chose / rien – quelqu'un / personne.*

Vocabulaire
- *un examen, un stylo, un papier, un sandwich, un bonbon*
- *se dépêcher, s'endormir*
- *tôt*

Prononciation
- La conjugaison pronominale.
- Rythme des phrases impératives.

Les verbes du type « se lever »

1. Observation du dessin. Retrouver les verbes utilisant la conjugaison pronominale qui ont déjà été vus dans les pages Interactions.

2. Exercice 2
On fera remarquer que dans chaque première phrase, l'action a un effet sur quelqu'un d'autre que le sujet. Dans chaque deuxième phrase, l'action porte sur le sujet.
On pourra aussi rappeler le sens réfléchi.
Marie regarde Pierre. Marie se regarde dans la glace.

3. Exercice 3
Je me couche tard ... Vous vous levez tôt ... Je ne me lève pas avant 9 h.... Qui s'occupe des enfants ? ... Ils savent se préparer tous seuls... Vous vous voyez quand ?.. Nous nous levons et nous nous couchons normalement.

4. Activité 4
À faire comme exercice de vérification de l'emploi des formes pronominales.

La conjugaison pronominale

Les étudiants connaissent déjà le verbe *s'appeler* et ont donc été sensibilisés à la conjugaison pronominale.
Il est important de ne pas laisser penser que la conjugaison pronominale modifie le sens du verbe de manière toujours identique. En effet, on rencontrera plusieurs cas de figures :
a. Pierre regarde Marie (*sens actif*).
b. Pierre se regarde (*sens réfléchi*).
c. Pierre et Marie se regardent (*sens réciproque*).
d. La porte s'ouvre (*sens passif*).
e. Pierre appelle Marie / Mon professeur s'appelle Paul (*une partie du sens du verbe est conservé dans les deux conjugaisons*).
f. Pierre rend le livre à Marie. / Pierre se rend à Paris (*la conjugaison pronominale change complètement le sens du verbe*).
Dans un premier temps, on considérera les verbes du type *se lever* comme des verbes ayant un sens à part entière. Le sens réciproque sera introduit page 89.

Donner des instructions, des conseils

La forme impérative aura déjà été introduite en situation de classe. On l'appliquera ici à la conjugaison pronominale.
1. Observer le dessin. Retrouver l'infinitif des verbes à l'impératif. Aider à la compréhension en établissant des équivalences :
Tu dois te lever → Lève-toi !
Faire découvrir les impératifs des verbes *être* et *avoir*.

2. Exercice 1
b. Prépare-toi ! – **c.** Soyons en forme ! – **d.** Réveillons nous à 7 h ! – **e.** Ne vous couchez pas tard !

3. Exercice 2. Présenter la tâche à faire. Dans chaque situation, il s'agit de donner des conseils aux personnes concernées.
a. Couchez-vous tôt ! Mangez bien ce soir ! Ne vous fatiguez pas ! Détendez-vous !
b. Pierre, réveille-toi ! Lève-toi ! Habille-toi ! Dépêche-toi ! N'oublie pas ton dossier !
c. Arrêtons-nous dans le parc ! Asseyons-nous ! Reposons-nous ! Mangeons un sandwich !

Les mots de quantité

1. Observez le dessin. Écrire au tableau la liste des objets contenus dans le sac de Robin. Souligner les mots de quantité, les expliquer par de petits dessins (*Il y a un peu d'eau dans le verre / il y a beaucoup d'eau*). Classer ces mots dans le tableau de l'activité 1.

Faire remarquer :
– pour les quantités importantes, on utilise *beaucoup de* aussi bien pour les quantités comptables que pour les quantités non comptables ;
– pour les faibles quantités, on utilise *quelques* pour les quantités comptables et *un peu de* pour les quantités non comptables.

Choses comptables	Choses non comptables
Plusieurs stylos *Tous* mes cours de bio *Deux* sandwichs *Quelques* bonbons	*Beaucoup de* papier *Un peu de* café *Beaucoup de* jus d'orange

2. Classer les mots grammaticaux de la plus petite quantité à la plus grande.

3. Exercice 3. Compléter les pointillés et continuer les énumérations.
a. J'ai vu *beaucoup de* pubs, *quelques* bars, *peu de* cafés avec des terrasses, *beaucoup de* bus rouges et de taxis noirs. J'ai mangé *beaucoup de* poisson, j'ai bu *quelques* bonnes bières.
b. On doit acheter *beaucoup de* Coca-Cola, *quelques* bouteilles de vin, *plusieurs* pizzas, *quelques* boîtes d'olives, etc.

4. Exercice 4. À faire après la scène 5 des pages Simulations.
J'ai *quelque chose* à te dire. Mais *ne* raconte cette histoire à *personne*... Elle est partie avec *quelqu'un* ? – Son mari sait *quelque chose* ? – Non, il *ne* sait *rien*.

À l'écoute de la grammaire

2-1 Exercice 1.Différenciation entre la conjugaison normale et la conjugaison pronominale.
Conjugaison du type *lever* : a, c, e, h
Conjugaison du type *se lever* : b, d, f, g

2-2 Exercice 2. Production de phrases impératives.

Simulations, p. 66-67

Objectifs

Savoir-faire
- Accueillir quelqu'un.
- Acheter quelque chose.
- Faire un emploi du temps.
- Exprimer la surprise.

Vocabulaire
- *une œuvre, une chambre, une caravane, un chèque, une carte bancaire, des espèces (argent), une balade, un résultat, un kilo, une chèvre, un ours, un bruit, un produit*
- *parfait, normal*
- *fabriquer, entendre, bouger*
- *combien, exactement, peut-être, maintenant, là-bas*

Prononciation
- *Rythme de la conjugaison pronominale.*

L'histoire
Fanny et Bertrand arrivent chez leurs amis Claudia et Jérôme qui les ont invités à passer quelques jours de vacances dans leur

maison des Pyrénées. Ils vont aller de surprise en surprise. La maison est une vieille ferme en ruines que Claudia et Jérôme sont en train de rénover. Il faudra dormir dans une caravane. Claudia est une spécialiste de la confiture d'abricots au miel et Jérôme fabrique des lampes. Les cadeaux qu'ils avaient prévus sont donc totalement inadaptés. De plus, leurs amis ont un rythme de vie très différent du leur.

Scène 1

2-3 Écouter et transcrire la scène.

Scène 2

2-4 Fragmenter l'écoute.

1. Première partie du dialogue « À propos des lampes ». Faire découvrir réplique après réplique :

a. le dévoilement de l'information : dans le salon, il y a des lampes que Jérôme a fabriquées. C'est un artiste. La lampe que Fanny a achetée à Carcassonne est une œuvre de Jérôme.

b. l'embarras de Claudia et de Bertrand. Surprise puis mensonge (« Nous avons acheté la même lampe pour nous »).

2. Deuxième partie du dialogue. Introduire le nom des pièces de la maison. Faire observer les caravanes sur le dessin pour la compréhension de la situation.

3. Faire expliquer pourquoi Fanny et Bertrand sont surpris.

Scène 3

1. Observation du dessin. Faire présenter les éléments de la situation et nommer ce que vend M. Buisson.

2. **2-5** Écoute du dialogue. Compléter le résumé de la scène (activité 3).

3. Transcription de la fin de la scène.

Expliquer :

- *kilo, combien (Elle achète 5 kilos de miel. Combien d'étudiants y a-t-il dans la classe ?)*
- *chèque, espèces, carte bancaire.*

Scène 4

2-6 Observation du dessin et écoute fragmentée du dialogue.

1. Première moitié du dialogue jusqu'à « puis je fabrique mes lampes ». Noter les détails du déroulement de la journée de Jérôme (*Il se lève à 6 h. Il va faire une promenade dans la montagne*, etc.)

2. Fin du dialogue. Que Jérôme propose-t-il à ses amis ?

Scène 5

1. **2-7** Observation du dessin. Écouter le dialogue en imaginant sa mise en scène (*Fanny réveille Bertrand qui se frotte les yeux puis prête l'oreille. Fanny se lève, ouvre la porte*, etc.).

Expliquer :

- *entendre* (par le geste), *bruit* (en situation de classe).
- *bouger* (gestuelle).
- *ours* (voir dessin p. 48).
- *quelque chose / ne rien – quelqu'un / ne personne* (À partir de la situation du dialogue ou de la situation en classe : *Il y a quelqu'un dans le couloir ? Il y a quelque chose dans votre sac ?*)

2. Faire imaginer le récit de Fanny le lendemain (*Hier, on s'est couché. On a entendu ...*, etc.)

Jeu de rôles

Les deux situations sont des transpositions de la scène 4 et de la scène 5.

Situation a : à faire à quatre. Pour être intéressant, le dialogue doit mettre en scène des caractères différents (un sportif, une personne qui a besoin de se reposer, une personne qui aime bien manger, une qui est au régime, quelqu'un qui aime la nature, un autre qui préfère visiter les villages et les musées, etc.).

Situation b : à faire à deux. Imitation de la scène 5. Le bruit bizarre peut être l'ascenseur, le gardien, la femme de ménage, un voleur, etc.

Sons, rythmes, intonations

2-8 Faire écouter et répéter les groupes verbaux à la forme pronominale. Faire remarquer l'élision du « e » du deuxième pronom dans certains cas ainsi que l'enchaînement du deuxième pronom avec le verbe commençant par une voyelle.

À savoir

Les Français et leur maison de campagne

Longtemps les Français ont rêvé d'une résidence secondaire à la campagne. Aujourd'hui, c'est la résidence principale qu'on choisit en dehors de la ville.

Les gens des classes aisées ont tendance à fuir le bruit, le stress, la pollution et l'insécurité des grandes villes pour s'installer soit dans des banlieues privilégiées, soit plus loin à la campagne. Les zones situées sur le tracé du TGV ont connu un essor très important. On peut très bien travailler à Paris et habiter à Douai dans le Nord, à une heure de TGV de la capitale. Pour le prix d'un petit trois-pièces dans une rue bruyante, on profitera d'une maison avec jardin.

Écrits et Civilisation, p. 68-69

Objectifs

Savoir-faire

- Comprendre des informations écrites relatives au prix des choses.
- Se débrouiller dans les situations d'achat (demande de prix, paiement) et dans les situations de change d'argent.

Connaissances culturelles

- La monnaie et les modes de paiement.
- Comportements en matière d'argent.

Vocabulaire

- Voir encadré p. 69.
- *un patrimoine, un monument, une bibliothèque, un tarif réduit, une note, un téléphone, un état*
- *historique, public*
- *payer, coûter, acheter, rendre, partager*

Compréhension du texte

Plusieurs démarches possibles.
(1) La classe se partage les huit rubriques. Chaque étudiant est chargé de repérer l'information « *Qu'est-ce qu'on peut faire ? À quel prix ? Dans quel cas est-ce gratuit ?* ». Chaque étudiant communique les informations qu'il a recueillies au reste de la classe.
(2) Individuellement ou en petits groupes, les étudiants lisent le texte et complètent la grille de l'activité 1.
Au cours de la mise en commun, présenter les lieux de Paris.
Expliquer :
- *le patrimoine* (le texte éclaire le sens de ce mot : l'ensemble des lieux et des monuments historiques d'un pays)
- *normal* (À partir d'un exemple connu des étudiants : le tarif normal des cinémas, c'est ..... pour les jeunes).

Activité 1

a. c'est toujours gratuit	– certains musées comme Le Petit Palais – bibliothèques et médiathèques publiques (possibilité d'apprendre les langues) – certains journaux
b. c'est gratuit un jour par semaine	– activités sportives tous les dimanches à Paris – tarif réduit pour les cinémas tous les lundis
c. c'est gratuit quelques jours dans l'année	– tous les musées le premier dimanche de chaque mois – la visite de tous les lieux historiques (3e week-end de septembre) – film à un euro pour la Fête du cinéma – concerts gratuits pour la Fête de la musique

Activité 2. Dire aux étudiants qu'il s'agit de répondre *oui* ou *non* en ajoutant des précisions.

a. oui, mais il faut acheter le premier billet au tarif normal – **b.** c'est faux, elle a 2 000 places – **c.** c'est vrai, à l'occasion des Journées du Patrimoine – **d.** c'est possible, on peut écouter des concerts gratuits, en particulier à l'occasion des enregistrements à la Maison de la Radio.

À savoir

L'Officiel des spectacles et ***Pariscope*** sont deux petits hebdomadaires qui présentent le programme des spectacles et des idées de sorties à Paris et en banlieue.
Le Centre Georges-Pompidou. Musée d'Art moderne, médiathèque et centre de recherche et de création artistique qui porte le nom de son initiateur, le président de la République Georges Pompidou (président de 1969 à 1974).
L'architecture de ce bâtiment construit en 1977 a été très controversée. En effet, tous les éléments habituellement cachés (charpentes, ascenseurs, tuyaux de chauffage et de ventilation, etc.) sont mis en valeur à l'extérieur du bâtiment. C'est aujourd'hui un des lieux les plus visités de Paris et sa bibliothèque est très fréquentée.

Les journaux gratuits (*Métro*, *20 minutes*). Depuis 2002, à Paris et dans quelques grandes villes, des journaux présentant les informations essentielles sont distribués gratuitement aux entrées du métro et dans certains lieux publics.

Rédigez un document « c'est gratuit » (projet)

Deux possibilités.
(1) **On peut faire des groupes de même nationalité**. Chaque groupe est chargé de rédiger un document « c'est gratuit » dans lequel il indique aux touristes visitant son pays les activités gratuites ou à tarif réduit.
(2) **Les étudiants sont de nationalités variées**. Faire rédiger un document dans lequel on indiquera pour chaque pays une ou deux activités gratuites. Par exemple, certains concerts gratuits aux États-Unis, etc.
Comme pour tous les projets, il est gratifiant et motivant d'aboutir à un document dactylographié, mis en page et si possible illustré qui sera distribué à tout le monde

Savoir acheter

1. Présenter le vocabulaire du tableau « Pour acheter, pour payer » sous forme d'une conversation dirigée (la plupart des mots ont déjà été vus).

2. Observer les photos et définir chaque situation.

3. 2-9 **Écoute du début des scènes.** Associer chaque phrase entendue à la photo.

4. Les étudiants se partagent les quatre scènes. Chacun imagine un dialogue à partir de la photo et de la phrase qu'ils ont entendue. Lecture des dialogues à la classe.

5. 2-10 **Écoute scène par scène.**
Les étudiants comparent avec leur production. Vérifier la compréhension du détail.
Expliquer :
- *pas question* (forme d'insistance du refus).
- *partager* (dessin au tableau).
- *rendre la monnaie* (par le mime en classe).
- *en bon état* (à partir d'un objet, stylo, cartable, livre, en bon ou en mauvais état).

1, scène b – 2, scène d – 3, scène c – 4, scène a

6. 2-11 Écoute de phrases extraites de différentes situations d'achats. Ce type d'activité se rencontre fréquemment dans les tests d'écoute de certification (DELF, etc.).

a, 4 – b, 6 – c, 1 – d, 3 – e, 2 – f, 5

Leçon 8 - Qu'on est bien ici !

Interactions, p. 70-71

Objectifs

Savoir-faire
- Décrire son lieu d'habitation (logement et environnement).
- Situer un lieu sur un plan.
- Comprendre la description d'un lieu d'habitation.
- Comprendre un itinéraire.

Vocabulaire
- Vocabulaire du tableau p. 71.
- *un formulaire, l'immobilier, la banlieue, un commerce, les transports en commun, un mètre, un kilomètre, une offre, le soleil, un lycée*
- *isolé, équipé, vieux, vide*
- *souhaiter, louer, préciser, vendre, situer*
- *derrière, en face de, entre, à côté de*

Complétez le formulaire

1. Observer et identifier le document. Repérer les différentes parties (le formulaire, la publicité pour les Villas du Parc, les curiosités, les offres).
L'enseignant met les étudiants en situation. *Vous vous installez en France. Vous recherchez un logement et vous remplissez le formulaire de l'agence Domus Immobilier.*

2. Découverte progressive du formulaire guidée par le professeur. Au fur et à mesure, les étudiants complètent le formulaire.
Expliquer au fur et à mesure les mots nouveaux :
- *isolé* (il habite dans la campagne, loin du village).
- *équipé* (cuisine équipée, par le dessin).
- *souhaiter* (*avoir envie de* pour soi et pour les autres : *je souhaite de bonnes vacances à Bertrand*).
- *louer* (opposer *louer/acheter* – montrer ensuite les sens actif et passif de *louer* qui correspondent peut-être dans la langue maternelle de l'étudiant à deux verbes différents. *Le propriétaire loue un appartement à Marie. – Marie loue l'appartement pour 500 euros par mois.*)

3. Les étudiants présentent oralement leurs souhaits comme s'ils s'adressaient à un agent immobilier.

Écoutez l'agent immobilier

1. Observer le plan de la publicité « Réservez votre maison ». On peut déjà faire l'hypothèse de certaines pièces ou parties de la maison.

2. Présenter le vocabulaire des localisations qui sera utilisé dans le document : *à gauche, à droite, au milieu, devant.*

3. 2-12 Écoute du document. Repérage des pièces sur le plan.

Étudiez les petites annonces

1. Lecture des petites annonces. Travail collectif qui permet d'expliquer :

a. le vocabulaire descriptif de la maison (grâce à l'observation de la photo) ;
b. le vocabulaire de la localisation (en situant chaque logement sur le plan).

2. Chaque étudiant choisit un des trois logements et explique pourquoi.

Présentez votre logement idéal (projet)

Certains étudiants exprimeront le souhait de travailler seul car le choix d'un logement est personnel. Le projet peut se faire individuellement ou en petits groupes.
1. Observer les photos « Nos curiosités » (une maison dans les arbres, un château d'eau transformé en habitation). Faire appel aux connaissances des étudiants. *Quels logements originaux connaissent-ils ? (un bateau, un phare,* etc.).

2. Les étudiants font la description de leur logement idéal. Ils peuvent bien sûr réutiliser les souhaits qu'ils ont émis grâce au formulaire de Domus Immobilier ou bien imaginer quelque chose de totalement original. Définir les tâches suivantes :
- un bref descriptif de l'environnement ;
- un descriptif général du logement ;
- type de logement (ancienneté, dimensions, décoration, etc.) ;
- un plan du logement.

Les étudiants doivent pouvoir continuer leur travail en dehors de la classe pour élaborer un document avec textes, plans, dessins ou photos.

3. Présentation des travaux à la classe.

Ressources, p. 72-73

Objectifs

Savoir-faire
- Comprendre et donner des informations pour s'orienter.
- Comprendre et décrire un trajet.
- Exprimer un besoin.

Grammaire
- Prépositions et adverbes de lieux.
- Adjectifs numéraux ordinaux.
- Conjugaison des verbes *venir, partir, sortir.*
- Constructions « *il faut / devoir / avoir besoin de* + verbe à l'infinitif ».

Vocabulaire
- *les directions (est, ouest, etc.), une aide, les services techniques, une affaire, un arbre, une église, le sommeil*
- *malade*
- *tourner, traverser, repartir, revenir, falloir (il faut), avoir besoin de, expliquer*
- prépositions et adverbes de lieux (voir tableau p. 72)

Situer – S'orienter

1. Découverte du vocabulaire de l'orientation et des mouvements

a. Présenter la partie « Situations » du tableau p. 72. Lire collectivement la première bulle de la BD.
Présenter la situation *« Où est l'homme ? Pourquoi ? Où faut-il aller ? »*
Au fur et à mesure de la lecture, tracer l'itinéraire pour aller de la mairie aux services techniques.

b. Présenter les parties « Directions », « Mouvements », « Ordre » du tableau. Lire collectivement la deuxième bulle et dessiner l'itinéraire pour aller de l'accueil au bureau 372.

2. Pratiquer le vocabulaire du tableau avec des lieux et des itinéraires connus des étudiants : leur habitation, l'école de langues, leur lieu de travail, etc.

3. Observer le dessin et le début du texte. Les étudiants terminent le texte décrivant l'itinéraire pour aller au château de Tagnac.

> « Quand vous venez de Champclos, traversez le village de Villeneuve. À la sortie, à droite il y a un supermarché Carrefour. Passez devant le supermarché et prenez la première route à droite. Continuez, traversez la rivière. Juste après la rivière, à gauche, il y a un parking. C'est le départ de la randonnée. »

4. 2-13 **Exercice d'écoute**
Les étudiants doivent dessiner l'itinéraire depuis la gare jusqu'à l'appartement de Marie.

a. Faire une première écoute globale en essayant de repérer les noms de lieu. Les écrire au tableau.

b. Faire une deuxième écoute en procédant par étapes. Vérifier la compréhension à chaque étape.

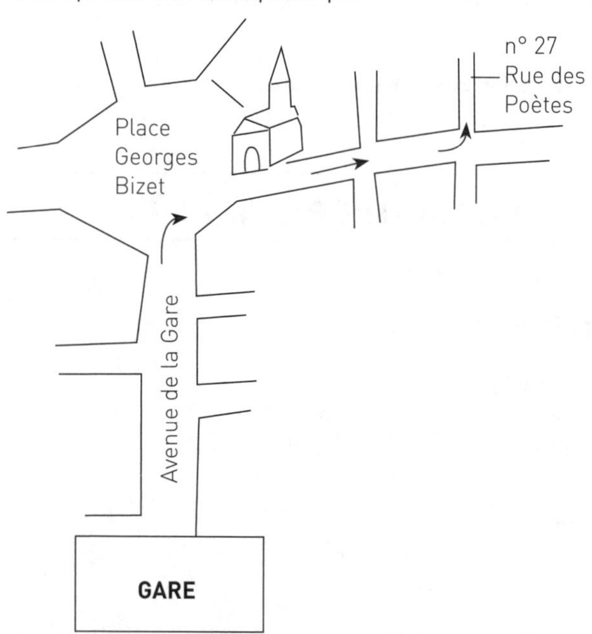

Décrire un trajet

1. Dans le tableau de la page 73, retrouver les verbes de mouvements qui ont été vus depuis la leçon 3. Préciser le sens de :

– *repartir* (suppose qu'on soit allé quelque part, qu'on y soit resté quelque temps et qu'on quitte cet endroit).

– *rentrer, retourner, revenir* sont quasiment synonymes. Seuls l'usage et la traduction permettront d'en préciser le sens.

Lire la bulle du dessin.

2. Exercice 1

> ... je *vais* dans les Alpes ... Tu veux *venir* avec moi ? ... Je *vais* en Grèce avec Marie ... Je voudrais *venir* chez toi, dans ta maison de campagne ... Tu *viens* quand ? ...

3. Exercice 2

> ... je *pars* pour Paris ... j'*arrive* dans le centre de Paris... je *reviens* (*rentre, retourne*) à Marseille dans l'après-midi et le soir je *repars* pour New York ... tu *reviens* (*rentres, retournes*) quand à Marseille ... Non, je *repars* à New York à la fin du mois.

Exprimer un besoin

Il est préférable de traiter cette rubrique après le dialogue 3 des pages Simulations.
Si on le fait avant, présenter le sens des expressions *avoir chaud*, etc., d'après une gestuelle.
Utiliser l'activité 1 comme activité d'apprentissage des expressions *il faut* et *avoir besoin de* (à expliquer en s'appuyant sur *devoir* qui est déjà connu).
Ne pas introduire la construction « *il faut que* + subjonctif ».

> **a.** Il a faim. Il doit manger. Il a besoin d'un sandwich.
> **b.** Elle est fatiguée. Elle a besoin de se reposer. Il faut s'arrêter.
> **c.** Il est malade. Il a besoin de dormir.
> **d.** Il a froid. Il doit bouger.
> **e.** On a chaud. Il faut ouvrir la fenêtre. Il faut arrêter le radiateur.

À l'écoute de la grammaire

1. 2-14 **Exercice 1**. Opposition [s] / [z]
À travailler en particulier avec certains groupes linguistiques comme les hispanophones. Faire observer que l'enchaînement « s » en finale / voyelle initiale se fait toujours avec le son [z].

2. 2-15 **Exercice 2**.

finales	masculin	féminin
[t]	gratuit	petite – courte – différente
[l]	original	normale
[k]		publique
[e] / [ɛʀ]	premier	dernière

Simulations, p. 74-75

Objectifs

Savoir-faire
- Interdire. Demander une autorisation.
- S'orienter. Demander son chemin.
- Demander de l'aide. Exprimer un besoin, une nécessité.

Vocabulaire
- *une manifestation, une protection, un chemin, un fermier, un panneau solaire, un dos, un avis*
- *interdit, sûr, large*
- *avoir faim / soif / chaud / froid, avoir raison, s'asseoir, installer, appeler*

Prononciation
- Opposition [a] / [ɑ̃].
- Le son [ʒ].

Scène 1

2-16 Écouter la scène. Expliquer :
- *asseyez-vous* (par la gestuelle). Faire remarquer l'humour de la réponse de Bertrand. Imaginer d'autres réponses (*Nous avons mal dormi. On a entendu des bruits.* Etc.).

Scène 2

Observer la photo et le dessin. Faire des hypothèses sur ce que dit le gendarme.
2-17 Faire une écoute du dialogue avec dévoilement progressif des répliques.
Expliquer :
- *gendarme* (voir l'encadré « À savoir »).
- *manifestation* (par la photo).
- *interdit* (par un panneau « interdit de fumer »).
- *protection* (*Il n'y aura bientôt plus d'ours dans les Pyrénées, il faut protéger ces animaux.*)

Jeu de rôles

Les étudiants choisissent une phrase, imaginent une situation dans laquelle cette phrase peut être prononcée et rédigent un court dialogue.

a. sur une propriété privée : « Regarde cette forêt et cette rivière. On va faire un pique-nique là-bas ! – On ne peut pas entrer, c'est interdit. – On va demander au fermier ... »
b. chez des adolescents : « Maman, papa, il y a une fête chez Caroline. Je suis invité ... »
c. elle conduit, il regarde la carte : « Il faut tourner à droite. – Mais non, c'est interdit !.. »

Scène 3

Deux possibilités :
(1) Les étudiants travaillent sur la transcription et imaginent une mise en scène du dialogue. Puis ils jouent le dialogue.
(2) 2-18 Observation du dessin. Découverte progressive du dialogue par l'écoute.
Expliquer :
- *large* (par le dessin, une route large).
- *avoir raison* (*Montcaillou est à l'ouest, Claudia veut aller à l'ouest. Elle a raison.*)
- *avoir mal au pied, chaud*, etc. (par la gestuelle).

Jeu de rôles

1. Présenter le vocabulaire du tableau pour « Pour parler d'un état physique » p. 75.

2. Les étudiants choisissent une des deux scènes à imaginer et à jouer. Ils préparent les deux scènes en s'inspirant de la scène 3.

Scènes 4 et 5

1. 2-19 Observer le dessin. Écouter et transcrire la scène 4.

2. 2-20 Observer le dessin de la scène 5. Faire des hypothèses sur ce que se disent Bertrand et Jérôme. Écouter la scène. *Que demande Jérôme ? Bertrand est-il content ?*

Scène 6

1. Faire observer le dessin et faire imaginer ce que disent Fanny et Bertrand.

2. 2-21 Écouter le dialogue. *Que veulent faire les personnages ? Quelles solutions propose Fanny ? Ces solutions sont-elles bonnes ?*

3. Imaginer la suite de l'histoire (*Ils ne peuvent pas téléphoner ... Caroline ne répond pas ... Fanny dit qu'elle est malade ...* etc.).

Sons, rythmes, intonations

1. 2-22 **Exercice 1**. Faire sentir la différence entre [a] et [ɑ̃]. Dans le deuxième son il y a une résonance dans les fosses nasales.

2. 2-23 **Exercice 2**. Différencier [ʒ] de [ʃ] et [s]

À savoir

Gendarmerie et police. Il y a deux corps de police en France, la police qui s'occupe des villes et la gendarmerie qui s'occupe des zones rurales. Ces deux corps ont des uniformes différents et dépendent d'autorités différentes (ministère de l'Intérieur pour la police et ministère de la Défense pour la gendarmerie).
Les ours des Pyrénées. L'ours et le loup sont des espèces qui ont quasiment disparu en France et certains écologistes militent pour leur réintroduction. Mais ces animaux provoquent des dégâts dans les troupeaux et les éleveurs s'opposent à leur réintroduction.
Foix. Petite ville dans le département de l'Ariège, dans la région montagneuse des Pyrénées.

Écrits et Civilisation, p. 76-77

Objectifs

Savoir-faire
- Comprendre et rédiger un message ou une carte postale de vacances en donnant des informations sur le lieu, le temps qu'il fait, les activités.

Connaissances culturelles
Quelques informations sur :
- le climat en France ;
- la vie à la ville et à la campagne.

Vocabulaire
- Voir le tableau « Pour parler du temps » p. 77.
- *une entreprise, l'aéronautique, une étude, zéro, un propriétaire, la peinture, la vie, un dessinateur, un éditeur, la documentation*
- *surpris, amateur, doux, attaché, individuel, libre*
- *vivre, recommencer*
- *souvent, certain, vite*

Compréhension du message

1. Faire une première lecture pour déterminer les paramètres de la situation de communication. *Marine écrit à Aurélie du Havre* (situer sur la carte) *pour lui indiquer sa nouvelle adresse et lui donner de ses nouvelles.*

2. Les étudiants, individuellement ou en petits groupes, recherchent dans le texte les informations répertoriées dans l'activité 2. Mise en commun des recherches.

3. Les étudiants relisent le texte en ayant pour tâche de **donner leur avis** sur les affirmations de l'activité 3.
Il ne s'agit pas ici de répondre vrai ou faux mais de donner une opinion.

a. Ce sont des amies : Marine tutoie Aurélie, lui fait la bise mais elles sont restées 5 mois sans s'écrire.
b. Oui, elle n'a pas hésité à quitter Marseille pour un nouveau poste, elle a très vite trouvé un appartement, elle fait du jogging, du vélo, du roller. Elle a des copains. Elle est intéressée par beaucoup de choses.
c. Probablement entre 30 et 40 ans (laisser à l'appréciation des étudiants).
d. Oui, elle parle de lui (travail, activités).
e. Elle ne parle pas de ses enfants. Donc on peut penser qu'elle n'en a pas.

Écrivez un message ou une carte postale

Les étudiants choisissent un lieu de vacances qu'ils connaissent bien.
Ils doivent écrire une ou deux phrases sur chacun des thèmes indiqués dans le livre.
Le professeur peut ensuite soit faire lire les cartes postales, soit les corriger individuellement.

Le temps en France

1. Présenter le vocabulaire du tableau de la page 77.

2. Faire appel aux éventuelles connaissances des étudiants. Lire le premier paragraphe du texte « Cadres de vie ». Situer chaque région sur la carte p. 185.

3. Répondre aux questions de l'activité 2.

Bordeaux : dans l'ouest, sur la côte atlantique. L'hiver est doux ; il pleut souvent.
Clermont-Ferrand : dans le Massif central. L'hiver est froid ; il neige.
Montpellier : dans la région méditerranéenne. L'été est très chaud.
Bourges : dans le centre de la France. Le printemps est très beau.

Les cadres de vie préférés des Français

Les étudiants lisent les autres documents de la page et font des remarques sur les ressemblances et les différences avec les réalités de leur pays.
Paris intra-muros n'est pas une très grande ville comparée à Mexico mais la région parisienne est très peuplée.
Beaucoup de Français rêvent de s'installer à la campagne mais les trois quarts de la population française habitent dans une ville ...

L'interview de Denis

1. Présenter Denis. Il est dessinateur. Il est installé dans un village du sud-est du Massif central.

2. 2-24 Les étudiants écoutent le document avec pour tâche de relever les avantages et les inconvénients de la situation de Denis.

Avantages	Inconvénients
• Paris est à 3 heures de son village. Il peut faire l'aller-retour dans la journée. • Il est à la campagne. Il n'y a pas de bruit. • Le climat de la région est agréable. • Il est libre dans l'organisation de son travail.	• Il lui est difficile de trouver de la documentation. • Il est isolé. Il n'a pas de contact avec d'autres dessinateurs.

Évaluez-vous, p. 78-81

Voir la présentation du bilan de l'unité 1, p. 35 du livre du professeur.

Test 1

À faire sous forme de tour de table.
Le professeur lit chaque phrase. Les étudiants réfléchissent trois secondes. Le professeur interroge un étudiant qui donne sa réponse. Le professeur corrige. Les étudiants se notent.

a. Je voudrais un billet aller simple (aller-retour) pour ...
b. Je voudrais réserver une place sur le vol Paris-Marseille de 9 h le ...
c. J'ai une réservation pour le vol ... Je voudrais annuler cette réservation
d. Bonjour, monsieur (madame). Je voudrais aller 3 rue ...
e. Ça fait combien ?
f. Bonjour, j'ai une réservation au nom de ...
g. J'ai perdu mon passeport. (Est-ce que vous avez trouvé un passeport ?)
h. Excusez-moi, je voudrais aller ...
i. Je voudrais changer ...
j. Je voudrais ma note, s'il vous plaît.

2-25 Test 2

a, 3 – b, 2 – c, 4 – d, 5 – e, 1 – f, 7 – g, 10 – h, 6 – i, 9 – j, 8

Test 3

a, poulet ; porc ; bœuf – b, saucisson ; jambon – c, tomate ; concombre ; poireau ; salade ; champignon ; haricots ; pommes de terre ; riz – d, melon ; fraise - e, yaourt ; fromage – f, pâtisserie ; mousse au chocolat ; tarte ; crème caramel – g, eau ; vin ; bière

Test 4

Ce test peut être :
(1) individuel. Dans ce cas, procéder comme pour le test 1.
(2) sous forme de jeu de rôles à deux.

2-26 Test 5

Montrer aux étudiants la station Porte-d'Orléans (bas du plan, milieu). Faire une écoute fragmentée du document. Les étudiants tracent l'itinéraire sur le plan. La station d'arrivée est la station Pasteur.

Test 6

La station Saint-Michel est à l'angle du boulevard Saint-Michel et du boulevard Saint-Germain. Prends le boulevard Saint-Michel vers la droite. Traverse la place Saint-Michel. Puis traverse la Seine et continue tout droit sur le boulevard du Palais. Continue tout droit jusqu'à la rue de Rivoli. Tourne à gauche. Traverse la rue des Halles. L'hôtel est juste après, à gauche.

2-27 Test 7

8 h : lever
8 h 30 : petit déjeuner
9 h30 – 11 h : visite du château de Salses
12 h : déjeuner – baignade
14 h : départ pour Carcassonne
15 h – 17 h : visite de la ville
17 h – 20 h : temps libre
20 h : dîner
22 h : feu d'artifice, fin de soirée libre
minuit : retour à Perpignan

Test 8

a, formule Liberté – b, formule Liberté 700 € - c, Flandres (vélo), Wallonie (randonnée, kayak) – d, les villes d'Art et d'Histoire (Bruxelles, Bruges, etc.) – e, les paysages, les villes – f, les villes d'art et leurs musées – g, l'accueil des habitants – h, la bonne cuisine et les excellentes bières – i, la Wallonie – j, les bords de mer, la forêt des Ardennes.

Tests 9 et 10

Production écrite selon consignes.

Test 11

a, F (C'est le RER ou le métro qui traverse Paris) – b, V – c, F (dans la majorité des cas) – d, V – e, V – f, V – g, V – h, F (les hivers sont doux) – i, V – j, V

Test 12

a. Tu prends .... Je fais .... Nous ne mangeons plus... nous ne buvons plus ... nous faisons ... je sors ... je me promène ... je me couche ... j'attends ... vous perdez ...
b. Vous voulez *un* verre de vin ou vous prenez *de l'*eau ?
... *un* (*du*) rôti de bœuf ... vous mangez *du* bœuf ? Vous aimez *le* bœuf ?
... *de la* musique ... *un* très bon enregistrement
... *du* théâtre ... *une* pièce de Molière. J'adore *les* pièces de Molière.
c. ... c'est *ma* maison de campagne ... *mes* enfants, *mon* chien ... Elle est *à toi* ? ... à Marie et *à moi* ... dans *votre* maison de campagne ... elle retrouve *sa* famille et *ses* amies ... ils ont *leur* vélo, *leurs* jeux. Ils ont quel âge, *tes* enfants ?
d. Léa : moi non plus.
Kim : Moi si ...
Léa : Moi aussi.
Kim : Moi non.
Kim : Non.
e. Non, il n'est pas venu – Non, je n'ai pas dansé avec lui – Non, nous n'avons pas bien mangé – Non, ils n'ont pas joué – Non, je ne me suis pas couchée tard.

Évasion dans la poésie, p. 82 (projet)

Objectifs

Savoir-faire
- Comprendre des poèmes inspirés de la vie quotidienne.
- Rédiger de petits textes poétiques avec un vocabulaire élémentaire.

Connaissances culturelles
- Découverte de quelques textes poétiques contemporains (allant d'Apollinaire au slam).

Savoir être
- Valoriser les étudiants grâce à une activité créative.
- Donner de la cohésion au groupe classe par un projet collectif.

Déroulement du projet

Ces pages « Évasion » se présentent comme une suite de textes poétiques sur le thème de la ville. Chacun de ces poèmes possède les caractéristiques suivantes :
– il est bâti sur une ou plusieurs structures répétitives ;
– il utilise un vocabulaire simple appartenant à la vie quotidienne ;
– il est donc facilement compréhensible et imitable.
Le projet « Évasion dans la poésie » se déroulera de la manière suivante :
1. Lancement du projet à partir de la présentation de la manifestation « le Printemps des Poètes ». *Une telle manifestation existe-t-elle dans le pays des étudiants ? Y a-t-il des concours de poésie ? Avez-vous écrit des poèmes dans votre langue maternelle ?*
Nous allons voir qu'il y a en français des poèmes faciles à comprendre et à imiter. Nous allons faire ensemble un petit recueil de poésies.

2. Lecture et compréhension de chaque poème. Repérage du thème et des constructions répétées.

3. Imitation du poème. Production individuelle.

4. Lecture et sélection des productions. Ce travail peut se faire en petits groupes. On produira alors plusieurs recueils de poésies.

5. Mise au point du recueil : saisie, mise en pages, illustration.

Regards

1. Le poème « Je vois » de Louis Calaferte.
a. Les étudiants notent et classent tout ce qu'on voit en lisant le poème.
Expliquer :
– le « *qui* » introduisant une information sur le mot qui est avant (sensibilisation à la construction de la proposition relative qui ne sera abordée que dans la leçon 12).
– *se confondre* (il confond le présent et le passé).
– *se mélanger* (on mélange des œufs, du lait et de la farine pour faire des crêpes).
b. Les étudiants choisissent un lieu qu'ils aiment. Ils font une liste de tout ce qu'ils voient dans ce lieu.
Faire repérer les débuts de phrases dans le poème de Calaferte : *Je vois... Avec... Des gens qui...*
Compléter avec d'autres débuts de phrases possibles : *Il y a... On trouve... J'aime...*
Les étudiants organisent leur liste de mots en utilisant ces structures.

2. Le slam « Vu de ma fenêtre »
a. Les étudiants lisent le poème avec pour tâches de :
– faire la liste de ce qu'on voit (*des petits qui font du skate*), de ce que l'on entend (*ça fait du bruit*) ou de ce que l'on ressent (*t'as mal à la tête*).
Quel est le lieu qui est décrit ?
– repérer les formes écrites de la langue parlée (exemple : y'a).
Pour la compréhension, utiliser les explications de l'encadré.
Expliquer :
– *Carrefour* (chaîne de supermarchés).
– *Vidéo-Futur* (chaîne de magasins de locations de DVD).
b. Les étudiants peuvent imiter ce texte construit sur une énumération.

Recette

1. Lecture du texte en s'appuyant sur une des deux tâches suivantes :
a. dessiner le tableau évoqué par le poète ;
b. faire correspondre les éléments avec le tableau de Vallotton.

2. Faire trouver le type de texte qui sert de structure au poème : la recette de cuisine ou le mode d'emploi.

3. Imitation du poème : utiliser la structure de la recette de cuisine pour décrire sa maison ou un lieu que l'on aime.

Zoom

1. Lire le poème d'Eluard. Observer l'effet de rapprochement progressif.

2. Imaginer une suite au poème (l'oiseau sort de l'œuf, l'oiseau sort de la cage, vole dans la maison, etc.)

3. On peut aussi donner aux étudiants la fin du poème de Paul Eluard.

Suite du poème de Paul Eluard

.... L'oiseau renversa l'œuf ;
L'œuf renversa le nid ;
Le nid renversa la cage ;
La cage renversa le tapis ;
Le tapis renversa la table ;
La table renversa la chambre ;
La chambre renversa l'escalier ;
L'escalier renversa la maison ;
La maison renversa la rue ;
La rue renversa la ville de Paris.

Paul Eluard, *Les Sentiers et les Routes de la poésie*,

4. Imitation du poème :
a. rechercher d'autres effets cinématographiques et les propositions qui permettent de traduire cet effet :
le zoom arrière (*le livre est sur ma table, la table est dans ma chambre, etc.*), mouvement de côté (*à côté de*), mouvement tournant (*autour de*) ;
b. les étudiants décrivent leur pays, leur région, leur ville...

Haïkus

1. Pour chaque poème, imaginer la scène. Où est l'auteur, pourquoi, que s'est-il passé avant, que va-t-il se passer ?

2. Les étudiants pensent à un moment agréable ou marquant de leur vie. Ils essaient en quelques mots de fixer le décor de ce souvenir.

Souvenir

Nous avons donné ce poème en entier parce que c'est un des plus beaux de la langue française et des plus accessibles à des étudiants étrangers mais il n'est pas nécessaire de l'étudier en une seule fois. Ce travail peut se faire tout au long des unités suivantes.

1. Le professeur lit le poème en expliquant les passages que les étudiants ne comprennent pas. Se contenter d'une compréhension approximative des phrases avec inversion.

Expliquer :
- *couler* (d'après la photo).
- *la peine* (les difficultés, les problèmes).
- *demeurer* (rester).
- *l'onde si lasse* (l'eau qui semble fatiguée de couler).

2. Si les étudiants le souhaitent, ils peuvent s'inspirer de la construction de la première strophe pour évoquer un souvenir.

À savoir

Le Printemps des poètes. Opération de promotion de la poésie qui se déroule chaque année en mars dans les écoles et dans les lieux publics. Lectures de poèmes, spectacles gratuits, concours de poésie, etc.
Louis Calaferte (1928-1994). Poète, essayiste et auteur de théâtre dont l'œuvre est restée peu connue du grand public.
Le slam. Poésie orale scandée qui se pratique en général dans des cafés ou dans de petites salles. Fabien Marsaud alias « Grand Corps Malade », né en 1977, est un des meilleurs représentants de ce genre.
Félix Vallotton (1865-1925). Peintre d'origine suisse. Il fait partie de l'école des Nabis, postérieure à l'impressionnisme, qui se caractérise par une volonté de stylisation des formes et d'utilisation de couleurs franches.
Eugène Guillevic (1907-1997). Poète dont l'œuvre a été inspirée par la Bretagne et un engagement social et politique.
Paul Eluard (1895-1952). Un des grands représentants du courant surréaliste. Il a su merveilleusement exalter l'amour et les sensations.
Guillaume Apollinaire (1880-1918). Il a fait entrer la poésie française dans la modernité. Son poème « Le Pont Mirabeau », extrait d'*Alcools*, reste pourtant très romantique. Il a été inspiré par la rupture du poète avec son amie peintre Marie Laurencin. Le rythme et les sonorités rendent parfaitement l'émotion du souvenir.

Unité 3 Établir des contacts

Objectifs généraux de l'unité

Cette unité prépare les étudiant à entrer en contact avec des francophones pour des motivations amicales ou professionnelles et à entretenir des relations avec eux. Ces relations peuvent s'établir de vive voix, par téléphone, par lettre, par Internet.
On apprendra donc à :
- utiliser ces canaux de communication ;
- sympathiser avec les autres ;
- donner des informations sur soi, se décrire, parler de sa santé ;
- évoquer des goûts, des souvenirs, exprimer des opinions ;
- parler de sa famille et de ses amis ;
- réagir à des événements heureux ou malheureux.

L'histoire des pages « Simulations »

« Mon oncle de Bretagne »
Natif de Bretagne, François Dantec s'est installé il y a vingt-cinq ans en Nouvelle-Calédonie. Il est aujourd'hui à la tête d'une grande entreprise d'élevage de crevettes. Sa fille Camille, étudiante en sciences, découvre par hasard qu'un de ses oncles est un spécialiste du domaine qu'elle étudie. Elle reproche alors à son père d'avoir cessé toute relation avec sa famille et de ne pas lui avoir fait découvrir la France métropolitaine.
À la fin de l'année universitaire, elle décide d'aller continuer ses études en France et s'inscrit à Rennes, tout près de Saint-Malo où habite cet oncle qui seul lui permettra de retrouver les membres de sa famille. Mais Patrick Dantec est en mission en Afrique. Camille lui écrit tout en menant son enquête auprès du voisin. Petit à petit, le mystère va s'éclaircir et elle parviendra à réunir tout le monde le jour de Noël.

Leçon 9 - Souvenez-vous

Interactions, p. 86-87

Objectifs

Savoir-faire
- Évoquer un souvenir d'enfance ou de jeunesse.
- Parler d'une habitude passée.

Grammaire
- L'imparfait (évocation des souvenirs, des habitudes et des états passés).
- Sensibilisation à l'emploi de l'imparfait et du passé composé dans le récit.

Vocabulaire
- Voir l'encadré « Les moments de la vie », p. 87.
- *un album, un placard, une poche, une page, un toit, un guide, un plan, une époque, un élève, les mathématiques*
- *âgé, heureux, amusant*
- remplir, dessiner, danser, se rappeler, se souvenir

Connaissances culturelles
- Quelques repères des années 1970 et 1980 en France

Découvrez l'album des souvenirs

1. Lecture collective du premier souvenir.

a. Repérer les circonstances (l'âge de l'enfant, lieu, etc.).

Expliquer :
- *grand-mère* (la mère de ma mère ou de mon père).
- *placard* (dessin).
- *fraises Tagada* (bonbons parfumés à la fraise dont la marque est connue de tous les enfants).
- *remplir ses poches* (gestuelle).

b. Observer les verbes. Retrouver l'infinitif. On peut à ce stade faire une brève présentation de l'imparfait.

2. Les étudiants se partagent les autres souvenirs et font le travail qui a été fait collectivement pour le premier.
Ils rendent compte de leurs observations.
Au fur et à mesure, le professeur vérifie la compréhension du détail.

Expliquer :
- *album* (livre où on colle des photos souvenirs).
- *mathématiques* (à l'école, on étudie le français, l'histoire, la science et les mathématiques).
- *concours* (pour être professeur, il faut passer un concours).
- *heureux* (content, expliquer en situation).
- *BD* (bande dessinée).
- *dessiner* (gestuelle).
- *toit ouvrant* (par le dessin).
- *un bon plan* (une bonne idée).

Donner les explications culturelles nécessaires (voir tableau « À savoir »).

3. Présenter le vocabulaire du tableau de la page 87.

Rédigez quelques souvenirs

1. Relire les titres des différents souvenirs de l'album. Rechercher d'autres types de souvenirs possibles (mon premier film, mon premier ordinateur).

2. Les étudiants rédigent en quelques lignes un ou plusieurs souvenirs inspirés par les titres qu'on vient d'énumérer. Ils peuvent poursuivre leur travail en dehors de la classe et pour la séance suivante rapporter des photos, des articles, etc. L'enseignant fait une correction individuelle des travaux.

Réalisez l'album des souvenirs de votre groupe

Les étudiants lisent leurs souvenirs à la classe.
On choisit un ou deux souvenirs par étudiant, on les classe, on les illustre afin de réaliser des souvenirs de la classe.

À savoir

Toutes les références de souvenirs évoqués dans l'album datent des années 1970 et 1980.

Génération Mitterrand. En 1981, la gauche a pris le pouvoir en France avec l'élection du président de la République François Mitterrand. Celui-ci est resté à la tête de l'État jusqu'en 1995, bien qu'il ait été plusieurs fois obligé de cohabiter avec des gouvernements de droite. Cette période a coïncidé avec une forte croissance, un sentiment de vie facile et un changement de mentalité. Les jeunes qui ont grandi à cette époque forment la « génération Mitterrand », d'après un slogan de campagne électorale.

Les bandes dessinées Astérix et Gaston Lagaffe. *La BD d'Astérix* raconte les aventures des habitants d'un village gaulois qui, grâce à une potion magique, résistent à l'envahisseur romain.
Gaston Lagaffe est employé de bureau dans un journal de BD ; il commet de nombreuses gaffes (maladresses, erreurs). Ces deux séries de BD qui datent des années 1960 sont toujours très populaires.

***Le Petit Nicolas* de Sempé et Goscinny.** Roman pour enfants très populaire dans les années 1970 et 1980.

La Renault 5. Elle a été la voiture populaire des années 1970, celle de la classe ouvrière qui avait enfin les moyens de s'acheter une voiture.

Le Guide du routard fut, dans les années 1970, le premier guide à s'adresser à des jeunes voyageant avec des budgets réduits. Toujours apprécié, il signale aussi bien les coins pittoresques et accueillants que les grands monuments.

Julie Piétri, chanteuse qui eut un très grand succès en 1987 avec la chanson « Ève, lève-toi », symbole de la libération des femmes.

Ressources, p. 88-89

Objectifs

Savoir-faire
• Faire au passé le bref récit d'un souvenir.

Grammaire
• L'imparfait dans l'expression des habitudes et des états passés.
• Le passé composé et l'imparfait dans le récit.
• L'expression de la durée (*depuis, il y a, pendant*).

Prononciation
• Différenciation entre la première et la deuxième personne du pluriel au présent et à l'imparfait (parlons, *parlions*).

Parler des souvenirs et des habitudes

1. Activités 1, 2 et 3. Sens et forme de l'imparfait
Ces points auront déjà été largement abordés dans les pages Interactions.
a. Observer le dessin. Quel âge ont les personnages ? De quelle époque parlent-ils ?
b. Noter les verbes qui servent à décrire le souvenir. Retrouver leur infinitif.
Noter les terminaisons selon la personne. Reconstituer la conjugaison complète du verbe étudié. Observer les terminaisons
Exemple : *être* → *j'étais, tu étais*, etc.
c. Lire le tableau et mettre les verbes de l'exercice 3 à l'imparfait.

connaître → elle connaissait – habiter → nous habitions – lire → je lisais – regarder → vous regardiez.

2. Exercice 4

tu habitais où quand tu étais jeune ... J'avais une chambre .... J'étudiais ... C'était une belle époque ... nous dansions ... on allait ... Vous connaissiez ...

Raconter

1. Emploi du passé composé et de l'imparfait dans le récit. La maîtrise de ces emplois est difficile. On essaiera de donner une assise concrète aux deux aspects de l'action passée présentés par ces temps.

Le récit : passé composé ou imparfait

Le récit implique la combinaison de *deux visions du passé* :
(1) tantôt on se contente de noter qu'un événement s'est produit :
« *Je me suis levé à huit heures.* »
(2) tantôt on note cet événement et les circonstances qui l'accompagnent. Ces circonstances peuvent être physiques ou psychologiques. Il peut s'agir de réflexions ou de commentaires :
« *Je me suis levé à huit heures. Il faisait beau. J'avais encore sommeil.* »
Dans ce cas, l'événement est au passé composé et les circonstances à l'imparfait.
Pour aider à la conceptualisation de ces deux visions, on pourra :
a. utiliser une grille décomposant les moments du récit, dans une colonne on notera les événements (qu'on pourra aussi appeler action principale), dans l'autre les circonstances (qu'on pourra aussi appeler décor ou actions secondaires).
Cette grille servira à analyser les textes au passé mais aussi à la production de textes au passé.
b. visualiser les scènes décrites par les actions. Exemple :
Pierre lisait le journal. (*Pierre tient le journal ouvert. Il lit.*)
Pierre a lu le journal. (*Le journal est replié. Pierre a fini sa lecture.*)

Événements (actions principales)	Circonstances
J'ai rencontré Zoé ... ...Nous avons parlé du Japon ... Puis nous sommes allés nous promener.	C'était à la bibliothèque ... Je lisais des mangas ... Elle cherchait un livre de Kawabata ... Il faisait beau. Zoé était belle.

2. Exercice 2

Le week-end dernier, nous sommes allés au bord de la mer. Il faisait chaud. Il y avait beaucoup de monde. J'ai pris un bain puis, avec mon frère, nous avons fait du surf. Le soir nous étions fatigués.

Donner des précisions sur la durée

1. Présentation des mots exprimant la durée
a. Observation du dessin ; noter les verbes et les indications de temps qui les accompagnent. Relever les mots utilisés pour indiquer :
– un moment dans le passé : *depuis* le jour...
– une durée : *il y a* 10 ans, *ça fait* 10 ans, *depuis* 5 ans.
Représenter les informations de temps sur un schéma.
Montrer que ces durées sont indiquées par rapport au moment présent.
b. Lecture du tableau. Introduire *pendant* qui permet l'expression de la durée sans relation avec le moment présent. Compléter le schéma.
Poser des questions aux étudiants : *Depuis quand vous habitez... vous étudiez... ?*

2. Exercice 2.
Faire lire et verbaliser les informations encadrées avant de faire l'exercice : *Aurélie est arrivée à Lyon...*
Les durées seront calculées par rapport au moment où se fait l'exercice.

a. Aurélie vit à Lyon depuis... / Il y a (Ça fait...) ... qu'Aurélie vit à Lyon.
b. Il y a (Ça fait) ... qu'elle a rencontré Pierre.
c. Ils sont installés rue Voltaire depuis 2003.
d. Ils se sont installés un an après leur rencontre.
e. Loli est née en 2005.
f. Loli a ...

À l'écoute de la grammaire

1. 2-28 Exercice 1.
Différenciation des terminaisons verbales.

Présent	Passé composé	Imparfait
tu habites... tu aimes... nous pensons...	je suis venu... nous sommes partis...	tu aimais... tu habitais... Marie venait... nous habitions...

2. 2-29 Exercice 2
Différenciation du présent et de l'imparfait aux 1re et 2e personnes du pluriel.

Simulations, p. 90-91

Objectifs

Savoir-faire
- Parler de sa famille.
- Donner des précisions biographiques.
- Féliciter quelqu'un.

Grammaire
- Enchaîner des idées (*donc, alors, pour*).

Vocabulaire
- Membres de la famille et événements de la vie familiale (voir tableau, p. 93).
- *une réussite, un roi, une crevette, une production, l'écologie, le désert, une dispute, un anniversaire, un accident, un mec (fam.), un mastère, une faculté (fac), un facteur, une recherche*
- *gros, compliqué, drôle, stupide*
- *ressembler, reconnaître, se fâcher, exporter, réussir*
- *longtemps*

Prononciation
- Les voyelles nasales.

L'histoire
L'histoire débute à Nouméa, en Nouvelle-Calédonie, dans la famille Dantec. Camille Dantec, étudiante en écologie, revient de l'université. Elle a découvert que l'auteur d'un livre qu'elle a emprunté à la bibliothèque s'appelle Patrick Dantec. Son père François Dantec lui confirme qu'il s'agit bien de son frère. François Dantec, originaire de Saint-Malo, a coupé les ponts avec sa famille après une dispute il y a 25 ans. Il n'a plus eu de contacts avec eux et Camille ne connaît ni ses deux oncles ni sa tante.
François Dantec consent à présenter à sa fille une vieille photo de famille mais de nombreux mystères subsistent.
Quelques mois plus tard, la jeune fille, qui vient d'obtenir sa licence de sciences, décide de continuer ses études à l'université de Rennes afin de retrouver ses racines.

Scène 1

1. Lecture de l'article. Qu'apprend-on sur François Dantec ? Situer la Nouvelle-Calédonie.
Expliquer :
- *une crevette* (dessiner ou traduire)
- *le roi* (citer un roi connu des étudiants)
- *production, exporter* (expliquer à partir d'une réalité économique connue des étudiants)

2. 2-30 **Écoute des trois premières répliques du dialogue.** Identifier les personnages. Qu'est-ce qui est étonnant dans la question de Camille ?

3. Faire une écoute progressive. À chaque réplique, noter ce que l'on apprend sur Camille et François.
Expliquer :
- *la fac*, abréviation de faculté (un département de l'université. Le mot *faculté* est souvent utilisé à la place d'université. On dira « Je m'inscris à la fac ; je vais à la fac, etc. »).
- *écologie du désert* (le Sahara est un désert).
- *drôle* (amusant ; les films de Charlie Chaplin sont drôles).
- *dispute, se disputer* (les frères et les sœurs se disputent souvent).

4. Faire compléter le texte de l'activité 1.

> François habite la Nouvelle-Calédonie depuis 25 ans. C'est le directeur d'une entreprise de production de crevettes. Quand il était jeune, il habitait en Bretagne mais il s'est disputé avec ses frères et sa sœur. Camille est la fille de François. Elle est étudiante en écologie.

Jeu de rôles

Présenter la situation. Les étudiants s'inspirent du dialogue qui vient d'être étudié.

Scène 2

1. Revoir le nom des membres de la famille qui ont presque tous été introduits.

2. 2-31 **Au fur et à mesure de l'écoute, identifier** le lieu, les membres de la famille et les informations données sur chaque membre de la famille.
Faire une écoute phrase par phrase. À chaque phrase, reconnaître la personne dont on parle sur la photo et la placer dans l'arbre généalogique de la famille.
Expliquer :
- *facteur* (il apporte les lettres).
- *un mec* (mot familier, un homme).

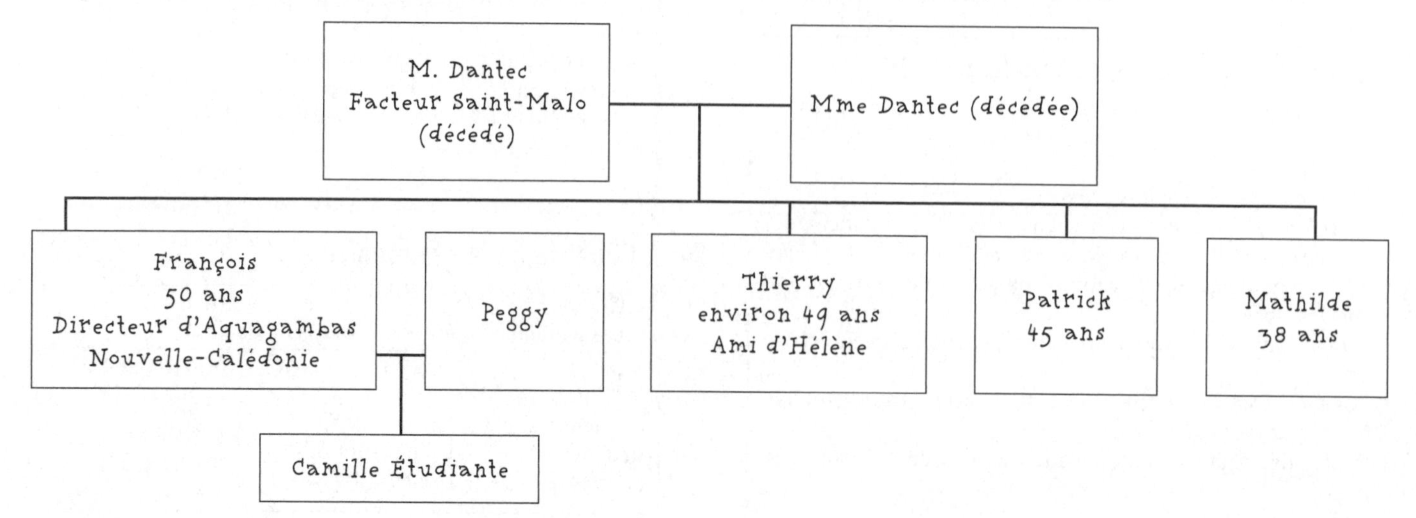

3. Faire un historique de la famille. *Les parents de François habitaient Saint-Malo. Le père était facteur, la mère restait à la maison. Ils ont eu quatre enfants : François, Thierry, Patrick et Mathilde. Les parents sont morts dans un accident de voiture quand François avait 24 ans.*

Scène 3

2-32 Faire une écoute fragmentée afin de répondre aux questions de l'activité 4.
Camille a réussi sa licence de sciences. Elle va continuer ses études à Rennes. Là-bas, elle pense retrouver les membres de sa famille.
Expliquer :
- *licence, mastère* (la 3e année et la 4e année d'université).
- *c'est top* (C'est très bien ; c'est super).
- *compliqué* (Difficile, les conjugaisons du français sont compliquées).
- *fâché* (Après une dispute on peut être fâché ; on ne se parle plus ; on ne se dit plus bonjour).

Jeu de rôles

À faire par deux. Chaque étudiant doit savoir ce que l'autre fait (activité professionnelle, études). Il doit avoir pensé à un changement d'activité. Il lui demande des nouvelles de cette activité.

Sons, rythmes, intonations

2-33 **Exercices 1 et 2.**

Bien faire prendre conscience de l'opposition entre la voyelle et la voyelle nasalisée. Différencier ensuite les deux voyelles nasalisées.

À savoir

La Nouvelle-Calédonie. Île de l'océan Pacifique, située à l'est de l'Australie (voir carte, p. 6). Territoire français depuis 1853. Population (200 000 habitants) pour moitié Kanaks, pour moitié Européens. Ville principale : Nouméa (77 000 habitants).

La Nouvelle-Calédonie est entrée dans un processus qui doit la conduire à l'autonomie. Le centre culturel Tjibaou, construit par l'architecte Renzo Piano, est destiné à promouvoir la culture Kanak. Il porte le nom du leader indépendantiste Jean-Marie Tjibaou, assassiné pour avoir signé des accords avec Paris.

Dans le langage de tous les Français qui vivent dans des territoires d'outre-mer, l'Hexagone se dit la « métropole ».

Saint-Malo. Port de Bretagne qui a un riche passé. Dès le XVIe siècle, c'est le point de départ des expéditions vers l'Amérique. La ville a vu naître de célèbres corsaires (Surcouf), est devenue port de guerre au XIXe siècle, puis port de pêche. Elle garde de beaux vestiges de ce passé glorieux : remparts, château, rues pittoresques, hôtels particuliers.

Écrits et civilisation, p. 92-93

Objectifs

Savoir-faire
- Comprendre un résumé de film.
- Comprendre des informations sur les relations du couple et la vie familiale.
- Présenter sa famille.

Connaissances culturelles
- Quelques films représentatifs du cinéma français intimiste.
- Informations sociologiques sur les couples et les types de familles.

Vocabulaire
- Vocabulaire du tableau de la page 93.
- *un coiffeur, un coup de foudre, un inconnu, un espoir, une déception, un contrat*
- *amoureux, religieux*
- *tomber, réaliser, retrouver*
- *par hasard, heureusement*

Présentation des films

1. Les étudiants se partagent les trois résumés. Chaque groupe doit trouver :
- les personnages ;
- la situation de départ ;
- le début de l'histoire ;
- une ou plusieurs fins possibles pour l'histoire.

2. Présentation des travaux à la classe et vérification de la compréhension.

3. Les étudiants évoquent des films qu'ils ont vus sur les mêmes sujets.

À savoir

Le cinéma intimiste français. La naissance de l'amour et sa progression malgré les obstacles (un autre amour, une différence de classe sociale, une situation familiale particulière, la timidité, etc.) sont parmi les thèmes préférés du cinéma français. Il y a là une tradition qui remonte au dramaturge du XVIIIe siècle Marivaux et dont le représentant récent le plus célèbre est Éric Rohmer (*Les Nuits de la pleine lune, Conte d'été*, etc.). Les trois cinéastes présentés dans cette page appartiennent à ce courant. Christian Vincent a connu un grand succès avec *La Discrète* (1990) et *La Séparation* (1999).

La fin des films :
- *Changement d'adresse*. L'inconnu disparaît sans laisser d'adresse. David s'installe avec Julia. Anne décide alors de chercher un appartement plus petit. Mais elle rencontre David par hasard et il lui demande de l'aider à déménager.

C'est à ce moment-là que Julia retrouve l'inconnu qui n'a pas cessé de l'aimer. David et Anne se rendent compte qu'ils sont faits l'un pour l'autre.

- *Les Enfants*. Les problèmes prendront de telles proportions que Pierre et Jeanne décident de ne plus vivre dans le même appartement. À la fin du film, Pierre cherche un appartement dans le même quartier.

- *Une vie à t'attendre*. Les retrouvailles ne seront qu'une parenthèse. Chacun retrouvera la vie qu'il menait avant.

Faites des comparaisons

Lecture collective du document.

1. Faire la liste de tous les types de famille et de contrats d'union (mariage religieux et civil, Pacs, union libre).

2. Selon le niveau et l'intérêt des étudiants pour la question, on pourra faire des commentaires sociologiques et des comparaisons avec le pays de l'étudiant.

Écoute du micro-trottoir

1. 2-34

	Personne préférée	Explications
1	Grand-père maternel	Il habitait à la campagne et avait un jardin extraordinaire.
2	Une voisine	Elle était pianiste. Le goût de la personne interrogée pour la musique date de cette époque.
3	Grand-mère	Elle a appris à la personne à faire la cuisine. Il est devenu cuisinier.
4	Un ami du père	Il parlait toujours de l'étranger. Sa vie était passionnante.
5	Un oncle	Il était sportif. Tout le contraire des parents de la personne interrogée.

2. Chaque étudiant répond à la question du micro-trottoir.

Présentez votre famille

Dialogue en autonomie. Par deux, les étudiants s'interrogent mutuellement.

Leçon 10 - On s'appelle ?

Interactions, p. 94-95

Objectifs

Savoir-faire
- Parler de ses intérêts et de ses habitudes en matière de nouvelles technologies et de communication.

Grammaire
- Expression de la fréquence et de la répétition (voir tableau p. 95).

Vocabulaire
- Voir tableau p. 95.
- *une technologie, un document, une information, un achat, une boîte*
- *accro, dangereux, électronique, facile*
- *créer, imprimer, se connecter, enregistrer, télécharger, dialoguer, tenir, allumer, téléphoner*

Répondez au sondage

1. Travail collectif. Le professeur présente chaque point du sondage et vérifie la compréhension. Les élèves cochent la ou les réponses qui conviennent. Le vocabulaire des nouvelles technologies ne devrait pas poser de problème de compréhension.
À l'occasion de la question 3, présenter et expliquer les mots qui permettent d'indiquer la fréquence et la répétition. Seuls trois mots n'ont pas encore été introduits :
- *fois* (une fois, deux fois, en tapant dans les mains).
- *quelquefois* (deux ou trois fois).
- *jamais* (Il ne va jamais sur Internet car il n'a pas d'ordinateur).

2. Les étudiants comptent les points qu'ils ont obtenus.

3. Faire observer l'emploi des pronoms compléments (activité 3) pour préparer le point de grammaire des pages Ressources.

Faites le bilan du sondage en classe

1. Les étudiants se regroupent selon le total de leurs points. Chaque groupe résume ses réponses et fait une liste de justifications. *Pourquoi dans le groupe A on n'utilise jamais ou presque jamais Internet ? Pourquoi dans le groupe C a-t-on toujours son portable allumé ?*

2. Chaque groupe présente ses réflexions à l'ensemble de la classe.

Tour de table

Le professeur lance le sujet. Les élèves qui le souhaitent répondent. On passe ensuite à un autre sujet.
(1) *Peut-on vivre sans téléphone portable ? Peut-on vivre sans Internet ? Internet peut être dangereux pour les enfants ?*

Ressources, p. 96-97

Objectifs

Grammaire
- Éviter des répétitions en utilisant des pronoms.
- Les pronoms compléments directs (personne et chose).
- Les pronoms compléments indirects (personne).

Vocabulaire
- *un assistant*
- *remercier*
- *tout le monde*

Prononciation
- Rythme et enchaînement des groupes verbaux avec pronom complément antéposé.

Utiliser les pronoms compléments directs

1. Observation des phrases du dessin.
Les étudiants doivent :
a. retrouver quels mots représentent les mots en gras
Exemple : Il **nous** invite → Il invite Sylvia et Léa
Je **la** traduis → Je traduis cette lettre
b. retrouver le système des pronoms objets directs dans le tableau. Faire remarquer :
- que le pronom se place avant le verbe ;
- que *le, la, les* sont des pronoms (et donc pas toujours des articles) et qu'ils peuvent aussi bien remplacer une personne qu'une chose ;
- les constructions négatives et interrogatives.

2. Exercice 2

... Je *l'*aime bien ... Tu *la* vois souvent ... Oui, je *l'*appelle. Elle *m'*appelle. Je *l'*invite au restaurant ... Je ne *le* connais pas ... je *les* adore.

3. Exercice 3. Pour chaque question, faire formuler la réponse affirmative et la réponse négative.

Je l'apprends / Je ne l'apprends pas ... Je les fais / Je ne les fais pas ... Je la regarde / Je ne la regarde pas ... Je les regarde / Je ne les regarde pas ... Je les comprends / Je ne les comprends pas

Les pronoms compléments indirects

1. Procéder comme avec les pronoms directs et classer chaque pronom dans le tableau. Compléter la case « complément direct – nom de chose » par des exemples.

	Complément direct	Complément indirect
Le pronom représente je / tu – nous / vous	Elle nous connaît bien Elle ne te connaît pas On va te présenter	Elle ne me répond pas Elle vous parle Elle nous parle
Le pronom reprend un nom de personne	On la voit souvent On les invite	Je lui dis bonjour On leur offre un café On leur présente... On leur raconte...
Le pronom reprend un nom de chose	Cette histoire, je la connais	

2. Lecture du tableau. Faire remarquer que les pronoms *me, te, lui, nous* ne représentent que des personnes et ne se placent pas toujours avant le verbe (*Je pense à elle*).

3. Activité 2

... Je *leur* envoie des messages ... Ils *te* répondent ? – Quelques-uns *me* répondent. Ils *me* parlent de leurs goûts. – Ils *t'*envoient leur photo ... je *lui* donne rendez-vous.

4. Exercice 3

... Elle *l'*a quitté quand ? ... Elle *lui* a écrit une lettre. Elle *lui* a dit ... Elle *les* a emmenés – Antoine peut *les* voir ? ... Il *leur* téléphone

À l'écoute de la grammaire

2-35 Exercice 1.

2-36 Exercice 2.
Ces deux exercices sont destinés à automatiser certaines phrases souvent prononcées en classe.

Simulations, p. 98-99

Objectifs

Savoir-faire
- Exprimer une opinion (*c'est vrai / faux ; il a raison / tort*).
- Faire connaître son droit (*avoir raison / tort*).
- Exprimer la responsabilité (*c'est / ce n'est pas de ma faute*)
- Demander / donner des nouvelles d'une personne.

Vocabulaire
- Vocabulaire du tableau, p. 99.
- *une porte, une faute, un numéro, une infirmière, un conseil, un dossier*
- *complet, possible / impossible, vrai / faux, régional*
- *croire*
- *totalement, attention*

Prononciation
- Différenciation [ʃ], [ʒ], [s] et [z].

L'histoire
Camille est arrivée en France. Elle s'inscrit à l'université de Rennes. Puis, quelques jours plus tard, elle se rend à Saint-Malo où habite son oncle Patrick. Elle a découvert l'adresse de celui-ci sur Internet mais n'a pas réussi à le contacter.
L'oncle est absent mais elle obtient par un voisin certaines informations sur lui, sur Thierry, le deuxième frère de son père, et sur Mathilde, sa sœur.
Ce voisin lui donne également l'adresse électronique de Patrick.

Scène 1

Cette scène est composée de trois petites scènes qu'il faut aborder séparément.

1. Première partie
a. **2-37** Observer le dessin et écouter le dialogue.
Expliquer :
- *à qui le tour* (en situation de classe).
- *penser* (gestuelle et dans la situation).
- *sûr* (Camille est en France, vous êtes sûr ?).
- *totalement* (d'après total introduit à la leçon 7)
- *avoir raison / avoir tort* (Il faut voir le film... Vous êtes d'accord ? J'ai raison ?).

b. Faire jouer le même type de scène :
- quelqu'un passe devant vous dans la file d'un cinéma ;
- quelqu'un prend votre place chez un commerçant.

2. Deuxième partie
a. **2-37** Situer, écouter et faire raconter la scène.
Expliquer :
- *dossier* (montrer un dossier universitaire, c'est tous les documents pour l'inscription).
- *complet* (il y a tous les documents dans le dossier) – *L'hôtel est complet* (il n'y a plus de place dans l'hôtel).

b. Écrire au tableau les groupes avec pronoms compléments et faire repérer ce pronom.

3. Troisième partie
Scène typique de prise de contact entre étudiants et de prise de rendez-vous.
a. **2-37** Faire une écoute fragmentée.
Expliquer :
- *écouter aux portes* (en situation de classe).
- *c'est / ce n'est pas de ma faute* (À partir de situation d'excuse « *Je suis en retard mais ce n'est pas de ma faute. Le métro a eu du retard* »).

b. Poser des questions de compréhension. *Pourquoi l'étudiant sait-il que Camille fait un mastère d'écologie ? Pourquoi Camille et l'étudiant vont-ils se revoir ? ....*

c. Observer les pronoms compléments.

Scène 2

2-38 L'écoute et la transcription de la scène peuvent se faire comme un exercice individuel de contrôle.
Observer l'emploi des pronoms compléments sur la transcription.

Jeu de rôles

1. Présenter le tableau « Pour exprimer une opinion ».

2. Présenter la situation du jeu de rôles. Dans le dialogue, les deux personnes doivent exprimer des opinions sur l'absence de leurs amis : *Ce n'est pas la bonne date. On est en avance. Ils sont malades....*

Scène 3

1. Faire raconter le début de la scène (scène 2).

2. **2-39** Faire une écoute collective. Noter toutes les informations que l'on peut recueillir sur Patrick Dantec.
Expliquer :
- *c'est possible/impossible* (*Le voisin n'est pas sûr de l'information – Il va pleuvoir demain. Peut-être, c'est possible*).
- *un type* (un homme, mot familier).
- *une infirmière* (*À l'hôpital, les infirmières s'occupent des malades*).

Activité 5

1. Préparation en commun. Présenter la tâche. Rechercher en commun ce que Camille va dire à son oncle (qui elle est ;

ce qu'elle fait ; elle aurait envie de le voir ... lui et les autres membres de la famille, etc.).
Écrire ces éléments au tableau.

2. Rédaction individuelle ou collective du courriel.

Sons, rythmes, intonations

2-40 Exercice 1.

2-41 Exercice 2.
Faire prendre conscience des oppositions :
- entre sourdes et sonores [s] et [z], [ʃ]et [ʒ]
- entre [s] (formation sur le devant de la bouche et sifflement) et [ʃ] (prononciation plus haute et chuintement).

À savoir

Rennes. Capitale de la région Bretagne. 270 000 habitants. Célèbre pour son ancien parlement et ses musées. Siège d'une université.
Burkina Faso. État d'Afrique centrale (12 millions d'habitants), situé au nord de la Côte d'Ivoire. Capitale Ouagadougou. Ancienne colonie française qui a eu son indépendance en 1960. Le pays continue à avoir des relations privilégiées avec la France et le français y est langue nationale et langue d'enseignement.
Le Conseil régional. C'est l'administration qui gère la région. Les conseillers régionaux sont élus pour six ans.

Écrits, p. 100

Objectifs

Savoir-faire
• Comprendre et rédiger de brefs messages de félicitations, d'invitation, de réponse à une invitation, de remerciements, d'excuses, de souhaits.

Vocabulaire
• Voir tableau p. 100.
• *une thèse, un vœu, une présentation, une situation, une cérémonie, la mairie*
• *joyeux*
• *adresser, regretter, féliciter, espérer, embrasser, prier*

Lecture des documents

1. Activités 1 et 2. Les étudiants travaillent par groupes et chaque groupe doit identifier un document et compléter le tableau.

doc	Qui écrit ?	À qui ?	À quelle occasion	Qu'exprime-t-il ?
1	Kevin	Sa tante et son oncle	Noël et Nouvel An	Meilleurs vœux
2	Mathilde et Benjamin	À leurs invités (famille et amis)	Leur mariage	Ils sont heureux
3	Kevin	À Gaëlle	Envoi de documents par Gaëlle	Remerciements
4	Un auteur de BD (probablement Kevin)	L'organisatrice d'un festival de BD	Invitation au festival	Excuses et remerciements
5	Kevin	Aurélie	Invitation à une présentation de thèse	Regrets de ne pas venir – Satisfaction et félicitations – Espoir de se voir bientôt

2. Activité 3
À noter que ces expressions peuvent être utilisées à l'écrit dans les petits mots et les courriels.

a. Je vous remercie – b. Je suis désolée – c. Je vous prie de m'excuser (veuillez m'excuser) – d. Je vous invite à dîner demain – e. Je vous félicite – f. Je vous souhaite bon voyage.

Rédigez

Il est important que les étudiants rédigent les deux lettres ou messages mais ils peuvent reporter la rédaction du second à plus tard.
1. Répertorier les formules qui permettent d'exprimer ce qui est demandé. Lire les expressions du tableau.

2. Les étudiants rédigent.

1. Chère .... Je te renvoie ce livre avec six mois de retard. Je te prie de m'excuser. J'ai eu beaucoup de travail ces derniers mois et j'ai fait plusieurs voyages à l'étranger. J'ai lu ce livre avec plaisir. L'histoire est passionnante. Je te remercie de me l'avoir prêté. J'espère que l'on va se voir bientôt. Amitiés ...
2. Cher ami, j'ai bien reçu ton invitation et je te remercie. Malheureusement, du 20 au 30 mai, je suis en voyage professionnel à l'étranger et je ne vais pas pouvoir venir. Je le regrette beaucoup. J'espère bien te voir à mon retour et rencontrer Mathilde. Je vous souhaite beaucoup de bonheur à tous les deux. Amitiés ...

À savoir

Les messages électroniques
Dans les messages électroniques, les formules de politesse sont très simplifiées :
1. la formule d'appel. On dira « *Bonjour François* » à quelqu'un qu'on connaît bien, même si on le vouvoie, « *Bonjour* » à quelqu'un qu'on ne connaît pas, « *Bonjour Monsieur / Madame* » si on veut être plus respectueux.
2. la formule finale est très brève. « *Merci* » – « *À bientôt* » – « *Cordialement* » - « *Sincères salutations* » - « *Amitiés* » – etc.

Civilisation, p. 101

Objectifs

Savoir être et connaissances culturelles
• Savoir se comporter lors d'une rencontre avec un francophone. Comment l'appeler. Quand serrer la main ou faire la bise. Quelles expressions de salutation employer.

- Quand opter pour le tutoiement ou le vouvoiement.
- Savoir se comporter lors d'une invitation.

Vocabulaire
- *un interlocuteur, le début*
- *informel, enchanté*
- *tutoyer, vouvoyer, serrer (la main), accepter, essayer*
- *au lieu de*

Savoir-vivre en France

1. Lecture de l'extrait du guide du savoir-vivre.
La classe se partage les 5 paragraphes. Chaque petit groupe informe les autres.
Faire des comparaisons avec les comportements dans d'autres pays.
Expliquer :
- *tutoyer / vouvoyer.*
- *se serrer la main* (gestuelle).
- *au lieu de* (à la place de).

2. Les groupes se partagent les quatre photos et imaginent un dialogue.

3. 2-42 **Écoute du document**. Pour chaque document :
a. trouver la photo qui correspond :
a, bas droite – b, haut droite – c, bas gauche – d, haut gauche
b. comparer avec la production du groupe. Vérifier la compréhension et transcrire les passages difficiles.

À savoir

Compléments aux conseils de savoir-vivre
Le tutoiement. Les personnes qui ne se connaissent pas mais qui appartiennent au même groupe professionnel, associatif, de loisir peuvent se tutoyer tout de suite. Mais ce n'est pas une règle. Certains préfèrent le vouvoiement, tout au moins pendant la période où on fait connaissance. Mais deux professeurs, chercheurs, médecins, scientifiques qui se rencontrent dans un congrès peuvent tout de suite se tutoyer

Serrer la main et faire la bise. Les Français se serrent la main quand ils se rencontrent pour la première fois ou quand ils ne se sont pas vus depuis quelques jours. On peut voir des collègues de travail se serrer la main tous les matins mais il ne faut pas généraliser.
On se fait la bise plus facilement qu'avant. Les jeunes peuvent se faire la bise dès la première rencontre. On peut faire la bise à l'ami(e) d'un(e) ami(e) qui vient de vous être présenté(e).

Bonjour ou bonsoir. Bien montrer aux étudiants que « Bonjour » est une formule de salutation et de prise de contact qui n'est pas liée à un moment de la journée.
« Bonsoir » peut être une salutation mais c'est surtout une prise de congé comme « Bonne journée », « Bon après-midi », etc.

LEÇON 11 - Un bon conseil !

Interactions, p. 102-103

Objectifs

Savoir-faire
• Exposer un problème quotidien (comportemental ou relationnel).
• Donner un conseil à quelqu'un qui a un problème.

Grammaire
• Préciser les moments de l'action et son déroulement.

Vocabulaire
• Vocabulaire du tableau p. 103.
• *le tabac, un paquet, la cigarette, le patch, la médecine, l'estomac, une maladie, une méthode, un magazine, un chef, un conseiller, un informaticien, une publicité, un compte (en banque), un truc, le trac*
• *timide, nerveux, inutile*
• *exposer, présenter, fumer, marcher, refuser, choisir, se sentir, tousser, guérir, suivre*

Les problèmes des lecteurs (compréhension du document)

Le document est un extrait du courrier des lecteurs du magazine *Vivre ensemble*. Cinq lecteurs ont exposé un problème relationnel ou comportemental. On pourra faire :
(1) soit une lecture compréhension collective. L'ensemble de la classe commente chaque témoignage et élabore une réponse ;
(2) la classe se partage les cinq témoignages. Chaque petit groupe lit un témoignage avec l'aide d'un dictionnaire. Il présente ensuite son contenu avec le reste de la classe. Le professeur s'assure de la compréhension du détail
Dans un deuxième temps, on répond aux lecteurs du journal selon la procédure décrite dans le livre.

1. Lecture et commentaire des témoignages

a. Accro au tabac
Expliquer :
- *tousser* (par l'action).
- *cigarette, paquet, tabac, fumer* (par le dessin ou en montrant).
Quel est le problème d'Alexandre ? Qu'a-t-il déjà fait ? Que lui conseillez-vous ? Faire appel à l'expérience des étudiants fumeurs ou anciens fumeurs.

b. Une vie de chien
Expliquer :
- *refuser* (par opposition à *accepter* qui est déjà connu).
Faire exposer le problème d'Odile. Lire le commentaire de la photo présentant l'engouement des Français pour les animaux familiers.

c. Un truc contre le trac
Expliquer :
- *le trac* (la peur, en particulier face à un public ; le trac du comédien).
- *timide* (qui a peur de parler aux personnes inconnues).
- *nerveux* – *mal à l'estomac* (en mimant quelqu'un qui a le trac).
- *un truc* (une méthode, une idée pour résoudre un problème).

d. Maladie d'achats
Expliquer :
- *publicité* (par l'image de la publicité sur le crédit).
- *guérir* (il était malade. Il a pris un médicament. Il est guéri).
Faire expliquer le problème d'Élise et faire appel à l'expérience des étudiants. Analyser la publicité « Prêt auto ». **Expliquer** :
- *taux* (un taux de 6 %).
Faire remarquer le jeu sur les sonorités : « chute de taux (chute d'auto) ».

e. Toujours là
Expliquer :
- *se sentir* (*On ne se sent pas bien quand on est malade, quand on est chez des gens qui ne vous aiment pas.*)
- *vieux jeu* (*Quelqu'un qui pense comme un vieux.* Expliquer d'après la situation de Laurence.)
Quel est le problème de Laurence ?
Présenter le film *Tanguy*.

2. Relever :
- les mots qui précisent le déroulement de l'action ;
- le vocabulaire de la santé.

Répondez aux lecteurs

Présenter le vocabulaire du tableau « Pour donner un conseil ».
Suivre le déroulement indiqué dans le livre.

Jouez au courrier des lecteurs

Suivre le déroulement exposé dans le livre.
Les problèmes exposés par les étudiants peuvent être moins sérieux et moins intimes que ceux qu'on vient de voir. On peut exposer un problème d'apprentissage du français, de préparation d'un plat, d'organisation de sa journée, de recherche d'un bon livre ou d'un bon programme de télévision, etc.

À savoir

Les Français et le tabac. La consommation de tabac est en forte diminution en France et 7 Français sur 10 se disent non fumeurs. Mais en 2007, à la différence de certains pays d'Europe, il était encore possible de fumer dans les cafés et les restaurants.
Les Français et les animaux familiers. La France est le pays d'Europe qui compte le plus grand nombre d'animaux familiers. Les chiens et les chats sont les compagnons de jeux des enfants et ils meublent la solitude des personnes âgées.
Les Français et le crédit. Les Français ont de plus en plus recours au crédit, surtout pour des acquisitions immobilières. Mais leur niveau d'endettement est le plus faible d'Europe et seulement un ménage sur deux est endetté.

Ressources, p. 104-105

Objectifs

Grammaire
- Formes indiquant le début, la continuation, la fin de l'action et sa reprise (formes verbales : *commencer à*, etc. – *encore / toujours / ne ... plus* – préfixe *-re*).
- Formes indiquant les étapes du déroulement de l'action : action imminente (*il va sortir*) – action non commencée (*il n'est pas encore sorti*) – action en train de se faire – action achevée (*il vient de sortir ; il est déjà sorti*).
- Rapporter des paroles ou des pensées.

Vocabulaire
- *un coureur, un pont*
- *s'entraîner, monter*

Prononciation
- Rythme et prononciation de la construction *ne ... plus*.
- Rythme des constructions pour rapporter des paroles.

Présenter une action

1. Observation du dessin.
a. Au fur et à mesure de la lecture de la bulle, écrire au tableau l'emploi du temps de Gilbert. Préciser ainsi le sens de la suite : *commencer... s'arrêter... recommencer*, etc.
b. Introduire *encore* et *toujours* comme indicateur de la continuation de l'action : *il continue à travailler = il travaille toujours = il travaille encore.*
Ne ... plus comme marque de l'action terminée. *Il a fini de travailler = il ne travaille plus.*

2. Activité 1
Le professeur mène le jeu. Faire pratiquer les formes qui viennent d'être introduites par des questions aux étudiants. *Vous avez joué au football ? Vous jouez encore aujourd'hui ? – Oui, je joue encore – Non, je ne joue plus. J'ai arrêté.*
S'inspirer des questions posées dans le livre et moduler selon les étudiants.

3. Activité 2
Faire produire des petits récits à partir des activités faites par les étudiants (l'apprentissage d'un instrument de musique ou d'une langue étrangère, la pratique d'un sport ou d'une activité de loisir).
J'ai commencé à apprendre le violon à dix ans. Je me suis arrêté à quinze ans. J'ai repris mon violon à l'âge de vingt ans. Je joue encore du violon de temps en temps.

Préciser les moments d'une action

1. Observation du dessin. Relever les constructions utilisées pour indiquer qu'on est :
a. avant l'action : ils ne sont pas encore passés.
b. pendant l'action : ils sont en train de passer sur le pont.

2. Retrouver ses constructions dans le tableau. Compléter avec « *aller* + verbe » indiquant l'imminence de l'action (déjà pratiqué depuis la leçon 3).

3. Activité 2. Compléter l'exercice du livre en faisant produire des phrases avec *déjà* et *pas encore*.
Pour préparer l'activité ou à l'occasion de la mise au point, faire trois colonnes au tableau comme ci-dessous.

	Ce qu'ils viennent de faire	Ce qu'ils sont en train de faire	Ce qu'ils vont faire
a	Ils viennent de faire un grand match (le match est déjà fini)	Ils sont en train de recevoir la coupe	Ils vont faire la fête (Ils n'ont pas encore quitté le stade)
b	Ils viennent d'arriver à la mairie (Ils sont déjà devant le maire)	Ils sont en train de dire « oui » au maire	Ils vont s'embrasser (Ils n'ont pas encore signé)
c	Il vient d'arriver à la gare (Le train est déjà en gare)	Il est en train de monter dans le train	Il va chercher sa place (Il n'est pas encore assis)
d	Elle vient de sortir (Elle est déjà chez le boulanger)	Elle est en train d'acheter du pain	Elle va rentrer dans cinq minutes (Elle n'est pas encore rentrée)

4. Activité 3. Peut se faire sous forme d'expression collective spontanée, sous forme de tour de table ou comme exercice individuel.
Les étudiants recherchent :
a. des choses un peu extraordinaires qu'ils ont déjà faites ;
b. des choses qu'ils n'ont pas encore faites mais qu'ils ont envie de faire.

Rapporter des paroles ou des pensées

Il s'agit ici de faire le point sur des constructions qui auront été introduites à l'occasion du travail sur les pages Simulations.
1. Observation du dessin. Le commentateur rapporte la question qu'il pose à Gilbert, la réponse de ce dernier et la demande de l'organisateur. Mettre en correspondance les paroles du dialogue des deux personnages et la façon de les rapporter.

Le journaliste : Est-ce que vous êtes fatigué ?
Gilbert : Non, je suis en forme. Je vais gagner le Tour de France.
L'organisateur : Montez sur le podium !

Lire les exemples du tableau.

2. Exercice 2

Lisa dit à Paul qu'elle a envie de sortir.
Paul lui demande où elle veut aller.
Elle lui répond qu'elle voudrait aller danser. Elle lui demande s'il veut venir avec elle.
Il lui répond qu'il est fatigué.
Elle lui dit qu'elle ne veut pas sortir seule.
Il lui dit (demande, conseille) d'appeler Marie.

À l'écoute de la grammaire

1. 2-43 **Exercice 1**. Veiller à la prononciation correcte du son [y] qui dans la négation avec *ne ... plus* est accentué.

2. 2-44 **Exercice 2.** Travail d'écoute et de prononciation des constructions du discours rapporté. Veiller à l'enchaînement.

Simulations, p. 106

Objectifs

Savoir-faire
- Se mettre d'accord sur une date.
- Comprendre et utiliser les formules employées quand on téléphone.
- Parler de sa santé.

Connaissances culturelles
- Famille recomposée et garde des enfants.

Vocabulaire
- Voir tableau « Pour téléphoner », p. 107.
- *une clinique, un vertige, une aspirine, une recherche, un crédit*
- *étonnant, exceptionnel, absent*
- *programmer, remplacer, stresser, supporter, vendre*
- *tout à coup*

Prononciation
- Différenciation [p] et [b].

L'histoire
Cette double page nous montre successivement les quatre frères et sœur Dantec dans leur vie quotidienne. Chacun a un problème.
À Nouméa, François s'inquiète de ne pas avoir reçu de nouvelles de sa fille. Il a hâte de connaître l'accueil que lui auront réservé les membres de la famille.
À Rennes, Thierry téléphone à Hélène dont il est séparé. Il a la garde de leur fils Gabriel pendant les vacances de février mais il doit faire un voyage professionnel. Hélène refuse de garder l'enfant sous prétexte que Thierry n'assume jamais ses responsabilités.
À Ouagadougou, au Burkina Faso, Patrick téléphone à l'organisation internationale qui finance ses recherches. Il apprend que le budget n'est pas reconduit. Comment va-t-il poursuivre ses travaux ?
Enfin, à Metz, Mathilde qui est infirmière rêve de revenir dans sa région. Elle ne s'entend pas avec sa chef de service et elle est surmenée.

Déroulement des activités
Nous proposons ci-dessous un déroulement classique mais les étudiants ont maintenant assez d'expérience pour pouvoir travailler en autonomie. La classe pourrait se partager les scènes 2 et 4 et les aborder soit par la transcription, soit par l'écoute si les conditions matérielles le permettent.

Scène 1

1. 2-45 **Observation de l'image et écoute du document.**
Expliquer :
- *tout à coup* (la classe est silencieuse. Tout à coup quelqu'un frappe à la porte).

2. Transposer cette scène. Par deux, les étudiants préparent la scène décrite dans le livre.
Votre chef : Le document est arrivé ?
Vous : Je vais voir mes messages. ... Non, il n'y a rien.
Votre chef : Quand est-ce que vous avez demandé ce document ?
Vous : Il y a trois jours.
Le chef : Et vous n'avez rien reçu ? C'est bizarre.

Scène 2 et activité 3

1. 2-46 **Écouter la scène ou travailler sur la transcription.** Donner pour tâche aux étudiants de relever les informations sur la vie de Thierry. Rappeler auparavant ce qu'on a déjà appris sur lui dans la scène 2 de la page 90 (Thierry est un peu plus jeune que François. Il a une copine) et dans le dialogue 3 de la page 99 (Il est au Conseil régional. C'est quelqu'un d'important).
Ici on apprend que Thierry a vécu avec Hélène, qu'ils ont eu un enfant nommé Gabriel. Ils se sont séparés et Thierry doit en principe garder l'enfant le mercredi (jour de congé scolaire) et pendant certaines vacances, notamment les vacances de février. Or, la plupart du temps, il a toujours une excuse pour ne pas le faire.
Thierry vit aujourd'hui avec Myriam qui ne s'entend pas très bien avec Gabriel.

2. Au cours de la mise en commun, expliquer :
- *programmer* (d'après programme).
- *exceptionnel* (qui n'arrive presque jamais).

3. Faire formuler le problème de Thierry. Les étudiants donnent leur avis sur son attitude ainsi que sur celle d'Hélène.
Hélène doit-elle garder l'enfant tout le temps ? L'excuse de Thierry est-elle une bonne excuse ? etc.

4. Transposer la scène en faisant le jeu de rôle de l'activité 3
Vous : Il faut ranger l'appartement.
Votre ami(e) : Ce n'est pas à ton tour de le faire ?
Vous : Non, je l'ai fait hier !
Votre ami(e) : Excuse-moi mais là, j'ai un rendez-vous. ...

Scène 3

1. 2-47 Faire une écoute collective et transcrire le dialogue. Au fur et à mesure de l'écoute, relever toutes les formules propres à la conversation téléphonique.
Expliquer :
- *CNRS* : Centre national de recherche scientifique.
- *crédit* : Patrick Dantec est directeur de recherche. Il a besoin d'argent. Chaque année, le CFDE (sigle imaginaire) lui donne un crédit (de l'argent).

2. Faire formuler le problème de Patrick.

3. Présenter le vocabulaire du tableau « Pour téléphoner ».

Scène 4

1. 2-48 Découverte de la scène en autonomie en s'appuyant sur la transcription. Donner pour tâche d'imaginer une mise en scène du dialogue.

2. Au cours de la mise au point, **expliquer** :
- *remplacer (Le professeur de la classe 4 est malade. M. Dupont le remplace.)*
- *un vertige (Je suis en haut de la tour Eiffel. Quand je regarde en bas, j'ai le vertige.)*
- *supporter (Quand je bois de l'alcool, je suis malade. Je ne supporte pas l'alcool – Quand je rencontre Pierre, j'ai envie de partir. Je ne supporte pas Pierre.)*
- *vendre* (à partir des logements à vendre de la page 71).

3. Répondez aux questions de l'activité 5.

Florence doit remplacer Mathilde parce que Mathilde ne se sent pas bien. Elle a mal à la tête. Elle a des vertiges. Elle est fatiguée. Elle a ces problèmes parce qu'elle stresse. Elle stresse parce qu'elle ne supporte plus Mme Lapique (probablement l'infirmière en chef). Elle aimerait retourner à Saint-Malo.

4. Les étudiants jouent le dialogue selon la mise en scène qu'ils ont préparée.

Jeu de rôles (activité 6)

Faire préparer et jouer la scène chez le médecin après avoir étudié le tableau de vocabulaire de la page 109.

Sons, rythmes, intonations

2-49 Bien montrer que la confusion entre [p] et [b] peut changer le sens d'un mot.
Pot / beau – pas / bas – j'ai pu / j'ai bu

Écrits, p. 108

Objectifs

Savoir-faire
• Comprendre des instructions relatives à des exercices physiques.

Vocabulaire
• Voir le tableau « Pour parler du corps et de la santé », p. 109.
• *un collègue, une seconde, un muscle*
• *lent, profond*
• *critiquer, tendre, respire, fermer*
• *d'abord, lentement, profondément, autour de*

Exercices contre le stress

1. Faire identifier le document et lire l'introduction. Rechercher :
a. les causes du stress : le bruit – les mauvaises conditions de travail – les problèmes avec les collègues – un chef qui critique – trop de travail.
Compléter avec les indications des étudiants : une personne malade dans la famille, un jeune enfant, etc.
b. les effets du stress : on dort mal – on est toujours fatigué – on n'a pas envie d'aller travailler.
Compléter avec les indications des étudiants : on ne mange plus – on mange trop – on fume, etc.

2. Présenter le vocabulaire des parties du corps ainsi que les verbes *tendre, détendre, respirer*.

3. Pour chacun des trois exercices :
a. les étudiants lisent individuellement les instructions et font l'exercice ;
b. le professeur s'assure de la compréhension du détail ;
c. les étudiants donnent leur avis sur l'utilité de l'exercice.

4. Les étudiants proposent d'autres méthodes pour lutter contre le stress (tour de table) :
des exercices physiques, les spectacles humoristiques, les repas entre copains, etc.

Civilisation, p. 109

Objectifs

Savoir-faire
• Comprendre des informations orales ou écrites relatives à des situations d'urgence.
• Savoir se débrouiller en cas d'urgence, de vol, d'agression, etc.

Connaissances culturelles
• Informations sur les conduites à tenir en France en cas d'urgence.

Vocabulaire
• Voir tableau, p. 109
• *un commissariat, la police, les pompiers, un feu, une agression, un fait, un portefeuille, une urgence*
• *voler (dérober)*

Que faire en cas d'urgence ?

1. Activité 1.
a. Les étudiants lisent le document avec pour tâche de trouver ce qu'ils doivent faire dans les situations proposées.

Mal à une dent : aller chez un dentiste (pour connaître l'adresse d'un dentiste, s'adresser à une pharmacie ou faire le 15) ou aller au service d'urgence d'un hôpital ou d'une clinique.
Perte de la carte bancaire : appeler la banque. Si la banque est fermée, aller au commissariat de police ou appeler le 17.
Voiture qui brûle : appeler les pompiers (le 18) ou la police (le 17).
Chute dans l'escalier : appeler le 15.

b. Au cours de la mise au point, présenter le vocabulaire du tableau.

2. 2-50 **Activité 2.**

	Qui appelle-t-on ?	Pourquoi	Quelle est la réponse de l'interlocuteur
a	Les pompiers	Il y a une voiture en feu	Demande de l'adresse
b	Le SAMU	Une dame âgée est tombée	La personne est-elle consciente ?
c	Un dentiste	Prendre rendez-vous pour un mal de dents	Depuis quand la personne a mal aux dents ? – Rendez-vous tout de suite
d	La police	Le voisin fait du bruit	La police arrive

Leçon 12 - Parlez-moi de vous

Interactions, p. 110-111

Objectifs

Savoir-faire
- Se décrire.
- Parler de son caractère, de ses goûts, de ses projets.

Connaissances culturelles
- Les loisirs et les projets associatifs de quelques Français.

Grammaire
- Caractériser une personne en utilisant les propositions relatives (sensibilisation).

Vocabulaire
- Voir le tableau p. 111.
- *un partenaire, les loisirs, la civilisation, un site, une pierre, des conserves (alimentaires), un bénévole*
- *naturel, égal, utile*
- *échanger, aider, restaurer (un bâtiment), s'amuser*

Découvrez le site « Partagez vos envies »

1. Identification du document. Lire la partie gauche de la page 110 et survoler le reste du document.
D'où vient-il ? – C'est la page accueil d'un site Internet d'échanges.
Quels types d'échanges propose-t-il ? – Très variés. Trouver un compagnon de voyage, trouver un partenaire avec qui partager un loisir, réaliser un projet, apprendre quelque chose.
Les étudiants échangent leurs connaissances en matière de sites Internet de ce type.

2. Lecture des annonces. Cette lecture peut être :
(1) collective. Avec l'aide du professeur, les étudiants font la recherche de l'activité 1 ;
(2) par petits groupes. La classe se partage les cinq annonces et en étudie le contenu. Au cours de la mise en commun le professeur vérifie la compréhension du détail.
Quelle que soit la méthode adoptée, les étudiants doivent avoir lu toutes les annonces.

3. Expliquer :
a. annonce Chang
- *échanger* (par le mime).
- *sérieux* (un étudiant sérieux est toujours présent, toujours à l'heure ; il a appris ses leçons et fait ses exercices ... Un professeur sérieux s'occupe des étudiants, prépare le cours...).
- *compétent* (faire définir un médecin compétent. Il trouve la cause de la maladie, il sait guérir la maladie).

b. annonce Maéva
- *restaurer* un vieux château (le château n'est pas en bon état, il faut le restaurer).
- *chaleureux* (une personne chaleureuse parle à tout le monde. Elle est gentille, elle accueille les gens).
- *s'amuser* (à partir de la scène 3 de la page 26. Dans la discothèque, Mélissa et Lucas s'amusent. Florent ne s'amuse pas).
- *aider* (à partir des scènes de la page 75. Fanny et Bertrand doivent aider leurs amis).
- *créatif* (d'après *créer*, vu à la leçon 10).

c. annonce Charlène
- *ça m'est égal* (expliquer par une situation de choix. On va au cinéma ou à la piscine ?)
- *décontracté* (pas stressé, détendu).

d. annonce Édouard
- *avoir bon / mauvais caractère* (il est toujours content, il ne se fâche pas avec les autres. Il a bon caractère).

e. annonce Corentin
- *conserve* (alimentaire) (citer une marque connue des étudiants).
- *courageux* (qui n'a pas peur).
- *patient* (qui sait attendre).

Qui écrit ?	Quel est son projet ?	Qui cherche-t-il/ elle ?	Qualités recherchées
Chang, 22 ans, chinoise, nouvellement arrivée à Paris pour faire des études de piano	Apprendre le français	Un Français qui veut apprendre le piano pour échanger des cours de piano contre des cours de français	Sérieux, compétent
Maéva, 24 ans, sympathique, chaleureuse, aime s'amuser	Restaurer le château de Broussac	Des personnes pour l'aider	Travailleur, créatif, pas timide, intéressé par les vieilles pierres
Charlène, 27 ans, infirmière, drôle, pas compliquée, aime les voyages et l'aventure	Une vraie aventure	Des compagnons de voyage	Sympathique, décontracté, aventurier, courageux
Édouard, 26 ans, a fini ses études de commerce, passionné d'histoire et de voyages, aime les contacts, dynamique, bon caractère	Passer quelques mois en Amérique centrale	Un compagnon ou une compagne de voyage	Qui parle espagnol
Corentin, 30 ans, cinéaste	Réaliser un film sur le parc d'Etosha en Namibie	Un collaborateur	Intéressé par le cinéma et par l'Afrique, a déjà une petite expérience de réalisateur, en bonne santé, courageux, patient, pas difficile

4. Recherche des mots qui expriment les qualités et les défauts.

	Qualités	Défauts
Au travail ou dans les études	Sérieux – compétent – créatif – passionné – dynamique – patient	Compliqué
Avec les gens	Sympathique – chaleureux – qui aime s'amuser – drôle – qui aime les contacts – bon caractère – patient	Timide – compliqué – mauvais caractère
Autres situations	Créatif (décoration maison) – aventurier – décontracté – passionné – courageux – patient	Peureux

Compléter cette recherche avec les mots du tableau de vocabulaire.

5. Observer les photos et leur légende. De quel type de projet s'agit-il ? Quels autres projets pourraient figurer dans cette page ?

6. Les étudiants disent si une ou plusieurs de ces annonces les intéressent (faire un tour de table).

Utilisez le site « Partagez vos envies » (projet)

Travail individuel puis collectif.
Suivre la démarche décrite dans le livre.

Ressources, p. 112-113

Objectifs

Grammaire
• Caractérisation des personnes et des choses (révision et compléments) :
- l'adjectif qualificatif (place de l'adjectif)
- le complément de nom avec *de*
- la proposition relative introduite par *qui* (principalement en finale de phrases)
- les formes *c'est* ou *il/elle est* pour identifier et caractériser
• Constructions impératives avec un pronom (*Prends-les*).
• Formation des noms par un suffixe.

Vocabulaire
• *un micro*
• *perdre*

Prononciation
• Différenciation du masculin et du féminin.

Caractériser les personnes et les choses

1. Observation du dessin. Noter les expressions qui caractérisent les mots en gras. Classer ces façons de caractériser. Pour chaque type de classement, imaginer d'autres informations.

L'adjectif	Le complément de nom	La construction avec qui
Un scoop génial Une fille sympathique	Le journal télévisé de 20 h	Le type qui passe La jolie fille qui est avec lui

2. Exercice 2

... Lucas a rencontré une jeune femme sympathique ... un grand bateau blanc ... elle fait de longs voyages passionnants ... un nouveau pays ... beaucoup de choses intéressantes

3. Exercice 3

... un professeur de biologie qui travaille à l'université
... un bel immeuble qui est dans le centre-ville
... une compagne qui joue du piano
... Flore et Antoine qui sont mes meilleurs amis
... Gordes qui est un village de Provence

4 - Exercice 4

... C'est la nouvelle directrice .... elle est très intelligente ... c'est une femme très professionnelle ... c'est une Espagnole de Séville

Caractériser

Introduction des propositions relatives. Cette introduction se fait en plusieurs temps.
• Dans cette leçon, on introduit la proposition commençant par *qui* quand elle a une fonction d'adjectif (un livre qui m'a intéressé / un livre intéressant). On se contente donc « d'accrocher » une information au nom comme on le fait avec l'adjectif.
• Au niveau 2, on aborde les propositions introduites par *qui*, *que* et *où* en finale de phrase. La fonction grammaticale du mot caractérisé est donc à prendre en compte.

L'emploi de *c'est* ou de *il/elle est*. Les étudiants confondent souvent ces deux formes quand elles introduisent un mot qui peut être à la fois nom ou adjectif. C'est le cas des noms de profession et de nationalité.
Pour éviter la confusion :
→ utiliser « *c'est* + article + nom » pour présenter (faire le geste) ou pour classer dans une catégorie.
Regardez ! C'est le directeur de l'école.
C'est un Français.
C'est permet aussi de caractériser une chose ou une action qui n'ont pas été nommées.
En arrivant pour la première fois dans l'appartement de quelqu'un, je dirai « C'est très beau », mais à la question « Que pensez-vous de mon appartement ? », je répondrai « Il est très beau ».
À quelqu'un qui m'a rendu un service, je peux dire « C'est gentil ». Parlant de lui à quelqu'un, je dirai « Il est gentil »
→ utiliser « *il/elle est* + adjectif » pour apporter une information sur une personne ou une chose déjà nommée.
Je connais ce professeur. Il est très compétent.

Donner des ordres et des conseils

1. Observation du dessin. Transformer les phrases et faire dire ce que représente le pronom.
Écoute-moi → Tu dois m'écouter – *moi / m'* = le premier journaliste
Observer la différence de construction à la forme affirmative et à la forme négative.

2. Exercice 2

Téléphone-lui – Invite-la au restaurant – Envoie-lui des messages – Ne les refuse pas – Supporte-les – Raconte-moi tout !

3. Exercice 3

Utilise-la – Écoute-les – Enregistre-le – Ne le regarde pas – Ne les invite pas !

Former des mots

1. Activité 1

Dans le dessin, observer la transformation :
se séparer → séparation.
Chercher les noms correspondant aux verbes de la liste puis continuer avec d'autres verbes. Classer les noms selon le suffixe.

– Suffixe *-ment* : commencer → commencement – remercier → remerciement – remplacer → remplacement
– Suffixe *-tion* : inviter → invitation – féliciter → félicitation – imaginer → imagination – participer → participation – habiter → habitation
– Suffixe *-ure* : signer → signature – écrire → écriture
– Autres transformations : partir → départ – se détendre → détente

2. Exercice 2

Ce livre est long, beau, original, mystérieux
Cette personne est vieille, intelligente, courageuse, gentille.

À l'écoute de la grammaire

1. 2-51 Exercice 1

C'est une femme	C'est un homme	On ne sait pas
Chanteuse, sportive, infirmière, étudiante, serveuse	Directeur (1), vendeur, pharmacien, écrivain, danseur, professeur (1)	Artiste, secrétaire, médecin (1), journaliste

(1) Ces mots masculins s'appliquent aussi à une femme. On dira Madame Legal est un bon professeur – Jeanne Roux est directeur du personnel.

2. 2-52 Exercice 2. Écoute et prononciation des différents suffixes qui permettent de différencier le masculin du féminin.

Simulations, p. 114-115

Objectifs

Savoir-faire
- Prendre contact avec quelqu'un.
- Fixer un rendez-vous.
- Donner une explication.
- Suggérer. Donner des conseils.

Grammaire
- Construction affirmative et impérative avec un pronom.

Vocabulaire
- *un biologiste, une mission, une promenade, le contraire*
- *hériter, faire plaisir*
- *surtout*

Prononciation
- Les sons [ø] et [œ].

L'histoire

Camille a écrit à son oncle Patrick et elle reçoit de lui un courriel lui annonçant son retour en France.
Début décembre, l'oncle et sa nièce se rencontrent à Saint-Malo. Patrick présente à Camille sa compagne Fatou et ils décident d'inviter toute la famille pour les fêtes de Noël. Tout le monde sera au rendez-vous, même François qui apparaîtra sur un écran grâce à sa webcam.
L'ambiance est chaleureuse et tous les problèmes des uns et des autres vont se résoudre grâce à l'esprit de solidarité de chacun.
Patrick propose à Mathilde de racheter la maison de Saint-Malo à un bon prix. Thierry intervient pour que Patrick ait le financement de son projet. Mathilde gardera le fils de Thierry pendant les vacances et François est heureux d'avoir retrouvé ses frères et sa sœur.

Scène 1

1. Lecture du message de Patrick Dantec.
Rappeler la scène 3 de la page 99. Camille doit écrire à son oncle.
Qu'apprend-on dans la réponse de ce dernier ? (Il était dans le Sahel, en Afrique. Il n'a pas pu répondre. Il rentre en France début décembre. Il demande à sa nièce de l'appeler.)

2. 2-53 Écoute et transcription de la scène.
Au fur et à mesure de la transcription, remarquer :
– le passage du tutoiement au vouvoiement ;
– la prise de rendez-vous (précision de date et d'heure – expression de la possibilité et de l'impossibilité) ;
– l'information complémentaire sur Patrick (il a une compagne).

Scène 2

1. Lire la première phrase de Camille. Imaginer la réponse de Patrick. Faire des hypothèses sur les causes de la séparation des quatre frères et sœur (des caractères différents, des problèmes d'héritage, des idées politiques différentes, etc.).

2. 2-54 Faire une écoute progressive de la première partie de la scène avec pour tâche de confirmer ou d'infirmer les hypothèses qui ont été faites.
Noter ce qui sépare :
– François et Thierry (des idées politiques différentes, un même amour pour Hélène) ;
– Patrick et Mathilde (Mathilde voulait la maison de Saint-Malo. C'est Patrick qui en a hérité).

Expliquer :
- *hériter* (les parents de Patrick avaient une maison. Ils sont morts. Patrick a hérité de la maison. Il est maintenant propriétaire de la maison).
- *le contraire* (*travailleur* est le contraire de *paresseux*).

3. Écoute de la fin de la scène. Quelle est la proposition de Camille ? Remarquer la construction des phrases impératives avec pronom.

Scène 3

2-55 Écoute fragmentée. À chaque partie compléter le tableau.

	Quel est son problème ?	Comment le problème va-t-il être réglé ?
Scène a Patrick	Il n'a plus de crédit pour sa recherche.	Thierry lui donne le nom d'une personne au Conseil régional qui pourra l'aider.
Scène b Mathilde	Elle veut retourner à Saint-Malo.	Patrick lui propose sa maison au prix qu'elle peut payer.
Scène c Thierry	Il n'a personne pour garder Gabriel.	Mathilde propose de le garder.
Scène d François	Il est sans nouvelles de ses frères et sœur depuis 25 ans.	Camille a repris contact avec sa famille.

Sons, rythmes, intonations

2-56 Différencier la prononciation de [ø], sur le devant de la bouche, lèvres arrondies et avancées, et de [œ], bouche plus ouverte et son articulé plus en arrière

Écrits et Civilisation, p. 116-117

Objectifs

Savoir-faire
• Décrire une personne (description physique et vestimentaire, traits comportementaux).

Connaissances culturelles
• Quelques types vestimentaires et comportementaux véhiculés par les médias.

Vocabulaire
• Vocabulaire de la description physique, des vêtements et de la couleur (Voir le tableau de la page 117).
• *l'importance, une image, l'originalité, un architecte, un avocat, un style, un bourgeois, un bohème*
• *paraître*

Les « looks » en France

1. Activité 1. Description des personnes représentées page 117 en utilisant le vocabulaire du tableau.
On commencera par nommer les différents types de vêtements puis on les caractérisera par quelques adjectifs (long / court, couleur, etc.).
On présentera ensuite le vocabulaire de la description physique des personnes en prenant comme exemple les photos, les étudiants et des personnalités connues.

2. Activités 2 et 3
a. Identification du document (extrait d'un magazine féminin ou de mode) et lecture collective de l'introduction. Demander aux étudiants de noter tout ce qui leur paraît bizarre et différent des habitudes de leur pays.
b. Lecture de l'article. Peut se faire collectivement ou en petits groupes. Dans ce cas, la classe se partage les cinq paragraphes. Pour chaque type, compléter le tableau

Type	Personnalité qu'on veut montrer	Vêtements	Langage
Le décideur	Sûr de lui, compétent, sérieux, travailleur	Homme : costume et cravate Femme : jupe, veste courte, chemisier blanc, foulard	Utilise des mots anglais
Le créatif	Artiste, intelligent, cultivé	Vêtu de noir (pantalon, veste, chapeau), écharpe blanche ou rouge ; originalité : baskets aux pieds	Compliqué
Le bobo	À la fois bourgeois et décontracté, différent des autres	Vêtements vintage (année 50-60) ou ethniques chers et originaux	Ne parle jamais d'argent ; sujets préférés : l'écologie, les médecines douces, les nouvelles technologies
Le décontracté	Caractère simple, direct, familier	Jeans, chemise, chemisier, tee-shirt, pull en hiver	Simple, tutoie facilement
Le jeune	Jeune	Vêtements de sport	Langage jeune (je kife) et abréviations du langage SMS

c. Relier les types et les photos

Décideur (A. Montebourg) – Créatif (J. Nouvel) – Bobo (Julie Depardieu) – Décontracté (Cécile de France) – Jeune (Joey Starr). La tenue de Sophie Marceau fait partie d'une catégorie non décrite dans le document : l'élégance classique.

3. 2-57 **Activité 4**

1 (S. Marceau) – 2 (J. Nouvel) – 3 (J. Depardieu) – 4 (A. Montebourg) – 5 (J. Starr) – 6 (C. de France)

Rédigez

1. Distribuer à chaque étudiant une demi-feuille de papier. Sur cette feuille, chaque étudiant se décrit en quelques lignes. Objectif : qu'on puisse le reconnaître tel qu'il est vêtu.

2. Plier les feuilles, les regrouper et les tirer au sort les unes après les autres. Les étudiants doivent reconnaître l'auteur du message.

Les « looks » dans le monde

Faire un tour de table. Chaque étudiant compare les types décrits dans le document avec les réalités de son pays.

À savoir

Les descriptions de cette page correspondent à des images véhiculées par les modes et les médias. Il serait abusif de les considérer comme des types sociaux.

Voici quelques informations sur les habitudes vestimentaires en France. Elles permettront de répondre à certaines questions posées par les étudiants.

La tenue classique (celle décrite dans la rubrique « Le décideur ») semble de moins en moins de mise sauf lors d'entretiens d'embauche dans des secteurs non créatifs. À l'image des présentateurs de télévision, les hommes ne sont plus obligés de travailler en cravate et la tenue des femmes au bureau n'est plus le classique tailleur. On peut porter une veste et un jean, un pantalon de velours et un pull, une chemisette et un pantalon de toile. Toutefois, la décontraction a ses limites. On ne viendra pas au bureau en polo et bermuda.

Unité 3 - Bilan et pages Évasion

Évaluez-vous, p. 118-121

Test 1

Le professeur présente chaque situation, s'assure de sa compréhension. L'étudiant répond « oui » ou « non »

Test 2

Bien expliquer la consigne. Il s'agit d'insérer les phrases numérotées de 1 à 5 dans l'article « Colette, une femme libre ».

a – 3 – 5 – b – c – 1 – d – 2 – 4 – e

Test 3

Vérifier la compréhension de la situation.

Nous avons le plaisir d'accueillir ce soir M. Patrick Dantec qui est directeur de recherche au CNRS et qui a voyagé dans le monde entier. Il a travaillé en Alaska, au Niger et au Burkina Faso.
M. Dantec a 38 ans. Il est né à Saint-Malo, en Bretagne, et il a fait ses études à l'université de Rennes. Il est docteur en biologie végétale. Il a publié deux livres, *Écologie du désert* et *Fleurs du Groenland*.
Ce soir, il va nous parler d'un sujet passionnant : les plantes des régions désertiques.

2-58 Test 4

1, c – 2, a – 3, e – 4, d – 5, b

2-59 Test 5

a, 2 – b, 1 ou 8 – c, 8 ou 1 – d, 5 – e, 10 – f, 3 – g, 9 – h, 7 – i, 4 – j, 6

Test 6

a, V – b, F – c, F – d, V – e, F – f, F – g, V (à une nuance près, Lise dit qu'elle reçoit des amis très souvent) – h, V – i, F – j, F

Test 7

Expression libre. Corrigé à titre indicatif :
Mon grand-père, le père de ma mère, était un aventurier. Il est allé en Argentine et là-bas il a gagné beaucoup d'argent. Il a rencontré une danseuse de tango professionnelle. Elle était très belle. Ils se sont mariés et quelques années plus tard, ils sont venus habiter en France ...

Test 8

À titre indicatif :
Cher ... J'ai bien reçu ton invitation pour le 22 mai. Je te remercie. Malheureusement, le 23 je dois passer un entretien important. J'ai envie d'être en forme pour cet entretien et je ne veux pas me coucher tard. Donc je ne vais pas pouvoir venir. Je le regrette beaucoup. Excuse-moi. Je te souhaite un bon anniversaire. Amitiés.

2-60 Test 9

Amélie, b – Dylan, c – Barbara, a – Émile, d – Claudie, f – François, e

Test 10

Dialogue de prise de rendez-vous à imaginer et à jouer par les étudiants.

2-61 Test 11

a, V – b, F – c, V – d, V – e, V – f, F (un quart d'heure après l'heure de l'invitation) – g, F – h, V (les pompiers ou le SAMU) – i, V – j, V

Test 12

a. ... Paul ne *travaillait* pas. Il *faisait* sa thèse. Je *travaillais* ... Nous n'*avions* pas beaucoup d'argent. Nous *vivions* ... On *mangeait* ... Des copains nous *invitaient* souvent. Tu me *prêtais* ... Vous *étiez* sympas ... Vous nous *offriez* ...
b. Le matin, je *suis allée* ... Il *habitait* ... J'*aimais* ... À 10 h, nous *avons fait* ... Puis nous *sommes allés* déjeuner ... *Il y avait* des étudiants qui *fêtaient* ... le grand brun m'*a regardée*. Je lui *ai souri* et je lui *ai dit* ... il nous *a invités* ...
c. Il dit qu'il fait très beau.
Il demande si on est libre le week-end prochain.
Il nous propose de passer le week-end avec lui.
Il dit qu'il a une chambre d'amis.
Il nous demande de prendre (de ne pas oublier) nos chaussures de marche.
d. • Oui, je la regarde souvent.
Non, je ne les regarde pas.
Oui, je l'aime bien.
Oui, je la suis.
Non, je ne le regarde pas souvent.
• Oui, il m'écrit.
Non, il ne me téléphone pas souvent.
Oui, il leur écrit.
Oui, il lui téléphone.
Oui, je lui téléphone.
e. Non, ne lui téléphone pas. – Oui, écris-lui. – Oui, parle-leur – Oui, invite-les – Oui, invite-moi.

Évasion au théâtre, p. 122-124 (projet)

Objectifs

Savoir-faire
- Développer l'aisance et la parole spontanée par le théâtre.
- Offrir / recevoir un cadeau.
- Faire face à une situation inattendue.
- Donner des consignes.

Connaissances culturelles
- Scènes du théâtre contemporain (J. Balasko, Y. Reza, J. Romains).

Le déroulement du projet

Tout au long de ces pages Évasion, les étudiants s'inspireront de trois scènes de théâtre pour imaginer et écrire des dialogues. Ils travailleront par deux. Après la lecture de chaque texte, ils imagineront un dialogue sur l'un des sujets proposés. Ces dialogues pourront être sélectionnés et regroupés dans un petit spectacle qui sera montré aux autres classes.
Le projet peut se réaliser en deux séances consécutives ou en plusieurs séquences espacées dans le temps et intégrées aux leçons de l'unité.

Le cadeau

1. Les étudiants préparent une interprétation de la scène. Ils peuvent travailler en autonomie. Les mots difficiles sont expliqués par des notes. Ils recherchent les moments amusants de la scène : l'effet de surprise, la caractérisation du cadeau (une serpillière – j'ai toutes sortes de pull-over mais comme ça jamais, etc.), les réflexions admiratives et les remerciements de Pierre.

2. Interprétation de la scène et mise au point de la compréhension.

3. Les étudiants choisissent une des deux situations proposées dans l'activité 2 et imaginent un dialogue.

Les invités surprises

1. Lecture individuelle de la scène. Faire résumer ce qui se passe. C'est le soir (voir phrase d'introduction). Tout à coup on sonne. Ce sont les Finidori. Sonia et Henri ont oublié qu'ils les ont invités à dîner. Le réfrigérateur est vide. Sonia et Henri ne sont pas habillés. C'est une catastrophe.

2. Lire les indications scéniques et imaginer une mise en scène du dialogue (gestes, déplacements et intonations des phrases).

3. Par deux, les étudiants imaginent et rédigent un dialogue sur la situation proposée dans l'activité 3.
Ce qui va changer les projets peut être :
- l'arrivée d'une personne inattendue (vos parents, un(e) ami(e) que vous aimez bien, qui arrive de l'étranger) ;
- un événement inattendu (vous avez gagné à la Loterie, on a volé votre voiture, un copain a perdu ses clefs et vient loger chez vous, etc.).

La consultation chez le médecin

1. Lecture de l'introduction. Pourquoi le docteur Knock est-il un médecin original ?

2. Lecture de la scène. Faire noter au fur et à mesure ce qui est bizarre ou absurde.
Expliquer :
- *il ne doit guère* (il ne doit pas).
- *souffrir* (avoir mal).
- *tirer la langue, baisser la tête*, etc. (par la gestuelle).
- *une courbature* (une douleur au muscle).

3. Les étudiants imaginent et rédigent une scène sur la situation décrite dans l'activité 2. Par exemple :
- un vendeur de vêtement persuade le client que la veste qu'il essaie est à sa taille, à la mode, en accord avec le pantalon, etc.
- un agent immobilier persuade un client que l'appartement qu'il visite est le logement idéal

À savoir

Le Père Noël est une ordure est une pièce de théâtre créée en 1979 par la troupe du Splendid (un café-théâtre de Paris). C'est aussi un film joué par les mêmes acteurs et qui est considéré comme un film culte du cinéma comique français. Le centre d'appels pour personnes en difficulté où travaillent Thérèse et Pierre va être le théâtre d'une série de situations cocasses un soir de Noël. La scène de la remise des cadeaux se déroule au début de la pièce et reste une scène d'anthologie.
Trois versions de la vie est une pièce de Yasmina Reza où la même situation de départ est reprise trois fois. Chaque fois les réactions des personnages sont différentes, ce qui modifie le déroulement de l'action. Dans cette pièce et comme dans *Art*, Yasmina Reza se moque du milieu intellectuel bourgeois parisien.
Knock est une pièce de Jules Romains écrite en 1924 sur le thème du médecin charlatan déjà exploité par Molière dans *Le Malade imaginaire* et *Le Médecin malgré lui*. Elle est étudiée dans les collèges et c'est une des pièces les plus jouées du théâtre français. Elle a fait la célébrité de l'acteur qui l'a créée, Louis Jouvet. Celui-ci a donné son nom à un théâtre et il est représenté sur l'affiche de la page 124.

Corrigés des tests du portfolio

Test 1

2-62 Transcription

Écoutez et complétez le tableau.

1.
H : Marie ?
F : Oui... Ah, bonjour, Antoine. Ça va ?
H : Oui, ça va. Dis-moi, je fais une petite fête le samedi 8 avril. Tu peux venir ?
F : Le 8 avril, attends... d'accord, je n'ai rien de spécial. Tu fais une fête pour quoi ?
H : Comme ça. Pour le plaisir de voir les copains.

2.
F1 : Allô, Camille ?
F2 : Oui, qu'est-ce qu'il y a ?
F1 : J'ai oublié mon sac chez toi... je crois, sur une chaise du salon. Est-ce que tu le vois ?
F2 : Oui, il y est.
F1 : Je peux passer le prendre ?
F2 : Bien sûr, je reste ici tout l'après-midi.

3.
F : Informatique évolutive.
H : Bonjour, je voulais vous demander, vous êtes ouvert jusqu'à quelle heure ce soir ?
F : Jusqu'à 19 heures.
H : Bon, je vais passer vers 6 heures et demie.
F : Alors, à tout à l'heure.
H : C'est ça. Au revoir !

4.
F : Cabinet dentaire.
H : Bonjour, je voudrais prendre rendez-vous.
F : Vous êtes libre quand ?
H : Le mercredi, ou le soir après 18 heures.
F : Mercredi prochain à 14h45, ça vous va ?
H : C'est parfait.
F : Vous êtes Monsieur... ?
H : Rolin. R-O-L-I-N.
F : Très bien. Vous avez rendez-vous mercredi 24 mars à 14h45.

5.
F1 : Allô, Hélène ? C'est Laure.
F2 : Qu'est-ce qui vous arrive ?
F1 : Écoute, on a eu des bouchons sur l'autoroute. On va avoir, à peu près, une heure de retard.
F2 : Ce n'est pas grave. On vous attend !

	Qui appelle ? Qui appelle-t-on ?	Le message	La réponse
1	Antoine Marie	Invitation à une fête le 8 avril	Elle est d'accord
2	Une fille Camille, son amie	Elle a oublié son sac chez Camille. Elle demande si elle peut passer le prendre.	Camille dit oui. Elle est chez elle tout l'après-midi.
3	Un homme Un magasin d'informatique	Jusqu'à quelle heure le magasin est ouvert le soir ?	Jusqu'à 19 heures
4	Un homme (M. Rolin) Un cabinet dentaire	Prendre rendez-vous	Rendez-vous pris pour mercredi prochain à 14h45
5	Laure Hélène	Laure annonce qu'elle aura une heure de retard. Il y a des bouchons sur l'autoroute.	On attend

Test 2

2-63 Transcription

Écoutez. Écrivez le numéro de la phrase sous le dessin correspondant.

1. Écoutez !
2. Fermez la fenêtre, s'il vous plaît.
3. Ne partez pas !
4. Asseyez-vous !
5. Mettez votre manteau.
6. Ne faites pas de bruit !
7. Prenez un parapluie.
8. Ouvrez votre livre à la page 15.
9. N'allez pas vite !
10. Appelez Marie.

a, 4 – b, 1 – c, 3 – d, 2 – e, 7 – f, 6 – g, 10 – h, 5 – i, 9 – j, 8

Test 3

2-64 Transcription

Écoutez. Trouvez le document correspondant à chaque phrase. Ajoutez la nouvelle information.

1. Le train de 15h13 en provenance de Nice et à destination de Paris va entrer en gare avec 10 minutes de retard.
2. Le consulat du Brésil, c'est la deuxième rue à droite.
3. Tu as réussi avec mention « Très bien ». Je te félicite !
4. Vous ne pouvez pas entrer par cette porte. C'est interdit !
5. Je ne me sens pas bien. J'ai mal à la tête... J'ai froid... Je suis fatigué...

1, c. Compléter. Nice : 15h13 retard 10 minutes
2, d. (Faire une flèche indiquant la deuxième rue à droite)
3, a. Compléter. ANTOINE Lucie – Très bien
4, b. Ajouter sur le panneau « Entrée interdite ou Défense d'entrer »
5, e. Ajouter dans la bulle « J'ai mal à la tête... J'ai froid... Je suis fatigué »

Test 4

2-65 Transcription

Écoutez. Choisissez la phrase qui convient.

F : Bonjour !
Voix de filles au loin : Bonjour !
H : Tu les connais ?
F : Je connais la blonde aux cheveux longs.
H : Avec le pantalon noir et le chemisier jaune ?
F : Oui. / ...
H : C'est qui ?
F : C'est Lucie, une ancienne copine. On était ensemble au lycée Victor-Hugo. Puis, elle a fait des études de médecine. Moi, je suis entrée en fac de sciences et on s'est un peu perdu de vue. / ...
H : Alors elle a le même âge que toi ?
F : Non, un an de plus. Elle a 28 ans.
H : Et elle est médecin où ?
F : À l'hôpital. / ...
H : Elle est jolie. Elle est avec quelqu'un ?
F : En ce moment, non, je ne crois pas. Elle était avec un médecin mais je crois que c'est fini. Tu sais avec elle, ça change beaucoup ! / ... Il faut dire qu'elle n'a pas un caractère facile. Elle est intelligente, très intelligente mais pas très gentille avec les autres, assez froide. Puis elle se met souvent en colère. / ...
H : Elle est d'ici ?
F : Oui, sa famille est connue. Son père est un grand avocat, sa mère a la plus grande pharmacie de la ville, son grand-père fait de la politique ... / ... Bref, ce ne sont pas des pauvres !
H : Le style à faire du golf et du cheval !
F : Exactement. Et du ski en hiver et des randonnées dans l'Himalaya... Elle habite une belle maison au bord du lac avec un parc, une piscine et un tennis. Je la connais, cette maison, elle doit avoir quinze pièces ! Mais tu t'intéresses bien à ma copine !
H : C'est toi qui en parles...

1, a et b – 2, c – 3, a – 4, c – 5, a – 6, b et c – 7, c – 8, b – 9, a – 10, b et c

Test 5

1, V – 2, V – 3, V – 4, V – 5, V – 6, F – 7, F – 8, F – 9, F – 10, F

Test 6

1. À deux amis, Léa et Cédric.
2. a. Clémentine et Philippe ne vont pas à la montagne en août. Ils ont loué une maison en Corse.
b. Caroline a réussi sa deuxième année de médecine.
3. a. Léa et Cédric peuvent s'installer dans l'appartement de Chamonix.
b. Ils peuvent aussi aller voir leurs amis en Corse.
4. Ils vont en Corse parce que Clémentine veut faire de la randonnée et que Philippe a envie de mer et de plage.
5. À la montagne, dans leur appartement de Chamonix.

Test 8

Évaluer la capacité à :
- remercier : « Je te remercie de ton message et de ta proposition » ;
- accepter ou refuser la proposition : « Cette année, nous allons dans notre famille au début du mois d'août mais nous serons très heureux de vous voir en Corse à la fin du mois » ;
- féliciter : « Nous félicitons Caroline pour son succès ».

Test 9

Évaluer la capacité à :
- donner des informations sur une personne : âge, profession ou activité, caractéristiques physiques, traits de caractère...

Test 10

Évaluer la capacité à écrire au moins cinq phrases au passé.

« Chers amis,
Nous avons fait un voyage en Alsace. Nous avons visité Strasbourg et nous avons logé à l'hôtel de Turckheim. C'est une ville très typique et très pittoresque. Nous sommes allés dans la campagne et nous avons dégusté les célèbres vins d'Alsace. Nous avons vu le musée de l'Automobile de Mulhouse. Il a fait très beau.
Amitiés. »

Tests 11 et 12

Évaluer la capacité de l'étudiant à se débrouiller dans les situations proposées.

FICHES PHOTOCOPIABLES POUR LE DVD

S. CALLET

Sommaire

Introduction

Le DVD vidéo de *Écho A1* est un outil complémentaire du niveau 1 de la méthode. Il peut être également utilisé comme un matériel autonome avec des étudiants débutants ou faux débutants.

Le DVD comporte :

✓Un feuilleton de 16 épisodes, « Alice et Antoine », qui raconte avec humour la rencontre de deux jeunes gens : Alice, une jeune fille qui abandonne ses études et quitte ses parents pour se consacrer au théâtre, et Antoine, un jeune Antillais qui débute dans sa vie professionnelle. Ce feuilleton s'appuie sur les contenus linguistiques et thématiques du livre élève. Chaque épisode correspond à une leçon sans être toutefois étroitement liée à son contenu.

✓Huit reportages (deux par unité) tirés de différentes émissions d'actualité de la chaîne de télévision France 24. Ils constituent des ouvertures sur les réalités françaises en prolongement de celles qui sont proposées dans le livre.

Le Livret pédagogique du DVD propose pour chaque épisode du feuilleton et pour chaque reportage :

✓Une page destinée à l'enseignant dans laquelle il trouvera les objectifs de la séquence, la transcription des documents ainsi que des suggestions pour l'exploitation de la vidéo en classe.

✓Une page destinée à l'apprenant comportant des exercices de compréhension, d'expression et de grammaire.

Les corrigés des exercices se trouvent à la fin du livre.

Alice

• Objectifs communicatifs

Utiliser les mots de politesse fréquents *(bonjour, excusez-moi, je suis désolé, etc.)*.

• Objectifs linguistiques

– Savoir utiliser les verbes *être* et *avoir* dans une phrase positive ou négative.
– Première approche de l'interrogation simple.

Synopsis

Une jeune fille, Alice, habite chez ses parents. Un matin, elle entre dans la chambre de ses parents et les réveille. Elle leur demande de laver son linge sale. On voit que les parents en ont assez et qu'ils souhaitent qu'elle quitte la maison et qu'elle devienne indépendante.

Découpage de l'épisode

– 1re partie : Alice entre dans la chambre de ses parents et les réveille.
– 2e partie : Alice embrasse ses parents.
– 3e partie : Alice sort de la chambre et les parents discutent entre eux.

Transcription

Alice : Salut !
Hélène : Bonjour, Alice…
Alice : Oh excusez-moi. Je vous réveille ? Je suis désolée.
André : Qu'est-ce que tu veux, Alice ?
Hélène : Qu'est-ce que c'est ?
Alice : Mon linge sale. Tu peux le laver ? Je n'ai pas d'affaires propres pour m'habiller.
Alice : Oh vous êtes géniaux ! Je vous adore.
Hélène : Ça alors ! On n'est pas à son service.
André : C'est vrai, ça !
Hélène : Il est temps qu'elle parte de la maison.
André : Oui, je crois que tu as raison.

■ SUGGESTIONS D'EXPLOITATION DE LA VIDÉO

1. Dans un premier temps, regarder la vidéo sans le son. Demander aux apprenants de décrire ce qu'ils voient. Où ça se passe ? Qui on voit ? Pourquoi Alice entre-t-elle dans la chambre de ses parents ? Parler de l'évolution de l'épisode : que peuvent se dire les parents ?

2. Dans un second temps, toujours sans le son, centrer la vidéo sur des passages en particulier et demander aux apprenants d'imaginer des dialogues :
– *Début de l'épisode :* dialogue entre Alice et ses parents.
– *2e partie de l'épisode :* que peut dire Alice ?
– *Dernière partie :* que peuvent se dire les parents quand Alice sort de la chambre ?

3. Visionner l'épisode avec le son et faire les exercices.

1. Entourez les choses que vous voyez dans la vidéo.

une maison – un appartement – une chambre – une fille – un homme – une femme – un chien – un lit – une porte – une école – un vêtement.

2. Écoutez la vidéo et complétez les phrases suivantes.

a. Oh, ... Je vous réveille ? Je suis ....

b. – Qu'est-ce que c'est ?
– Mon linge sale. Tu peux le laver ? Je .... d'affaires propres pour m'habiller.

c. Oh, vous .... géniaux ! Je vous adore.

d. – Ça alors ! On .... à son service.
– .... vrai ça !

3. Choisissez la phrase qui s'accorde à la réponse.

a.
❑ Il habite dans une maison.
❑ Je ne suis pas française. – Je suis désolé.
❑ Tu me réveilles !

b.
❑ J'étudie le français.
❑ Elle parle très bien russe. – Tu as raison.
❑ Je m'appelle Alice.

4. Vrai ou faux ?

	Vrai	Faux
a. Alice réveille ses parents.	❑	❑
b. Alice habite dans un appartement.	❑	❑
c. Les parents d'Alice sont dans un lit.	❑	❑
d. C'est le soir.	❑	❑
e. Les parents d'Alice sont contents.	❑	❑
f. Alice adore ses parents.	❑	❑

5. Conjuguez les verbes.

a. Alice *(habiter)* .... chez ses parents.

b. Les parents d'Alice *(être)* .... encore dans leur lit.

c. Vous *(connaître)* .... Alice ?

d. Ils *(parler)* .... dans la chambre.

e. Tu *(connaître)* .... les parents d'Alice ?

6. Mettez au pluriel.

a. le lit ....

b. l'oreiller ....

c. la chambre ....

Antoine

• Objectif communicatif

Se présenter.

• Objectifs linguistiques

– Poser des questions simples pour se présenter.
– Les verbes en *-er*.

Synopsis

Antoine, un Antillais, vient d'arriver en métropole. Il postule pour un poste de comptable et se présente à un entretien d'embauche. On voit qu'il est un peu anxieux avant son entretien. La DRH lui pose des questions et lui dit qu'il sera recontacté.

Découpage de l'épisode

– 1re partie : Antoine attend dans le hall d'un immeuble. Une jeune femme vient le chercher pour son entretien.
– 2e partie : images de Paris : quartier de la Défense, les Champs-Élysées et l'Arc de triomphe.
– 3e partie : entretien entre la DRH et Antoine.

Transcription

DRH : Bonjour.
Antoine : Bonjour.
DRH : Vous entrez, s'il vous plaît.
Antoine : Oui… Excusez-moi… Je suis un peu nerveux.
DRH : Ce n'est pas grave. C'est par ici.
DRH : Suivez-moi. Asseyez-vous.
DRH : Vous vous appelez comment ?
Antoine : Antoine Désiré.
DRH : Votre nom, c'est Antoine ?
Antoine : Non, c'est mon prénom. Désiré est mon nom.
DRH : Vous êtes d'où ?
Antoine : Des Antilles, de la Martinique plus exactement.
DRH : Vous êtes Antillais.
Antoine : Oui, mais je suis français.
DRH : Et vous habitez où ?
Antoine : Ici, en métropole.
DRH : À Paris ?
DRH : Oui, je cherche un appartement en ce moment.
DRH : Et vous cherchez quel type de travail ?
Antoine : Un emploi de comptable, vous n'avez pas mon CV ?
DRH : Si.
DRH : Très bien, j'ai tous les renseignements. Je vous tiens au courant.
Antoine : Merci.

■ SUGGESTIONS D'EXPLOITATION DE LA VIDÉO

1. Regarder la vidéo avec le son. Demander tout d'abord aux étudiants de décrire les choses qu'ils voient dans l'épisode (immeuble, bureau, livres, table, etc.).

2. Faire l'exercice 1. Puis corriger. Demander aux apprenants les métiers qu'ils connaissent (révision de la leçon 2, Unité 1) et enrichir le vocabulaire : un emploi, un entretien d'embauche, travailler, un job, un CV, une lettre de motivation, etc.

3. Regarder à nouveau l'épisode. Demander aux étudiants de prendre des notes et de faire l'exercice 2. Expliquer ce que sont les Antilles. Parler des DOM-TOM.

4. Pour l'exercice 5, apporter en classe des photos de monuments de Paris. Demander aux apprenants ce qu'ils reconnaissent. Leur parler un peu de Paris et leur demander ce qu'ils connaissent de Paris. Écrire au tableau les mots nouveaux.

Quelques références utiles

DOM-TOM : la France d'outre-mer désigne les terres sous souveraineté française situées hors métropole (territoire de la France). Ces pays sont d'anciennes colonies françaises.
DOM = département d'outre-mer (la Martinique, la Guadeloupe, la Guyane, la Réunion).
TOM = territoire d'outre-mer (la Polynésie française, la Nouvelle-Calédonie, etc.).
On parle aussi des Antilles pour désigner les départements (Martinique et Guadeloupe) qui sont situés dans la mer des Caraïbes (entre Cuba et le Venezuela).

1. Cochez la bonne réponse.

a. Au début de l'épisode, Antoine est :
- ❏ calme
- ❏ nerveux
- ❏ triste

b. Antoine a un rendez-vous pour :
- ❏ un appartement
- ❏ un travail
- ❏ des papiers d'identité

2. La fiche d'identité d'Antoine.

Nom : ....
Prénom : ....
Lieu de naissance : ....
Domicile : ....
Nationalité : ....
Profession : ....

3. Trouvez les questions correspondant aux réponses.

a. – .... ?
– Je m'appelle Antoine Désiré.

b. – .... ?
– Je viens de la Martinique

c. – .... ?
– Je suis comptable.

d. – .... ?
– J'habite à Paris.

4. Complétez les phrases avec les verbes proposés.

habitez – cherchez – entrez – cherche

a. Vous ...., s'il vous plaît.
b. Je .... un appartement
c. Vous .... où ?
d. Vous .... quel type d'appartement ?

5. Complétez avec *de l', du, de la, de (d').*

a. La jeune femme connaît le CV .... Antoine.
b. Vous cherchez les clés .... appartement.
c. Voici le bureau .... directeur.
d. C'est l'ordinateur .... M. Désiré.
e. J'aime le soleil .... Martinique.

6. Quels monuments de Paris voyez-vous dans la vidéo ? En connaissez-vous d'autres ?

Épisode 3

Au revoir, Alice !

• Objectifs communicatifs

– Exploiter le vocabulaire vu dans le livre de l'élève.
– Savoir répondre à des questions de compréhension.

• Objectifs linguistiques

– Savoir utiliser le futur proche.
– Repérer les pronoms toniques.
– Réviser le verbe *vouloir*.

Synopsis

Alice et ses parents sont dans le jardin de leur maison. Alice est en train de faire de la gymnastique et ses parents prennent le petit-déjeuner. Les parents hésitent à lui parler et lui dire qu'il est temps qu'elle parte de la maison. Finalement le père parle à sa fille et Alice réagit avec beaucoup d'enthousiasme. Elle dit qu'elle veut devenir artiste et qu'elle veut un appartement. Ses parents lui disent qu'elle doit travailler, mais qu'ils l'aideront.

Découpage de l'épisode

1re partie : les parents parlent entre eux pour savoir qui parlera à Alice.
2e partie : le père parle à Alice.
3e partie : Alice leur dit qu'elle veut devenir artiste et se met à chanter.

Transcription

André : Vas-y, parle-lui.
Hélène : Pourquoi moi ?
André : Tu es sa mère...
Hélène : Et alors ?
André : Avec toi, elle va comprendre.
Hélène : Alice, ma chérie ?
Alice : Oui ?
Hélène : Ton père veut te parler.
Alice : Je t'écoute, papa.
André : Euh, Alice, nous pensons... qu'il est temps... que tu quittes la maison.
Alice : Mais pourquoi ?
André : Tu es grande maintenant...
Hélène : On veut bien t'aider.
Alice : D'accord.
André : C'est vrai ?
Alice : Oui, mais je veux un appartement.
André : Très bien, c'est d'accord mais il faut que tu trouves un travail.
Alice : Je veux être artiste.
Hélène : Artiste ?
Alice : Oui, actrice, chanteuse... « Quand il me prend dans ses bras ! Il me parle tout bas, je vois la vie en rose ! »
Alice : Bon ! Je vais préparer mes affaires.
André : Artiste...
Hélène : Ce n'est pas grave : elle part.

■ SUGGESTIONS D'EXPLOITATION DE LA VIDÉO

1. Regarder tout d'abord l'épisode sans le son. Demander aux étudiants de décrire ce qu'ils voient puis de faire l'exercice 1. Réviser le lexique des loisirs et des activités avec la dernière question de l'exercice (faire du sport, de la musique, etc.).

2. Regarder à nouveau le film mais cette fois-ci avec le son. Demander aux apprenants de faire l'exercice 2.

3. Pour l'exercice 5, travailler le futur proche sur les verbes déjà vus en classe et dans la méthode. Demander aux étudiants de rédiger quelques phrases.

1. Répondez aux questions.

a. Que font les parents d'Alice ? ....

b. Que voyez-vous sur la table ? ....

c. Que fait Alice ? ....

d. Et vous, quelles activités vous faites ? ....

2. Vrai ou faux ?

	Vrai	Faux
a. Le père d'Alice veut parler à sa fille.	❑	❑
b. Les parents veulent bien aider Alice.	❑	❑
c. Alice doit trouver un travail.	❑	❑
d. Alice veut être danseuse.	❑	❑
e. Alice chante bien !	❑	❑

3. Conjuguez le verbe *vouloir* à la forme qui convient.

a. Je .... un appartement.

b. On .... bien t'aider.

c. Vous .... être chanteuse ?

d. Tu .... partir de la maison ?

4. Conjuguez les verbes entre parenthèses au futur proche.

a. Elle *(comprendre)* ....

b. Je *(préparer)* .... mes affaires.

c. Vous *(trouver)* .... un appartement.

d. Tu *(quitter)* .... la maison.

e. Les parents *(aider)* .... Alice.

5. Complétez avec la préposition « à ». Attention à la contraction.

a. Alice veut aller .... Paris.

b. Tu vas .... théâtre.

c. Je préfère rentrer .... maison.

6. Complétez les phrases selon le modèle.

Exemple : Antoine parle avec *(Alice)* .... → Antoine parle avec **elle**.

a. Alice habite chez *(ses parents)* ....

b. Les parents ne font pas de sport avec *(Alice)* ....

c. Alice parle avec *(son père)* ....

d. Le père déjeune à côté de *(sa femme)* ....

7. Imaginez ce qu'Alice va faire après cet épisode.

....

....

....

Au travail, Antoine !

• Objectifs communicatifs

– Repérer les mots clés d'une vidéo.
– Savoir raconter un emploi du temps.
– Savoir se présenter de manière formelle.

• Objectifs linguistiques

– Amorce du passé composé.
– Savoir donner l'heure et la date.

Synopsis

Antoine fait ses premiers pas en entreprise. Sa supérieure lui présente le poste, ses collègues et son bureau. L'accueil des collègues n'est pas très chaleureux et rien n'est installé dans son bureau. Très vite on lui donne de travail à faire en urgence. Il se rend compte de la tâche qui l'attend.

Découpage de l'épisode

– 1re partie : la supérieure d'Antoine lui parle de ses horaires de travail.
– 2e partie : elle lui présente un collaborateur antipathique.
– 3e partie : il rencontre la directrice commerciale qui lui donne déjà beaucoup de travail.

Transcription

DRH : Vous savez, nous sommes très contents de vous avoir.
Antoine : Merci, je suis très heureux de travailler pour vous.
DRH : Pour les horaires, votre travail commence tous les jours à neuf heures du matin et vous finissez à dix-huit heures.
Antoine : Très bien.
DRH : Évidemment, vous avez une heure pour le déjeuner, entre midi et treize heures.
DRH : Suivez-moi, nous allons visiter les bureaux.
Ici, c'est le bureau de M. Dumont. Je vous présente Antoine. Antoine travaille avec nous maintenant.
Antoine : Enchanté.
DRH : Ne vous inquiétez pas, M. Dumont est timide, mais c'est un excellent collaborateur.
DRH : Isabelle, notre directrice commerciale... C'est une jeune femme charmante.
Antoine : Je vois ça.
Isabelle : Vous êtes Antoine, n'est-ce pas ?
Antoine : Oui...
Isabelle : On m'a beaucoup parlé de vous. Je suis ravie de vous connaître.
Antoine : Vraiment ?
Isabelle : D'ailleurs, vous tombez bien. Tenez, c'est le dossier Samex, il doit être prêt pour seize heures. Je compte sur vous, on est très en retard.
Isabelle : Bon courage !
Antoine : Je suis impatient de commencer.
DRH : Ça tombe bien, voilà votre bureau. Je vous laisse, travaillez bien.

■ SUGGESTIONS D'EXPLOITATION DE LA VIDÉO

1. Regarder la vidéo sans le son. Demander aux apprenants d'imaginer les dialogues.

2. Demander aux étudiants de dire ce qu'ils voient. Écrire les mots au tableau. Puis donner quelques éléments pour décrire l'environnement de travail s'ils n'ont pas déjà utilisé les mots : *un bureau, un ordinateur, un dossier, un document, un téléphone, un écran, un clavier,* etc.

3. Demander aux apprenants de lire les questions avant de visionner l'épisode. Puis regarder le film avec le son.

4. Réviser l'heure. Demander aux étudiants de faire une enquête auprès de son voisin (*À quelle heure tu commences le cours de français ? À quelle heure tu arrives à l'école ? À quelle heure tu te réveilles ?* etc.)

Puis demander aux apprenants de raconter leur journée scolaire ou leur journée de travail en la présentant au passé composé : *hier, je suis allé au travail, j'ai commencé à 8 h puis j'ai déjeuné à 13 h,* etc. Laisser un temps de préparation pour que les étudiants écrivent leur emploi du temps avant de le lire.

Écrire les verbes au tableau lors de la correction. Ne pas hésiter à écrire également les expressions temporelles : *hier, la semaine dernière, le mois dernier, hier matin, jours de la semaine, mois,* etc.

Jeu – S'il reste du temps, faire le jeu de l'alibi : « M. Dumont a disparu depuis hier. On accuse Antoine et Isabelle de l'avoir assassiné. » Deux étudiants jouent Antoine et Isabelle. Les autres étudiants leur posent des questions sur ce qu'ils ont fait hier dans la journée. Ils doivent répondre aux questions en imaginant un scénario qui les innocente.

5. Pour l'exercice 3, réviser avec les étudiants les façons de se présenter de manière formelle (*enchanté, ravi de vous connaître, très heureux(se) de vous rencontrer,* etc.).

Jeu de rôle – Mettre les apprenants par deux ou par petits groupes, leur demander de jouer les situations suivantes :
– On vous présente votre nouveau collègue de travail.
– Vous rencontrez pour la première fois les parents de votre fiancé(e).

6. Faire l'exercice 4. Demander aux étudiants de lire les phrases complétées avant de réécouter l'épisode. Puis visionner à nouveau la vidéo en s'arrêtant sur les passages concernés pour que les apprenants aient le temps d'écrire les mots qui leur manquent.

1. a. Quels sont les horaires de travail d'Antoine ?

journée	matin	après-midi
horaires		

b. À quelle heure Antoine doit-il finir le dossier Samex ?

❑ 7 h ❑ 16 h ❑ 18 h

2. Complétez cette enquête.

a. – À quelle heure vous vous réveillez ? – ....
b. – À quelle heure vous déjeunez ? – ....
c. – .... ? – Je termine le travail à 17 h 30.
d. – Vous êtes né(e) quand ? – ....
e. – .... ? – Nous sommes mardi.
f. – Quelle heure il est ? – ....

3. Associez les phrases pour former un dialogue.

a. On m'a beaucoup parlé de vous.
b. Je vous présente Isabelle.
c. Nous sommes très contents de travailler avec vous.
d. Vous commencez à 8 h 30.
e. Je vous présente Antoine.

1. Moi, c'est Isabelle, je suis ravie de vous connaître.
2. Très bien.
3. Enchanté.
4. Vraiment ?
5. Merci, moi aussi.

4. Écoutez l'épisode. Complétez.

a. Suivez-moi, nous allons visiter les .... Ici, c'est le .... de M. Dumont.
b. Ne vous inquiétez pas, M. Dumont est .... mais c'est un excellent ....
c. Isabelle, notre directrice commerciale… C'est une jeune femme ....
d. Je suis .... de vous connaître.

5. Complétez avec *moi aussi* ou *moi non plus*.

a. J'adore ce travail.
– ....
b. Ils n'aiment pas travailler.
– ....
c. Je viens de Martinique.
– ....
d. Je suis ravie de vous rencontrer.
– ....
e. Je ne parle pas à M. Dumont.
– ....

Rencontre

• Objectif communicatif

Parler des voyages. Parler de ses goûts (*j'aime, j'adore, je préfère, je déteste,* etc.).

• Objectifs linguistiques

– Adjectifs possessifs.
– Interrogation.
– Conjugaison du verbe *prendre*.

Synopsis

Antoine et Alice se rencontrent dans la rue. C'est leur première rencontre. Antoine va au travail. Alice est en train de faire un sondage et arrive à convaincre Antoine de répondre à ses questions en faisant un peu la comédie. Le sondage concerne les voyages.

Découpage de l'épisode

– 1re partie : plan sur Antoine qui marche dans la rue.
– 2e partie : Antoine rencontre Alice et répond au sondage.
– 3e partie : Antoine s'en va et Alice est contente d'avoir interrogé une nouvelle personne.

Transcription

Alice : Bonjour, Monsieur, c'est pour un sondage.
Antoine : Je suis désolé, Mademoiselle, je n'ai pas le temps, je suis déjà très en retard.
Alice : Il n'y en a que pour quelques minutes.
Antoine : Je vous ai déjà dit non. Vous allez me laisser passer maintenant ?
Alice : Je comprends, excusez-moi... Personne ne veut répondre à mon sondage aujourd'hui... Je vais perdre mon travail.
Antoine : Ne soyez pas triste, Mademoiselle. C'est quoi votre sondage ?
Alice : C'est sur les voyages ! Alors, vous acceptez ?
Antoine : Oui, mais pas plus de cinq minutes.
Alice : Alors... Quel est votre moyen de transport préféré ? Le train ou l'avion ?
Antoine : Je préfère le train mais je prends l'avion plus souvent. Je vais souvent aux Antilles.
Alice : Très bien, je note. Alors... Deuxième question. Vous aimez passer vos vacances en France ou à l'étranger ?
Antoine : À l'étranger.
Alice : Citez-moi les pays que vous préférez visiter.
Antoine : L'Espagne. J'adore le flamenco. Le Canada, pour ses grands espaces. Et l'Italie, parce qu'on y mange très bien.
Alice : Parfait ! J'ai toutes les réponses qu'il me faut !
Antoine : Bon, je peux y aller maintenant ?
Alice : Oui, merci beaucoup.
Alice : Et un de plus !

SUGGESTIONS D'EXPLOITATION DE LA VIDÉO

1. Regarder la vidéo sans le son. Demander aux apprenants de décrire les images, le décor (extérieur rue), le temps qu'il fait et les personnages (Alice et Antoine). Imaginer une histoire. Laisser les étudiants libres d'interpréter. Faire l'exercice 1.

2. Visionner l'épisode deux fois avec le son. Demander aux apprenants de faire l'exercice 2.

3. Former des groupes de 2 personnes dans la classe. Proposer ensuite aux apprenants de préparer un petit sondage sur les voyages : *où vont-ils en vacances ? Que font-ils, comment ils partent ?* etc. Passer près des étudiants pour les écouter et les corriger.

4. Demander aux apprenants d'apporter une photo d'une destination touristique. Leur demander de la présenter.

1. Regardez l'épisode sans le son. Faites l'exercice suivant :

a. Où est Antoine ? ....

b. Où va-t-il ? ....

c. Que veut Alice ? Que fait-elle dans la rue ? ....

d. Imaginez un dialogue entre eux.

....

....

....

....

e. Décrivez ce que vous voyez.

....

....

....

....

2. Vrai ou faux ?

	Vrai	Faux
a. Au début, Antoine ne veut pas répondre au sondage.	❑	❑
b. Il dit à Alice qu'il a un rendez-vous.	❑	❑
c. Alice a vraiment peur de perdre son travail.	❑	❑
d. Antoine prend souvent le train.	❑	❑
e. Il va souvent à l'étranger.	❑	❑
f. Il aime l'Italie parce qu'il fait beau et chaud.	❑	❑
g. Antoine n'aime pas l'Espagne à cause du flamenco.	❑	❑
h. C'est la première fois qu'Alice et Antoine se rencontrent.	❑	❑

3. Complétez avec des adjectifs possessifs.

a. C'est .... moyen de transport préféré. J'adore le train.

b. Vous aimez passer .... vacances en France ?

c. Il aime le Canada et .... grands espaces.

d. J'aime .... travail. Et toi ? Tu aimes .... travail ?

4. Complétez les phrases avec le verbe *prendre*.

a. Vous .... le train ou le bus ?

b. Je .... souvent l'avion.

c. Nous .... en général le métro.

5. Trouvez les questions.

a. – .... ?

– Je préfère Paris.

b. – .... ?

– Le Danemark. J'adore le Nord.

c. – .... ?

– En avion.

Épisode 6

On se retrouve

• Objectifs communicatifs

– Savoir lire l'image.
– Comprendre les mots clés.
– Savoir commander dans un bar ou un restaurant.

• Objectifs linguistiques

– Les réponses par « *oui* » et « *si* ».
– Conjugaison de verbes.
– Les questions (*est-ce que*, inversion, intonation).

Synopsis

Antoine est dans un bar. Il regarde dans un journal des annonces pour un appartement. La serveuse arrive, c'est en fait Alice. Ils se reconnaissent. Ils discutent et se disent qu'ils cherchent tous les deux un appartement. Quand Antoine part, Alice regarde l'annonce pour l'appartement qu'Antoine a choisi.

Découpage de l'épisode

– 1re partie : Antoine entoure des annonces pour des appartements dans un journal.
– 2e partie : Alice prend la commande. Ils discutent.
– 3e partie : Antoine s'en va et Alice et regarde l'annonce qu'Antoine a entourée.

Transcription

Alice : Bonjour, Monsieur.
Antoine : Bonjour, Mademoiselle.
Alice : Qu'est-ce que je vous sers ?
Antoine : Un café allongé avec un verre d'eau, s'il vous plaît.
Alice : Tout de suite. Un allongé !
Antoine : Excusez-moi, Mademoiselle.
Alice : Oui ?
Antoine : On se connaît. On s'est déjà rencontrés.
Alice : Vous vous trompez, on ne se connaît pas.
Antoine : Si, j'en suis sûr. Vous travaillez dans les sondages, n'est-ce pas ?
Alice : Ah oui ! On s'est vus hier ! Je me souviens de vous maintenant. Le week-end, je fais des sondages pour gagner un peu d'argent. Et en semaine, je suis serveuse dans ce bar.
Vous cherchez un travail ?
Antoine : Non, j'ai déjà un travail. Je cherche un appartement à louer.
Alice : C'est vrai ? Moi aussi. Malheureusement, en ce moment, je suis trop occupée pour visiter.
Antoine : J'en visite un cet après-midi. Je croise les doigts pour que ça marche.
Alice : Et voilà.
Antoine : Merci, Mademoiselle.
Alice : Non, laissez, gardez votre monnaie ! Je vous l'offre.
Antoine : Merci, c'est gentil.
Alice : Vous savez, je ne veux pas être serveuse toute ma vie.
Alice : Je suis comédienne. Enfin, pas encore. Je commence... Bon, je vous laisse... Bonne chance pour votre appartement.
Alice : Appartement : trois pièces, cinq cents euros de loyer par mois. C'est exactement ce qu'il me faut !

■ SUGGESTIONS D'EXPLOITATION DE LA VIDÉO

1. Regarder la vidéo avec le son. Demander aux apprenants de faire l'exercice 1. Repasser l'épisode si nécessaire pendant la correction.

2. Travailler sur le vocabulaire de la gastronomie vu en classe dans l'unité 2, leçon 6. Organiser un jeu de rôle en classe : un étudiant joue le serveur, l'autre le client. Travailler sur le lexique et les questions quand il s'agit de passer commande au restaurant ou dans un bar.

1. Choisissez la bonne réponse.

a. Antoine est dans :
❑ un bar ❑ un restaurant ❑ une discothèque

b. Antoine commande :
❑ un café serré ❑ un café allongé ❑ un café au lait

c. Antoine cherche une annonce pour :
❑ un travail ❑ un appartement ❑ un colocataire

d. Dans l'annonce, l'appartement a :
❑ 4 pièces ❑ 2 pièces ❑ 3 pièces

e. L'appartement est loué à :
❑ 850 euros ❑ 520 euros ❑ 500 euros

2. Complétez les phrases avec les verbes suivants :
cherchez – sers – fais – suis – connaît – travaillez.

a. Qu'est-ce que je vous .... ?
b. On se .... ? On s'est déjà rencontrés.
c. Vous .... dans les sondages, n'est-ce pas ?
d. Le week-end, je .... des sondages.
e. Vous .... un travail ?
f. Je .... serveuse dans ce bar.

3. Répondez par « oui » ou « si ».

a. – On ne se connaît pas.
– ...., on s'est vus hier.
b. – Vous travaillez ici ?
– ...., je travaille ici.
c. – Vous ne faites pas de sondages.
– ...., j'en fais.

4. Écrivez la question correspondant à cette réponse de trois manières.

a. .... ?
b. .... ?
c. .... ?

Réponse : Je cherche un appartement.

5. Complétez le dialogue en écrivant les questions.

a. .... ? – Elle travaille dans un bar.
b. .... ? – Elle rencontre Antoine.
c. .... ? – Antoine boit un café.
d. .... ? – Antoine visite un appartement cet après-midi.

Deux pour un appartement

• Objectifs communicatifs

– Comprendre une vidéo et savoir répondre aux questions.
– Se présenter.

• Objectifs linguistiques

– Les verbes pronominaux.
– L'impératif.
– Expression de la quantité.

Synopsis

Alice et Antoine se retrouvent pour la visite de l'appartement. Il y a beaucoup de monde et Alice décide de faire semblant d'être enceinte pour passer devant tout le monde. Antoine se joint à elle en se faisant passer pour son fiancé. Ils se présentent et échangent leurs prénoms.

Découpage de l'épisode

– 1re partie : Alice retrouve Antoine.
– 2e partie : Alice joue la comédie.
– 3e partie : Alice et Antoine se présentent.

Transcription

Alice : Oh là... Le monde.
Alice : Quelle surprise de se retrouver ici !
Antoine : Qu'est-ce que vous faites là ?
Alice : Je suis là pour visiter l'appartement à louer. Vous aussi, j'imagine ?
Antoine : Oui, mais vous avez vu la file d'attente ? Y en (Il y en) a au moins pour une heure.
Alice : Oh, c'est pas un problème pour moi.
Antoine : Qu'est-ce que vous voulez dire ?
Alice : Je suis comédienne, je vais jouer mon premier grand rôle. Vous allez voir.
Antoine *(voix off)* **:** Son premier grand rôle ? Je me demande bien ce qu'elle prépare. Elle est bizarre, cette fille.
Alice : Excusez-moi, pardon !
Alice : Je suis confuse, mais il faut absolument que je visite cet appartement avant d'accoucher. Merci.
Antoine : Ah ma chérie, te voilà.
Alice : Qu'est-ce que vous faites, lâchez-moi.
Antoine : Moi aussi, je veux absolument cet appartement.
Alice : Je m'appelle Alice.
Antoine : Moi, je m'appelle Antoine, mais on peut se tutoyer maintenant que l'on se connaît.

■ SUGGESTIONS D'EXPLOITATION DE LA VIDÉO

1. Tout d'abord, regarder l'épisode sans le son. Demander aux apprenants de raconter ce qu'ils ont vu et d'imaginer l'histoire de cet épisode. Puis visionner la vidéo avec le son et répondre aux questions de l'exercice 1.

2. Pour l'exercice 6, demander aux élèves de travailler à deux et de jouer alternativement le vendeur (ou le serveur) et le client.

3. Après avoir complété la feuille d'exercices, demander aux étudiants s'ils ont déjà cherché un appartement et leur faire raconter comment ça se passe dans leurs pays. Est-ce que les locations sont chères ? Est-ce facile ?

1. Regardez l'épisode. Répondez aux questions.

a. Où sont Alice et Antoine ? ....

b. Pourquoi sont-ils là ? ....

c. Que pense Antoine à propos d'Alice ? ....

d. Que va faire Alice ? Pourquoi ? ....

e. Pourquoi Antoine se fait-il passer pour son fiancé ? ....

2. Conjuguez les verbes pronominaux suivants.

a. Bonjour, on *(se connaître)* .... ?

b. Je *(se demander)* .... si l'appartement est libre.

c. Tu *(s'appeler)* .... Antoine ?

d. Nous *(se tutoyer)* .... maintenant ?

e. Ils *(se connaître)* .... depuis hier.

3. Faites une phrase à l'impératif avec chaque verbe proposé :

lâcher – excuser – se lever – regarder – sortir

Exemple : *lâcher* → Lâchez-moi, je ne vous connais pas !

a. *excuser* → ....

b. *se lever* → ....

c. *regarder* → ....

d. *sortir* → ....

4. Complétez avec un mot qui exprime la quantité.

a. Il y a .... personnes qui visitent l'appartement.

b. Alice et Antoine doivent attendre .... de temps.

c. On voit .... arbres.

5. Mettez le verbe entre parenthèses à l'impératif puis imaginez une phrase.

Exemples : *(être, nous)* .... → Soyons calmes.

(être, tu, ne … pas) .... → N'aie pas peur.

a. *(être, tu)* .... → ....

b. *(avoir, nous, ne … pas)* .... → ....

c. *(être, vous, ne … pas)* .... → ....

d. *(avoir, vous)* .... → ....

6. Jouez ces situations.

- Vous achetez un nouveau téléphone portable et vous demandez le prix.
- Vous demandez l'addition dans un restaurant.
- Vous êtes étudiant, vous achetez un ordinateur et vous demandez une réduction.

Un appartement pour deux

• Objectifs communicatifs

– Comprendre la vidéo de manière sélective.
Relever des informations précises et repérer les mots clés.
– Retenir le vocabulaire de l'habitation.

• Objectifs linguistiques

– Champ lexical de l'appartement.
– Exprimer un besoin (*il faut, j'ai besoin de, vous devez,* etc.).

Synopsis

Alice et Antoine rencontrent l'agent immobilier. Ils font semblant d'être en couple mais on voit qu'Antoine est un peu réticent. Ils visitent les différentes pièces. Puis tous les deux disent qu'ils sont intéressés. La vérité tombe. Ils commencent à se disputer pour avoir l'appartement, alors l'agent immobilier leur propose de le prendre en colocation.

Découpage de l'épisode

– 1re partie : Alice et Antoine se présentent comme un couple devant l'agent immobilier.
– 2e partie : ils visitent les pièces de l'appartement.
– 3e partie : ils décident de le prendre en colocation.

Transcription

Agent immobilier : Je vous en prie, entrez. Bonjour, vous êtes là pour la visite ?
Antoine et Alice : Oui.
Agent immobilier : Quel couple charmant, je vois que vous attendez un heureux événement.
Antoine : À vrai dire...
Alice : ... L'accouchement est prévu pour dans un mois.
Agent immobilier : Et c'est... ?
Alice : Un garçon !
Agent immobilier : Félicitations. Alors, comme vous voyez, nous sommes dans un appartement meublé. Il y a deux chambres, une cuisine américaine et une salle de bains. Nous sommes actuellement dans le salon.
Antoine : Est-ce qu'on peut visiter l'appartement ?
Agent immobilier : Bien sûr, je vous en prie. Allez-y.
Agent immobilier : Comme vous pouvez le constater, nous sommes dans une cuisine tout équipée avec un réfrigérateur, une gazinière, un lave-vaisselle, les sèche-linge et lave-linge sont derrière le bar.
Alice : Par contre, il faut absolument changer la couleur des murs de cette cuisine.
Antoine : Je ne vois pas pourquoi, la couleur actuelle me va très bien.
Agent immobilier : Alors, voici la chambre des parents.
Antoine : Ça suffit maintenant, je veux cet appartement.
Alice : Non, cet appartement est pour moi.
Agent immobilier : Alors ?
Antoine et Alice : Je le prends.
Agent immobilier : Mais vous n'êtes pas ensemble ?
Antoine : Non, et d'ailleurs j'ai vu cet appartement le premier, il est pour moi.
Alice : C'est hors de question, je veux cet appartement. Il me le faut. Pour le bébé.
Antoine : Quel bébé ?
Agent immobilier : Écoutez, je ne vois qu'une solution.
Alice : Laquelle ?
Agent immobilier : Prenez-le en colocation. Il y a deux chambres !

■ SUGGESTIONS D'EXPLOITATION DE LA VIDÉO

1. Demander de lire le texte à trous. Regarder l'épisode avec le son. Suggérez aux apprenants de prendre des notes pour relever les mots. Faire l'exercice 1.

2. Écouter une seconde fois l'épisode avant de faire l'exercice 2. Puis demander aux apprenants de décrire leur propre appartement.

On peut demander aux étudiants d'écrire une annonce : « cherche un/une colocataire pour partager un appartement ». Faire la description de l'appartement puis la présenter aux autres apprenants. Chacun pourra à la fin choisir l'appartement qu'il préfère. Inviter les élèves à utiliser le lexique entendu dans l'épisode.

1. Complétez les mots qui manquent dans ces deux passages de l'épisode.

– Je vous en prie, ... Bonjour, vous êtes là pour la .... ?
– Oui.
– Quel couple .... ! Je vois que vous attendez un .... événement !
– À vrai dire…
– L'accouchement est prévu pour .... […]
– Alors ?
– Je le ....
– Mais vous n'êtes pas .... ?
– Non. Et d'ailleurs j'ai vu .... le premier, il est pour ....
– C'est hors de question. Je .... cet appartement. Il me le .... Pour le bébé.

2. Barrez les choses qui ne sont pas dans la description de l'appartement qu'Alice et Antoine visitent.

Nous proposons :

a. Un appartement non meublé — Un appartement meublé

b. Deux chambres et un salon — Trois chambres et un salon

c. Une cuisine séparée — Une cuisine américaine

d. Une cuisine équipée avec :
un lave-vaisselle – un four à micro-ondes – un réfrigérateur – un lave-vaisselle – un sèche-linge – une gazinière – un lave-linge – un bar – un placard

3. Transformez les phrases en changeant l'expression en gras.

a. **Il me faut** cet appartement.

....

b. **Il faut** changer la couleur des murs de cette cuisine.

....

c. **Vous avez besoin** d'un lave-linge.

....

4. Vrai ou faux ?

	Vrai	Faux
a. Antoine aime la couleur des murs de la cuisine.	❑	❑
b. Antoine et Alice sont en couple.	❑	❑
c. Antoine et Alice veulent tous les deux l'appartement.	❑	❑
d. Alice et Antoine vont faire une colocation.	❑	❑

Épisode 9

Visite des parents

• Objectifs communicatifs

– Savoir repérer les éléments visuels d'une vidéo.
– Comprendre une vidéo de manière globale et sélective.
– Parler des souvenirs (*je me souviens de, ça me rappelle*).
– Parler de sa famille.

• Objectif linguistique

Passé composé des verbes simples et pronominaux.

Synopsis

Les parents viennent à Paris pour rendre visite à leur fille. Le père a oublié de confirmer l'heure d'arrivée à Alice, ils prennent donc le métro. Arrivés devant la porte de chez leur fille, c'est Antoine qui leur ouvre car Alice est sous la douche. Ils se présentent.

Découpage de l'épisode

– 1re partie : André et Hélène sont devant la gare de Lyon, à Paris.
– 2e partie : les parents sont près de la Seine.
– 3e partie : les parents arrivent chez leur fille.

Transcription

André : Je préfère notre belle campagne. La nature, le silence.
Hélène : Tu n'es jamais content. Pense à ta fille. Et puis, à Paris, les restaurants sont meilleurs que chez nous.
André : Oui, mais ils sont plus chers.
Hélène : Je suis si heureuse de ce voyage. Ça me rappelle ma rencontre…
André : Ta rencontre ?
Hélène : Ma rencontre avec toi ! Évidemment, tu as oublié.
………
Hélène : Alice est en retard. Tu as confirmé notre arrivée ?
André : Euh, non.
Hélène : Bravo pour l'organisation ! Bon, on prend le métro ?
Hélène : La valise ! Va chercher la valise !
………
Hélène : Ah, mes pieds, mes pauvres pieds. Tu trouves ?
André : J'ai oublié mes lunettes.
Hélène : Tes lunettes pour voir de près ? Tu es vraiment tête en l'air.
André : Merci. Ah ! J'ai trouvé. Rue Molière. C'est un peu plus loin. Cette rue, là-bas.
André : J'ai hâte de la voir.
………
Antoine : Bonjour !
André : Euh, excusez-nous, nous nous sommes trompés de porte.
Antoine : Non, c'est bien ici, vous êtes les parents d'Alice ?
Hélène : C'est bien nous. Je suis sa maman et voici André, son père. Et vous, qui êtes-vous ?
Antoine : Je suis Antoine, j'habite ici avec Alice. Elle prend une douche, elle va bientôt arriver. Entrez !
Hélène : Il est mignon.

■ SUGGESTIONS D'EXPLOITATION DE LA VIDÉO

1. Regarder le reportage avec le son. Avant de commencer à faire les exercices, demander aux étudiants ce qu'ils ont vu dans l'épisode. Parler aussi des lieux de Paris : gare de Lyon, les quais de la Seine, le métro, les péniches, etc. Faire l'exercice 1.

2. Avant de faire l'exercice 2, réécouter l'épisode et demander aux apprenants de lire préalablement les phrases.

3. Quand l'exercice 4 est terminé, demander aux étudiants de se mettre par petits groupes. Leur proposer de préparer un arbre généalogique simple. Inscrire le prénom de chaque membre de la famille dans l'arbre généalogique. Puis poser des questions aux autres groupes d'étudiants : *qui est Pierre ? Qui est Julien ?* Les étudiants devront répondre : *c'est le frère de…, c'est la nièce de…*, etc.

Quelques références

La Seine : fleuve qui traverse Paris. La ville présente donc deux parties, la rive gauche (au sud) et la rive droite (au nord).

1. Choisissez la bonne réponse.

a. Au début de l'épisode, les parents d'Alice sont devant :
❏ un aéroport ❏ une gare ❏ une station de métro

b. Ensuite, les parents sont sur :
❏ un pont ❏ une péniche ❏ un quai

c. Ils veulent aller :
❏ rue Gruyère ❏ rue Baudelaire ❏ rue Molière

2. Vrai ou faux ?

	Vrai	Faux
a. André aime les grandes villes.	❏	❏
b. André pense que les restaurants sont meilleurs à Paris.	❏	❏
c. Hélène est contente d'être à Paris.	❏	❏
d. Paris lui rappelle sa rencontre avec André.	❏	❏
e. Alice est en retard.	❏	❏
f. André oublie la valise.	❏	❏
g. Les parents prennent un taxi pour aller chez Alice.	❏	❏
h. Sur le pont, Hélène a mal aux pieds.	❏	❏
i. André oublie souvent les choses.	❏	❏

3. Complétez le texte avec les verbes suivants au passé composé :
se tromper – confirmer – oublier

a. Tu .... notre arrivée ?
b. Je .... mes lunettes.
c. Nous .... de porte.

4. Retrouvez les personnes de la famille. Imaginons.
André a un frère, il s'appelle Pierre.
Pierre a un enfant qui s'appelle Julien.

a. Alice est la .... de Pierre et la .... de Julien.
b. Julien est le .... d'Alice et le .... d'André.

5. Trouvez les questions.

a. ....?
– J'habite à Bruxelles depuis quatre ans.

b. ....?
– Ça fait deux mois qu'elle travaille dans ce restaurant.

6. Mettez le récit au passé. Utilisez le passé composé et l'imparfait.
Alice et Antoine vont visiter l'appartement. Il y a beaucoup de monde. Ils décident alors d'habiter ensemble.

....

....

Alice cuisine

• Objectifs communicatifs

– Comprendre le sens général de l'épisode et repérer les mots clés.
– Parler de gastronomie et de recettes de cuisine.

• Objectifs linguistiques

– Savoir utiliser les articles partitifs.
– Savoir distinguer les pronoms compléments directs et indirects.

Synopsis

tout le monde se retrouve à table. Alice a préparé un plat un peu spécial. Les parents n'aiment pas mais ne disent rien pour ne pas vexer leur fille. Antoine, lui, apprécie le plat d'Alice. Le père propose de les inviter au restaurant le soir.

Découpage de l'épisode

- 1re partie : André et Hélène parlent d'Alice.
- 2e partie : tout le monde goûte le plat d'Alice.
- 3e partie : les parents n'aiment pas le plat, contrairement à Antoine.

Transcription

André : Tu es sûr que c'est une bonne idée ?
Hélène : C'est important pour elle. Elle veut nous montrer qu'elle est capable de vivre seule.
André : Elle ne sait même pas faire cuire un œuf. On peut commander des pizzas.
Hélène : Non, elle veut nous faire plaisir.
Alice : C'est prêt. Vous avez faim, j'espère ! Attention, c'est très chaud.
Antoine : Ça sent très bon.
Alice : Une de mes recettes.
André : Ah...
Alice : Qu'est-ce qu'il y a, papa ?
Hélène : Rien, ma chérie. Ton père et moi, nous sommes impatients de goûter.
André : Merci, ça suffit, je suis au régime.
Alice : Alors ?
Hélène : Qu'est-ce qu'il y a dedans ?
Alice : Des pommes de terre, des œufs et du fromage fondu.
André : Il y a autre chose dedans. Non ?
Alice : Du thon et de la mayonnaise...
Hélène : On sent bien la mayonnaise...
André : Il y a autre chose...
Alice : Ah oui, du piment.
André : C'est ça !
Antoine : Bravo, Alice, c'est délicieux ! Moi, ce piment, ça me rappelle la Martinique et la cuisine de ma mère.
Alice : Ce soir, je vous fais une autre de mes recettes.
André : Ah non ! Ce soir, je vous invite au restaurant.

■ SUGGESTIONS D'EXPLOITATION DE LA VIDÉO

1. Demander aux apprenants de lire les phrases de l'exercice 1. Puis regarder l'épisode avec le son. Faire l'exercice.

2. Après avoir fait l'exercice 2 en classe, proposer une activité orale : *Donnez les ingrédients d'un plat que vous avez l'habitude de faire.*
Écrire au tableau les mots nouveaux.

Proposer le jeu du « marchand Padi Pado ». Ce jeu consiste à demander s'il y a certains produits chez le marchand Padi Pado. S'il y a la lettre « i » ou « o » dans le mot, le professeur devra répondre « non ».
Par exemple : *Est-ce qu'il y a du fromage ? Non / Est-ce qu'il y a de l'eau ? Oui.*

La réponse est parfois difficile à trouver, mais cet exercice permet de travailler sur les articles partitifs. Ne pas hésiter à écrire le nom du marchand « Padi Pado » au tableau et à le répéter souvent. Donner la solution après 15 minutes, le temps que les élèves s'exercent.

1. Choisissez la bonne réponse.

a. Hélène pense qu'Alice veut leur montrer qu'elle est :
❑ bonne cuisinière ❑ capable d'être indépendante

b. La mère d'Alice dit qu'ils sont :
❑ curieux de goûter ❑ impatients de goûter.

c. Le père d'Alice ne veut pas beaucoup manger. Il dit qu'il est :
❑ fatigué ❑ au régime ❑ impatient de goûter

d. Antoine :
❑ n'aime pas le plat ❑ aime le plat ❑ préfère la cuisine de sa mère

e. Le soir, ils vont :
❑ goûter un autre plat d'Alice ❑ aller au restaurant ❑ commander des pizzas

2. Dans le plat d'Alice, il y a… ? Reliez les éléments.

Il y a…

du •	• pommes de terre
de la •	• mayonnaise
des •	• fromage fondu
	• thon
	• œufs
	• piment

3. Complétez les phrases avec des articles indéfinis, définis et partitifs.

a. Alice a fait .... plat. Il y a dedans .... mayonnaise. Alice adore .... mayonnaise.
b. Antoine a acheté .... piment. Il aime .... piment, ça lui rappelle la cuisine de sa mère.
c. André n'aime pas .... thon. Il y a .... thon dans la recette d'Alice.
d. Tu as acheté .... vin rouge ? C'est .... vin que je préfère.

4. Classez les phrases dans le tableau selon la nature des pronoms personnels compléments.

a. Je **vous** invite au restaurant.
b. Elle veut **te** montrer sa bonne cuisine.
c. Je **t'**invite ce soir.
d. Elle veut **nous** faire plaisir.
e. Ça **me** rappelle la Martinique.
f. Je **vous** fais une autre recette.
g. Nous sommes impatients de **le** goûter.

Pronoms compléments directs	Pronoms compléments indirects

Coup de stress

• Objectifs communicatifs

– Comprendre de manière globale une vidéo.
– Donner un conseil.
– Révision lexicale : parler du corps
et des problèmes de santé.
– Rapporter des paroles ou des pensées.

• Objectif linguistique

Utiliser le discours indirect (amorce).

Synopsis

Antoine rentre de sa journée de travail. Il est exténué. La mère d'Alice est en train de repasser du linge. Antoine aperçoit sa chemise en lin et se met en colère contre Hélène. Il n'aime pas qu'on touche à ses affaires.

Découpage de l'épisode

– 1re partie : arrivée d'Antoine.
– 2e partie : dispute avec Hélène.
– 3e partie : chacun regrette de s'être emporté.

Transcription

Antoine : Bonsoir, tout le monde, bonsoir, Hélène !
Hélène : Bonsoir, Antoine. Comment s'est passée votre journée au bureau ?
Antoine : Je suis fatigué, je crois que je vais m'allonger.
Antoine : Hélène ?
Hélène : Oui ?
Antoine : Qu'est-ce que vous faites ?
Hélène : Je repasse le linge.
Antoine : Je vois bien, mais c'est ma chemise.
Hélène : Elle est toute froissée. Elle sera plus jolie après.
Antoine : C'est du lin, vous allez l'abîmer… Je n'aime pas qu'on touche à mes affaires.
Hélène : Enfin ! Calmez-vous, Antoine.
Antoine : Rendez-la-moi, c'est ma chemise.
Hélène : Mais laissez-moi terminer !
Antoine : Ne touchez plus à mon linge !
Hélène : Je voulais lui rendre service, c'est tout.
André : Ne t'inquiète pas, mon amour. La prochaine fois, demande-lui la permission…
Alice : Tu devrais te décontracter, tous tes muscles sont tendus.
Antoine : Je suis désolé pour ta maman… C'est mon travail, je suis stressé. J'ai besoin de partir en vacances.
Alice : Ce n'est pas grave. Ça arrive à tout le monde.

■ SUGGESTIONS D'EXPLOITATION DE LA VIDÉO

1. Regarder la vidéo sans le son. Faire des petits groupes et demander aux apprenants de faire un résumé en imaginant l'histoire de cet épisode. Leur laisser du temps, puis écouter les différentes versions. Ensuite, visionner le reportage avec le son. Cet exercice permet d'investir le discours rapporté amorcé dans la leçon 11.

2. Visionner l'épisode avec le son. Faire l'exercice 1. Si nécessaire, regarder une seconde fois le reportage.

3. Jeux de rôle

• Vous avez perdu votre sac. Il y a dedans tout votre argent, vos clés et vos papiers. Heureusement, vous avez gardé votre portable dans la poche. Vous appelez votre ami(e). L'étudiant(e) qui jouera l'ami(e) devra utiliser les expressions pour rassurer l'autre.

• Vous êtes malade, vous appelez le médecin. (Utiliser le lexique de la maladie et du corps.)

• Vous dînez avec vos parents. Subitement, vous vous énervez pour un détail, vous vous excusez et expliquez que vous êtes stressé(e) et fatigué(e) à cause de votre examen de langue.

1. Barrez les mots incorrects.

a. Au début de l'épisode, André écrit – lit – mange – est assis – parle…

b. … et Hélène cuisine – repasse – tricote – est debout.

c. À la fin de l'épisode, Alice masse les jambes – les épaules – le dos – les pieds…

d. … d'Antoine dans la chambre – la salle de bains – la cuisine…

e. … et André masse les jambes – les pieds – les bras…

f. d'Hélène qui est assise – allongée sur le lit.

2. Vrai ou faux ?

	Vrai	Faux
a. La mère d'Alice repasse une chemise d'André.	❑	❑
b. La mère d'Alice a abîmé la chemise d'Antoine.	❑	❑
c. Antoine est furieux car il y a un trou dans sa chemise.	❑	❑
d. Antoine n'aime pas que l'on touche à ses affaires.	❑	❑
e. Antoine est stressé par son travail.	❑	❑
f. Antoine regrette d'avoir réagi comme ça avec Hélène.	❑	❑

3. Donnez quelques conseils à Antoine. Complétez avec les expressions suivantes :
Tu devrais te calmer – Calme-toi – Ne stresse pas – Ne t'inquiète pas

a. .... et repose-toi !
b. ...., et n'y pense plus !
c. ...., je vais te faire un massage pour te relaxer.
d. ...., tu vas réussir ton travail !

4. Barrez l'intrus.
Exemple : maladie – ~~fruit~~ – hôpital – sida

a. tousser – avoir mal au ventre – repasser – être fatigué
b. se sentir bien – guérir – se faire mal – se sentir mieux
c. les pieds – la bouche – le nez – la chemise – la langue
d. un présentateur – un dentiste – un chirurgien – un médecin

5. Rapportez les paroles d'Antoine.
Exemple : Je suis stressé *(dire que)* / Alice → Alice dit qu'elle est stressée.

a. Je suis fatigué *(dire que)* / Antoine

....

b. J'ai besoin de partir en vacances *(penser que)* / Antoine

....

c. Calmez-vous, Antoine ! *(demander de)* / Hélène

....

Épisode 12

Enfin, ils partent !

• Objectifs communicatifs

– Compréhension globale d'une vidéo.
– Être capable de décrire un vêtement.
– Prendre congé.

• Objectifs linguistiques

– Accord et place de l'adjectif.
– Adjectifs de couleur.
– Situer dans l'espace (*à côté de, sur,* etc.).

Synopsis

Les parents d'Alice sont sur le départ. Ils préparent leur valise. Puis ils se disent au revoir. Alice est un peu triste de les voir partir. La mère d'Alice est très heureuse d'avoir rencontré Antoine, et elle lui dit longuement au revoir, ce qui fait réagir Alice. Puis le père d'Alice dit à sa fille qu'il est fier d'elle.

Découpage de l'épisode

– 1re partie : les parents d'Alice préparent leur valise.
– 2e partie : les parents d'Alice disent au revoir.
– 3e partie : André a oublié ses chaussures.

Transcription

Hélène : Tu n'as rien oublié ? Tu as pris tes chemises ?
André : Mes chemises sont dans la valise, à côté des chaussettes et de mon pantalon beige.
Hélène : Et le pull rouge ?
André : Il est là.
Hélène : Tu l'as plié correctement ?
André : Oui, comme tu me l'as appris.
Hélène : Tiens, j'ai trouvé ton rasoir électrique dans la salle de bains, près du lavabo.
André : Ah... Heureusement que tu es là ! Voilà, la valise est prête, on peut y aller.
Hélène : Merci pour tout, ma chérie. Je suis très heureuse de voir que tout se passe bien pour toi.
Alice : Vous allez me manquer.
André : Toi aussi, tu vas nous manquer. Continue comme ça, tu te débrouilles très bien.
Hélène : Elle n'est pas toute seule, il y a Antoine.
Antoine : Ne vous inquiétez pas, Alice est comme une sœur pour moi.
Hélène : Au revoir, Antoine, je suis très heureuse de vous avoir rencontré.
Alice : Dis donc, maman, faut pas te gêner.
André : Bonne continuation, Antoine.
Antoine : André ?
André : Oui ?
Antoine : Vous n'oubliez rien ?
André : Non...
Antoine : Vos chaussures ! Vous oubliez vos chaussures !

■ SUGGESTIONS D'EXPLOITATION DE LA VIDÉO

1. Visionner la vidéo avec le son. Demander aux étudiants de faire l'exercice 1. Laisser les apprenants justifier leur choix à l'oral et développer sur une compréhension plus globale de l'épisode. Demander ce qui se passe, les réactions des personnages par rapport au départ, etc.

2. Jeux de rôle

• Vous avez fait un voyage linguistique en France. Vous remerciez votre famille d'accueil et vous lui dites au revoir.

• Vous avez passé un week-end à Paris chez les parents d'un(e) ami(e). Vous repartez chez vous, vous prenez congé.

• Vous dites au revoir à votre professeur après plusieurs semaines de cours de français.

3. Décrire la réaction et le comportement d'Alice, d'Antoine et des parents d'Alice dans cet épisode.
Faire une description psychologique des quatre personnages.

1. Vrai ou faux ? Justifiez.

		Vrai	Faux
a.	Les parents d'Alice partent en week-end.	❑	❑
b.	Hélène porte des boucles d'oreilles.	❑	❑
c.	André a oublié son rasoir électrique.	❑	❑
d.	André s'inquiète pour sa fille.	❑	❑
e.	La mère d'Alice veut qu'Antoine et Alice se marient.	❑	❑
f.	Antoine voit Alice comme une sœur.	❑	❑
g.	Alice est un peu triste que ses parents partent.	❑	❑
h.	André oublie beaucoup de choses.	❑	❑

2. Regardez la vidéo. Complétez les phrases avec les adjectifs de couleurs qui conviennent.

a. André met dans la valise un pantalon ...., un pull .... et des chemises.

b. Hélène porte une chemise ...., une veste .... et un foulard ...., ... et ....

c. Antoine porte un pull ....

d. André porte un pantalon ...., une ceinture .... et une chemise ....

3. Placez les adjectifs au bon endroit et accordez-les.

a. Quel .... ! *(pull / beau)*

b. Tu as vu mon .... ? *(pantalon / vert)*

c. J'ai acheté trois .... *(beau / chemise / blanc)*

d. Antoine est un .... *(sympathique / garçon)*

e. Alice est une .... *(beau / fille)*

f. André a un .... *(nouveau / rasoir électrique)*

4. Complétez le tableau.

prêt		prêts	
vert			vertes
	blanche		
rouge			
		beiges	
	heureuse		heureuses
	seule		

5. Complétez les phrases avec les mots suivants : *en face de, à côté de, dans, près de, devant, sur.* Attention aux contractions.

a. Hélène est .... la salle de bains .... la fenêtre, et André est .... la chambre.

b. La valise est .... le lit et les vêtements .... la valise.

c. Le pantalon beige est .... le pull rouge.

d. Alice est .... son père et .... Antoine.

Casting

• Objectifs communicatifs

– Repérer les éléments de la vidéo et les retranscrire.
– Être capable de décrire quelqu'un.

• Objectifs linguistiques

– Emploi du futur simple des verbes irréguliers (*aller, être, voir*) et révision des autres verbes irréguliers.
– Rassurer et exprimer la peur.
– Révision : décrire une personne (le physique et les vêtements).

Synopsis

Alice patiente derrière une porte en compagnie d'une autre fille. Elle est stressée, elle va passer son premier casting. L'autre candidate la regarde bizarrement. Puis Alice entre dans le bureau. Le directeur de casting l'accueille. Puis vient l'entretien à la fin duquel il lui dit qu'elle a le job. Alice est folle de joie et le directeur de casting est étonné de sa réaction.

Découpage de l'épisode

- 1re partie : Alice arrive devant la porte.
- 2e partie : Alice parle avec l'autre candidate.
- 3e partie : Alice s'entretient avec le directeur de casting.

Transcription

Alice : Bonjour ! Vous êtes là pour le casting ?
Candidate casting 1 : Oui mais…
Alice : Je suis stressée, c'est mon premier casting, après ça ira mieux.
Alice : Vous connaissez l'histoire du film ? C'est sûrement un film d'amour. Je rêve de jouer dans un film d'amour.
Voix off : Suivante !
Alice : Bonne chance !
Candidate casting 1 : Merci, après ce sera à toi.
………
Candidate casting 1 : C'est à ton tour.
Alice : Merci. Je peux ?
Directeur de casting : Je vous en prie. Quel est votre nom ?
Alice : Alice Forgeas.
Directeur de casting : Installez-vous, Alice.
Directeur de casting : Combien mesurez-vous, Alice ?
Alice : 1,70 mètre. Pourquoi vous me demandez ça ?
Directeur de casting : C'est pour le costume.
Alice : Super ! C'est pour un film en costume ?
Directeur de casting : Vous avez une expérience professionnelle ?
Alice : Non, c'est mon premier travail.
Directeur de casting : C'est sans importance, c'est pas très compliqué. Vous verrez.
Alice : Je suis très motivée.
Directeur de casting : Tant mieux ! Tenez, vous irez à cette adresse. Lundi matin, neuf heures. Je compte sur vous.
Alice : Je l'ai ?
Directeur de casting : Oui.
Alice : C'est tout ? Il faut que j'appelle mes parents ! Ils vont être tellement contents. Je suis si heureuse, merci.

■ SUGGESTIONS D'EXPLOITATION DE LA VIDÉO

1. Tout d'abord visionner l'épisode et demander aux apprenants de raconter ce qu'ils voient.

2. Avant de commencer à faire l'exercice 1, expliquer aux apprenants ce qu'on leur demande. Concernant la partie « accessoires » : *sac à main, chaussures à talon, boucles d'oreilles, collier, lunettes,* etc. Pour l'« aspect physique » : *grand, petit, taille moyenne, beau, jolie, jeune, âgé, maquillé, blonde, châtain,* etc. Pendant la correction de l'exercice, développer le lexique et comparer les résultats des étudiants. Écrire au tableau tous les mots trouvés pour chaque partie du tableau.

3. Développer l'exercice 3 en demandant aux étudiants de travailler sur les expressions et l'émotivité des personnages. Visionner à nouveau l'épisode et demander aux élèves comment se comporte Alice (*expressive, heureuse, « super », « c'est un film d'amour »*), l'autre candidate *(plus réservée, silencieuse, aigrie)* et l'employeur (*discret, calme)*. Amener les étudiants à imaginer une éventuelle chute : s'agit-il vraiment d'un casting pour un film ? etc.

4. Jeux dans la classe

• Demander à un étudiant de décrire un autre étudiant de la classe. Les autres doivent deviner qui c'est. Continuer ce jeu jusqu'à ce que tout le monde puisse décrire quelqu'un.
• Apporter en classe des images découpées dans un magazine. Présenter ces images aux étudiants et faites le même jeu que précédemment.
• Pour le futur, demander aux étudiants de raconter une histoire en utilisant le futur simple, l'un après l'autre. L'enseignant propose : vous devenez comédien ; un étudiant commence : *je serai riche,* puis un autre : *j'achèterai une voiture chère,* etc.
Ce jeu permet de réviser le futur simple de manière ludique et spontanée, en contexte de communication orale.

1. Regardez la vidéo et complétez le tableau.

	Alice	L'autre candidate	Le directeur de casting
Vêtements			
Accessoires			
Aspect physique (cheveux, visage, taille, etc.)			

2. Mettez les verbes au futur simple.

a. C'est mon premier casting, après ça *(aller)* .... mieux.
b. L'année prochaine, je *(faire)* .... un film en costume.
c. Demain, vous *(aller)* .... à cette adresse.
d. Quand je *(voir)* .... Alice, elle *(être)* .... déjà au rendez-vous.
e. Tu *(venir)* .... chez Alice et Antoine ?
f. Quand tu *(être)* .... comédienne, tu *(pouvoir)* .... jouer dans plusieurs films.

3. Reliez les phrases.

a. J'ai un entretien professionnel demain.
b. Tu as oublié mon sac.
c. Je peux rentrer ?

1. Je vous en prie.
2. Bonne chance !
3. Je suis désolé.

4. Barrez l'intrus.

a. Je suis en forme – Je suis inquiet – J'ai peur
b. Ne stresse pas ! – Aie du courage ! – Réfléchis !

Débordé

• Objectif communicatif

Compréhension globale et sélective.

• Objectifs linguistiques

– Révision du lexique.
– Pronoms « en » et « y ».

Synopsis

Antoine est débordé au travail. Il croule sous les dossiers. Le téléphone sonne, la porte de son bureau ne cesse de s'ouvrir, on lui demande de traiter des dossiers en urgence. Antoine est stressé, il ne sait plus comment faire.

Découpage de l'épisode

– 1re partie : Antoine est en plein travail.
– 2e : sa collègue lui apporte encore un dossier à faire.
– 3e : Isabelle lui conseille de se détendre et lui donne un autre dossier à faire.

Transcription

Antoine : Allô ? Le dossier Samex ? Oui, je le termine. Oui, dans une heure.
Directrice : Antoine, je vous amène le dossier Sogemax. Il doit être fini avant midi. Le client passe le chercher cet après midi.
Antoine : Je n'ai pas le temps, je suis déjà très en retard.
Directrice : C'est très important, Antoine, il faut le faire absolument.
Antoine : Dans ce cas, posez-le sur mon bureau.
Isabelle : Je ne vous dérange pas, Antoine ?
Antoine : Non, pas du tout…
Isabelle : Vous avez l'air stressé, il faut vous détendre. Prenez une grande inspiration.
Antoine : Pardon ?
Isabelle : Faites comme moi, inspirez. … Très bien. Maintenant, expirez ! Ça va vous relaxer. … Ça va mieux ?
Antoine : Nettement.
Isabelle : Tant mieux, parce que j'ai avec moi le dossier Créditplus. Il doit être fini dans une heure.

■ SUGGESTIONS D'EXPLOITATION DE LA VIDÉO

1. Regarder la vidéo sans le son. Demander aux apprenants d'imaginer l'histoire de cet épisode. Puis repasser la scène entre Isabelle et Antoine, toujours sans le son. Faire imaginer leur dialogue. Réinvestir le vocabulaire vu dans la leçon 11 (*se relaxer, expirer,* etc.).

Ensuite, visionner l'épisode avec le son. Faire l'exercice 1.

2. Réinvestir le vocabulaire de l'épisode dans les exercices 2 et 3.

3. Faire l'exercice 4 puis demander aux étudiants de se mettre par petits groupes et de préparer une série de questions simples pour les autres groupes, où les pronoms « y » et « en » seront intégrés dans la réponse : *tu veux du café ? Oui, j'en veux,* etc. Laisser jouer les groupes et les laisser interagir entre eux. Corriger et écrire les phrases au tableau.

4. Demander aux apprenants de parler du monument qu'ils voient. Demander ce qu'ils connaissent de la tour Eiffel. Ensuite, demander aux étudiants de rédiger un petit texte qui parle d'un monument de leur ville, ce qu'il symbolise et pourquoi il est connu. Puis faire raconter en classe. Pendant la préparation, corriger les éventuelles erreurs en passant dans la classe.

Quelques références

Tour Eiffel : haute de 324 mètres, tout en métal, construite par Gustave Eiffel pour l'Exposition universelle de 1889. Symbole de la France et de sa capitale. Elle est le monument payant le plus visité du monde et sert également d'émetteur de programmes radio et télévisés.

1. Vrai ou faux ?

		Vrai	Faux
a.	Antoine doit finir le dossier Samex pour midi.	❑	❑
b.	Le client vient chercher le dossier Sogemax avant midi.	❑	❑
c.	Antoine est en retard.	❑	❑
d.	Antoine doit finir le dossier Créditplus à une heure.	❑	❑

2. Trouvez un synonyme que vous avez entendu dans le reportage.

a. Je suis en retard → ....

b. Se détendre → ....

c. Sembler → ....

d. Être nerveux → ....

3. Trouvez une question qui corresponde à chaque réponse.

a. – .... ?

– Je n'ai pas le temps.

b. – .... ?

– Non, pas du tout.

c. – .... ?

– Oui, je le termine.

d. – .... ?

– Posez-le sur mon bureau.

e. – .... ?

– Oui, dans une heure.

4. Remplacez les mots en gras par les pronoms « y », « en », « le » et « les ».

a. Antoine et Isabelle sont **dans le bureau**.

b. Antoine a besoin **de vacances**.

c. Isabelle dépose **le dossier**.

d. Antoine a pensé **au dossier Samex**.

e. Antoine doit finir **les dossiers** à midi.

f. Il y a beaucoup **de dossiers** à faire.

g. Prends **le livre** !

h. Écoute **les conseils d'Isabelle** !

5. Répondez librement.

a. Vous avez une voiture ? → **– Oui, j'en ai une.**

b. Vous avez un travail ? → – ....

c. Vous écoutez de la musique française ? → – ....

d. Vous mangez des croissants ? → – ....

e. Vous mettez des cravates ? → – ....

Dans la peau du lapin

• Objectifs communicatifs

– Repérer les mots clés d'une vidéo.
– Comprendre de manière globale et sélective le contenu d'une vidéo.
– Contester ou approuver un fait.

• Objectifs linguistiques

– Le subjonctif.
– Révision des pronoms compléments.

Synopsis

Alice arrive au rendez-vous. Elle appelle sa mère, stressée, puis va à la rencontre du réalisateur. Elle s'est fait beaucoup d'illusions, il ne s'agit pas d'un tournage mais d'une action commerciale pour vendre des petits pois. L'employeur lui demande de jouer la comédie pour en vendre le plus possible, et le costume n'est autre qu'un costume de lapin rose. On voit la déception sur le visage d'Alice.

Découpage de l'épisode

– 1re partie : Alice parle au téléphone avec sa mère. Elle a le trac, elle rencontre le « faux » réalisateur.
– 2e partie : on explique à Alice, habillée en lapin, qu'elle va faire une opération commerciale.
– 3e partie : plan sur Alice, seule sur cette grande place, qui se demande ce qu'elle fait là ! C'est la déception.

Transcription

Alice : Oh là là ! Maman, j'ai le trac. Bon, écoute, je dois te laisser, je vois le réalisateur, j'arrive sur le lieu de tournage. Je te fais d'énormes baisers, tu fais des gros bisous à papa. Je t'appelle dès que j'ai fini. Je t'embrasse… Bonjour !
Superviseur : Ah, bonjour, vous arrivez tout juste. On va pouvoir commencer.
Alice : L'équipe de tournage n'est pas encore arrivée ? Elles sont où les caméras !
Superviseur : Quelle équipe de tournage ?
Alice : Pour le film.
Superviseur : Quel film ? Excusez-moi… De quoi vous parlez ? Je ne comprends pas.
Superviseur : Tenez, prenez ça.
Alice : Qu'est-ce que c'est ?
Superviseur : Votre costume, il faut que vous le mettiez pour pouvoir travailler.
Alice : Qu'est-ce que je dois faire avec ça ?
Superviseur : Je vais vous expliquer.
………
Superviseur : Vraiment, c'est parfait ! parfait ! Tournez-vous… Impeccable.
Alice : J'ai vraiment chaud dans ce costume
Superviseur : C'est normal, ça fait toujours ça au début. Tenez ! Prenez ça.
Alice : Qu'est-ce que je dois faire avec ça ?
Superviseur : Les vendre ! Donner envie aux gens de les acheter. C'est une opération commerciale.
Alice : Mais comment ?
Superviseur : Vous êtes actrice… Trouvez quelque chose… Il faut donner envie aux gens d'acheter des petits pois. Je compte sur vous, je vous laisse, il est midi, je reviens à vingt heures. Allez bon boulot, à tout à l'heure.
Alice : Des petits pois, des petits pois, tu parles d'un tournage !

■ SUGGESTIONS D'EXPLOITATION DE LA VIDÉO

1. Visionner l'épisode. Demander aux apprenants de lire les phrases de l'exercice 1. Puis regarder de nouveau la vidéo en invitant les étudiants à prendre des notes pour justifier leurs réponses. Pendant la correction, visionner les passages qui justifient les réponses.

2. Travailler sur l'image. Demander aux apprenants de décrire les différents lieux de la ville (*une place, un banc, un lampadaire, un monument*, etc.) qu'ils ont vus. Développer éventuellement le lexique autour du paysage urbain. Que trouve-t-on dans une ville ?
Puis leur demander quel est le bâtiment que l'on voit au milieu de l'épisode. Il n'est pas certain qu'ils le sachent, donc avant de leur donner la réponse (un opéra), leur demander de poser des questions, comme dans un jeu de devinettes : *Est-ce qu'on y danse ? Est-ce que c'est grand ? Est-ce qu'il y a des livres à l'intérieur ?* etc.
Enfin, leur donner la réponse en expliquant qu'il s'agit de l'Opéra Garnier (lieu pour la danse) et qu'il existe aussi l'Opéra Bastille (lieu pour l'opéra), et discuter ensemble de ce qu'ils préfèrent comme type d'expression artistique : musique, théâtre, danse. Écrire les mots au tableau et enrichir le vocabulaire.

3. Donner son opinion. Que pensez-vous de la situation d'Alice ? Doit-elle accepter de faire ce travail ?
Faire deux groupes dans la classe, un groupe trouvera des arguments pour contester le choix d'Alice, l'autre groupe l'approuvera. Après un petit temps de préparation, confronter les deux groupes et laisser libre les étudiants d'argumenter entre eux. Cet exercice permet de juger un fait.

4. Travail de groupe

Vous êtes à la place d'Alice. Que dites-vous et que faites-vous pour vendre des petits pois ? Préparez un petit texte que vous lirez devant la classe. Une contrainte : utilisez le subjonctif dans le maximum de phrases. Par exemple : *Il faut que vous achetiez mes petits pois, ce sont les meilleurs qui existent,* etc.

Quelques références

Opéra Garnier : construit sous Napoléon III (2de moitié du XIXe siècle), il fut le lieu de la haute société parisienne. Longtemps réservé à l'opéra et la danse, et longtemps considéré comme l'« Opéra de Paris », il présente maintenant essentiellement des ballets et on l'appelle Opéra Garnier (du nom de son architecte). On peut aller à l'Opéra Bastille pour écouter et voir des opéras depuis 1989.

1. Vrai ou faux ? Justifiez avec un mot que vous avez entendu.

		Vrai	Faux	Mot
a.	Alice parle avec Antoine au téléphone.	❑	❑	....
b.	Alice dit qu'elle a peur.	❑	❑	....
c.	Les caméras pour le tournage vont arriver bientôt.	❑	❑	....
d.	Alice comprend ce qu'on lui demande de faire.	❑	❑	....
e.	Alice n'aime pas porter son costume.	❑	❑	....
f.	Alice doit vendre des petits pois.	❑	❑	....
g.	L'employeur va revenir à 15 h.	❑	❑	....
h.	Il est midi quand elle commence.	❑	❑	....

2. Mettez les verbes au subjonctif.

a. Il faut que vous *(mettre)* .... ce costume.
b. Il faut que vous *(vendre)* .... des petits pois.
c. Il faut que vous *(finir)* .... à 20 h.
d. Il faut que vous *(trouver)* .... quelque chose à dire.
e. Il faut que je *(faire)* .... quoi avec ce costume ?

3. Écoutez la vidéo et complétez avec des pronoms compléments.

a. Bon, écoute, je dois .... laisser, je vois le réalisateur.
b. Je .... appelle dès que j'ai fini.
c. Il faut que vous .... mettiez pour pouvoir travailler.
d. Je vais .... expliquer.
e. Donner envie aux gens de .... acheter.

4. Barrez l'intrus.

a. un bisou – un baiser – un boulot – embrasser
b. un tournage – une boîte – un réalisateur – une caméra

5. Répondez comme dans le modèle.

a. Est-ce qu'Alice aime autre chose que le cinéma ?
– Non, elle **n'**aime **que** le cinéma. / – Non, elle aime **seulement** le cinéma.
b. Est-ce qu'Antoine habite avec une autre personne qu'Alice ?
....
c. Est-ce qu'Alice doit vendre autre chose que des petits pois ?
....
d. Est-ce qu'Alice va jouer un autre rôle que celui du lapin ?
....

6. Indicatif ou subjonctif ? Conjuguez les verbes.

a. Je souhaite que tu *(venir)* .... voir mon spectacle.
b. Je pense qu'elle *(être)* .... actrice.
c. Il a peur qu'elle *(être)* .... déçue par ce travail.
d. Je voudrais que tu *(écrire)* .... une pièce de théâtre.

ÉPISODE 16

Future star

• Objectifs communicatifs

– Compréhension sélective d'une vidéo.
– Repérer les mots clés.

• Objectifs linguistiques

– Les pronoms relatifs.
– Révision du passé et du futur.
– Exploiter le lexique autour des médias.

Synopsis

Antoine est au téléphone avec sa mère, il lui annonce qu'il vient de démissionner de son travail. Puis il aperçoit Alice en costume de lapin qui fait son show. Antoine la regarde faire son sketch, il partage ses impressions avec son voisin, qui s'avère être un producteur de film. Il a remarqué Alice et veut l'engager dans son prochain film. Antoine s'improvise comme son agent.

Découpage de l'épisode

– 1re partie : Antoine est au téléphone avec sa mère. Il aperçoit Alice.
– 2e partie : Antoine parle avec un spectateur d'Alice qui est producteur.
– 3e partie : Antoine annonce à Alice désespérée qu'elle a rendez-vous avec ce producteur.

Transcription

Antoine : Allô ? Maman ! Ça va ? Ça me fait plaisir de t'entendre… Tu as eu mon message ? Eh oui, j'ai donné ma démission au travail… Non, t'inquiète pas, ça va aller. Je vais chercher un emploi un peu moins stressant… Écoute, il faut que je te laisse, maman, je vois quelqu'un que je connais. Oui, je t'embrasse. Salut, maman.
Alice : Avec les légumes Casse-graine, donnez de la hauteur à vos repas. Riches en vitamines, ils aideront vos enfants à bien grandir. Regardez-moi, depuis que je mange les légumes Casse-graine, je fais 1,70 mètre. Je suis le lapin le plus grand du monde !
Producteur : Quelle énergie ! Elle est incroyable !
Antoine : Vous avez raison.
Producteur : Et quel don d'improvisation. Vous savez, j'ai l'œil pour repérer les gens qui ont du talent.
Antoine : Vraiment ?
Producteur : Oui, c'est mon métier. Je suis producteur de cinéma. Et je peux vous dire une chose, cette fille est une future star. Il me la faut dans mon prochain projet.
Antoine : Écoutez, vous tombez très bien. Il se trouve que je suis son agent.
Producteur : C'est incroyable ! Je vous laisse ma carte. Appelez-moi très vite, je compte sur vous !
Antoine : Merci !
………
Alice : J'en ai marre, je (ne) serai jamais une actrice. Demain, je rentre chez mes parents.
Antoine : Tu devrais réfléchir un peu avant de partir.
Alice : Pourquoi ? Je ne vais pas faire le lapin toute ma vie !
Antoine : Tiens, tu as rendez-vous demain avec ce monsieur.
Alice : Qui est-ce ?
Antoine : Un producteur de cinéma, il veut t'engager pour un rôle dans son prochain film.
Alice : C'est vrai ? T'es génial.
Antoine : Je sais.
Alice : Je t'adore !

■ SUGGESTIONS D'EXPLOITATION DE LA VIDÉO

1. Regarder la vidéo sans le son. Demander aux apprenants de raconter l'histoire de l'épisode et d'imaginer le dialogue pour les deux dernières scènes :
– Antoine et le spectateur
– Alice et Antoine
Prendre le temps pour faire cette activité, puis mettre les étudiants par petits groupes.
Écouter la vidéo à nouveau avec le son.

2. Faire l'exercice 3. Puis demander aux étudiants s'ils aimeraient être :
comédien / chanteur / producteur / cinéaste / journaliste

Pour chaque métier, demandez aux apprenants de justifier et d'argumenter leur réponse.

3. Pour l'exercice 4, demander aux apprenants d'utiliser les temps du passé pour la première partie de la rédaction, puis le futur simple ou futur proche pour la deuxième partie. Insister sur le fait qu'ils peuvent être libres d'imaginer ce qu'ils veulent : Alice se marie avec Antoine, Alice devient une grande star et Antoine son agent, etc.

1. Classez les expressions entendues dans le tableau.

	Surprise	Satisfaction	Déception
Vraiment ?			
C'est incroyable !			
J'en ai marre			
Quelle énergie !			

2. Complétez les phrases avec des pronoms relatifs *(qui, que, où)*.

a. Je te laisse, je vois une fille .... je connais et .... est comédienne.
b. Je suis dans la rue .... tu m'as rencontré l'année dernière.
c. L'homme .... tu vois et .... est en face d'Alice est producteur de cinéma.
d. La fille .... joue dans ce film a beaucoup de talent.
e. Comment s'appelle le comédien .... tu as rencontré hier soir ?

3. Barrez l'intrus.

a. une chaîne – un collier – zapper – une émission
b. un reportage – un documentaire – un film – un cahier
c. un journaliste – un comédien – un acteur – un cinéaste

4. Faites des phrases selon le modèle.

a. Antoine parle au producteur. En même temps, il regarde Alice.
→ **Antoine parle au producteur en regardant Alice.**
b. Alice vend des petits pois. En même temps, elle joue la comédie.
→ ....
c. Le producteur observe Alice. En même temps, il est sous le charme.
→ ....
d. Alice est devenue une star. C'est parce qu'elle a écouté les conseils d'Antoine.
→ ....

5. Remplacez les mots soulignés par un adverbe en *-ment*.

a. Alice fait son travail avec beaucoup de courage.
b. Alice accepte la carte du producteur avec joie.
c. Antoine parle avec le producteur avec intelligence.

6. Racontez l'histoire du film, puis imaginez la suite.

....
....
....
....
....
....
....

Bienvenue aux touristes

• Objectifs communicatifs

– Anticiper le contenu du reportage à partir des images.
– Comprendre le reportage en s'appuyant sur des éléments entendus.
– Retrouver les mots à partir du sens du reportage.
– Relever les données chiffrées du reportage.
– Reproduire une situation communicative en contexte à travers une interaction en classe.
– Énumérer ce que l'on connaît et ce que l'on aime d'une ville, d'un pays.
– Aborder quelqu'un, remercier, demander quelque chose.

• Objectifs linguistiques

Utiliser les chiffres, les nationalités. – Enrichir son vocabulaire sur le thème de la ville et du tourisme. – Savoir poser des questions simples (*où, quand, comment, etc.*).

• Objectif culturel

Parler de Paris et comparer entre apprenants des expériences en tant que touriste, ouvrir sur l'échange interculturel s'il y a différentes nationalités dans la classe.

Résumé du reportage

Ce reportage parle de l'accueil des touristes à Paris et de la création de kiosques d'information proposés par l'office de tourisme de la Ville de Paris. Ces kiosques aident les touristes à trouver leur chemin, à répondre à diverses questions lors de leur séjour dans la capitale.

Transcription

Voix off : Pour un touriste, il n'est pas toujours facile de trouver son chemin dans Paris... et il n'est pas toujours facile de trouver la personne qui vous renseigne...
Couple d'Indiens : Avant de venir ici, on pensait que ce serait difficile car personne ne parle anglais mais ce n'est pas vrai.
Voix off : Vous êtes perdu dans Paris ? Arrêtez-vous à un de ces kiosques. Ici, on vous accueille et on vous renseigne en français mais aussi en anglais, en allemand, en espagnol, en italien... et aussi en russe et en japonais...
1re hôtesse en vert : La plus bizarre : « Où est Notre-Dame ? » Plusieurs fois, on nous l'a déjà demandé.
2e hôtesse en vert : Tout à l'heure, nous avons eu un touriste du Kazakhstan qui cherchait des restaurants russes.
Hôte en polo mauve : Parfois on ne peut pas répondre mais sinon on a l'Internet mais comme ça on peut s'aider.
Voix off : L'office de tourisme de la Ville de Paris s'adapte à de nouvelles demandes, en particulier chinoises... Les touristes seront nombreux cette année, intéressés par Paris Plage ou la Coupe du monde de rugby...
Le responsable de l'office du tourisme : 97 % des touristes interrogés sur notre site Internet ont l'intention de revenir à Paris, ce qui prouve que l'accueil n'est vraiment pas si mauvais que ça. Bien au contraire...
Voix off : 70 millions de touristes ont visité Paris cette année... Alors qui peut dire qu'en France on accueille mal les touristes ?

■ SUGGESTIONS D'EXPLOITATION DE LA VIDÉO

Activité 1

Lecture de l'image sans le son. Visionner le reportage sans le son et sans les sous-titres. Puis demander aux élèves de faire l'activité 1. Ensuite, demander aux élèves ce qu'ils voient et de quoi cela parle, leur faire émettre des hypothèses sur le sujet. Écrire au tableau les différentes propositions. Que connaissent-ils de Paris ? Y sont-ils déjà allés ? Développer sur l'expérience d'une autre ville à l'étranger. Écrire au tableau des lieux qu'ils connaissent ou qu'ils ont vu dans le reportage : Notre-Dame, Paris Plage, la Seine et les bateaux-mouches, l'Hôtel de Ville, le Moulin Rouge (sur prospectus).

Activité 2

Regarder une seconde fois le reportage, cette fois-ci avec le son mais sans les sous-titres. Apporter éventuellement des photos pour illustrer Paris. Corriger l'exercice en repassant les moments qui illustrent leurs réponses.

Activité 3

Visionner à nouveau le reportage si nécessaire. Réviser les adjectifs de nationalité si besoin, au masculin, féminin, pluriel.

Activité 5

Faire des groupes de deux étudiants. Passer à côté des apprenants pour vérifier le contenu de leur échange. S'il reste du temps, proposer une discussion avec toute la classe en demandant aux élèves l'image qu'ils ont des Parisiens et des Français en général. Le but de cette dernière activité est de réutiliser le vocabulaire et les informations vus dans le reportage.

Quelques références

Cathédrale Notre-Dame : l'une des plus remarquables cathédrales de l'architecture gothique en France et en Europe. C'est l'un des symboles les plus connus de la capitale française, elle est située à l'extrémité est de l'île de la Cité, centre historique de la ville, tout près de la Seine. La construction s'est faite en deux siècles (1163-1345).
Paris Plage : événement estival à Paris sur les quais de la Seine, créé en 2002 : entre juillet et août, les quais accueillent des activités ludiques et sportives, des plages de sable et d'herbe, des palmiers, etc. La circulation automobile est arrêtée sur cette partie des quais.

Activité 1

Regardez le reportage et répondez aux questions.

a. À votre avis, dans quelle ville et dans quel pays se passe le reportage ?

....

b. Où sont les gens ? ....

....

c. Décrivez 8 choses que vous voyez dans la rue : *un arbre,* ....

....

d. Que voyez-vous dans la dernière image du reportage ? ....

....

Activité 2

Cochez la ou les bonne(s) réponse(s). Réécoutez le reportage si nécessaire.

1. Le reportage parle...

❑ **a.** de l'accueil des touristes à Paris
❑ **b.** des bornes Internet à Paris
❑ **c.** des monuments historiques de Paris

2. Le couple d'Indiens pense que les Parisiens...

❑ **a.** ne parlent pas anglais
❑ **b.** font des efforts de parler anglais
❑ **c.** n'aiment pas parler anglais

3. Dans les kiosques Parisinfo, les personnes...

❑ **a.** informent les touristes dans beaucoup de langues
❑ **b.** vendent des tickets pour des spectacles au Moulin Rouge
❑ **c.** donnent des informations sur les restaurants

4. Combien de touristes ont visité Paris cette année ?

❑ **a.** 60 millions ❑ **b.** 110 millions ❑ **c.** 70 millions

Activité 3

Entourez les langues que l'on parle dans les kiosques Parisinfo.

espagnol polonais italien anglais français
russe chinois suédois néerlandais allemand

Activité 4

Écoutez le reportage. Complétez les paroles du responsable de l'office du tourisme et complétez.

« .... % des touristes interrogés sur notre site Internet ont l'intention de .... à Paris ».

Activité 5

Jeu de rôle

Vous êtes perdu dans Paris. Présentez-vous et demandez votre chemin à un passant.

Allez la France !

• Objectifs communicatifs

– Comprendre le reportage et savoir sélectionner pour répondre aux questions demandées. Compréhension globale et sélective.
– Dégager les grandes lignes d'un reportage.
– Relever les informations demandées.
– Repérer les mots clés du reportage.
– Rédiger un bref récit d'événement au passé composé.

• Objectifs linguistiques

– Enrichir et développer le lexique lié au sport en général (supporters, équipe, match, premier, dernier, victoire, champion, etc.).
– Présenter un événement passé.
– Parler de ses loisirs et de ses activités (*faire de* + activité).

• Objectif culturel

Comparez les habitudes et les activités sportives dans d'autres pays.

Résumé du reportage

Les Parisiens fêtent la victoire du match de rugby qui a opposé l'équipe de France aux All Blacks, l'équipe de Nouvelle-Zélande. Il s'agit du quart de finale de la Coupe du monde de rugby. Les Français fêtent l'événement sur les Champs-Élysées, ils sont heureux et espèrent gagner la demi-finale qui les affrontera aux Anglais.

Transcription

Voix off : C'est une soirée historique… L'équipe de France de rugby vient de battre la Nouvelle-Zélande, les terribles All Blacks, en quart de finale de la Coupe du monde de rugby.
La femme : Trop fort, trop bon ! … Très, très beau match !
Voix off : Le match a été difficile. Les Français ont eu très peur. Mais, en deuxième partie, Michalak est arrivé et la chance a été du côté des Français… Les supporters remercient leurs héros…
Jeune homme : Je crois que ça a été magnifique, alors autant faire la fête et en profiter jusqu'à la prochaine demi-finale.
Homme au chapeau : Il faut aller au bout les Français, au bout, il faut être champions du monde !
Voix off : Ce soir, beaucoup de monde sur les Champs-Élysées… On fête la victoire… Mais ce n'est pas fini… Il faut maintenant battre le XV de la Rose, l'équipe d'Angleterre, champions du monde… Rendez-vous dans une semaine !
Supporter : Allez les Bleus, allez les Bleus !

SUGGESTIONS D'EXPLOITATION DE LA VIDÉO

Activité 1

Mettre les étudiants par petits groupes. Visionner le reportage avec le son mais sans les sous-titres. Demander à chaque groupe de comparer les résultats. Laisser les apprenants s'exprimer et écrire au tableau les mots nouveaux : par exemple *drapeau, béret*, etc. Enrichir le lexique des verbes d'action : *crier, sauter, danser, etc.*

Activité 2

Avant de commencer l'activité 2, demander aux apprenants de lire les mots proposés. Ne pas expliquer ces mots. Puis visionner à nouveau le reportage. Ensuite, comparer les résultats et expliquer le vocabulaire proposé dans l'activité. Toujours demander aux étudiants d'expliquer le vocabulaire en premier, avant de le faire. Montrer à nouveau le reportage s'il y a un désaccord entre les apprenants.

Activité 3

À ce stade de l'exercice, demander aux apprenants de répondre directement aux questions sans regarder le reportage. Laisser quelques minutes, puis comparer les résultats. Demander aux élèves de justifier leurs réponses à l'oral et montrer les passages du reportage si nécessaire.

Activité 4

Exercice sans visionnage du reportage. Exploiter le vocabulaire de l'émotion. Ouvrir le champ lexical de l'émotion (joie, enthousiasme, regrets, etc.) et écrire le vocabulaire au tableau.

Activité 5

Faire l'exercice sans visionner le reportage. Pour prolonger cette activité, proposer aux élèves de faire des phrases illustrant le reportage, en utilisant le passé composé. Faire des petits groupes dans la classe si nécessaire, selon les niveaux.

Activité 6

Faire des groupes de deux pour un travail commun. À la fin de la rédaction de l'exercice, faire corriger par les autres groupes. Passer parmi les apprenants pour les orienter. Le but de cette activité est d'exploiter le vocabulaire et de travailler sur le passé composé à l'écrit.

Quelques références

All Blacks : équipe de rugby de Nouvelle-Zélande, considérée comme l'une des meilleures sélections nationales au monde. Tous les quatre ans a lieu la Coupe du monde de rugby à XV.
Avenue des Champs-Élysées : c'est une grande et célèbre avenue de Paris. Elle est considérée comme la plus belle avenue de Paris, et, selon une expression couramment utilisée France, comme la plus belle avenue du monde. Dans la mythologie grecque, les « champs Élysées » étaient le lieu des Enfers où séjournaient les âmes vertueuses.
Le XV de la Rose : équipe de rugby d'Angleterre, considérée comme l'une des meilleures équipes du monde.
Les Bleus : nom que l'on donne à l'équipe de France car ils portent des vêtements de sport bleus.

Activité 1

Regardez le reportage. Complétez le tableau.

Le lieu et l'événement	Les actions des gens	Les objets symboliques de la France

Activité 2

Entourez les mots que vous avez entendus dans ce reportage.

supporters – champions – gagner – équipe – ballon – football – match – voiture – les Bleus – battre – Italiens – victoire – premier – monde – coach.

Activité 3

Regardez le reportage et dites si les affirmations sont vraies ou fausses.

		Vrai	Faux
a.	La France a gagné le match de rugby contre la Nouvelle-Zélande.	❏	❏
b.	Les Français ont gagné très facilement le match.	❏	❏
c.	Le prochain match se passera avec l'équipe d'Irlande.	❏	❏
d.	Le prochain match se passera dans une semaine.	❏	❏
e.	C'est la demi-finale de rugby.	❏	❏

Activité 4

Associez les mots contraires.

bon •	• facile
victoire •	• horrible
beau •	• mauvais
magnifique •	• laid
difficile •	• défaite

Activité 5

Réécoutez le reportage. Complétez le texte avec les verbes suivants au passé composé.

ont eu – est fini – a été – est arrivé

a. Le match .... difficile.
b. Les Français .... peur.
c. Michalak ....
d. On fête la victoire. Mais ce n' .... pas ....

Activité 6

Vous êtes journaliste et vous interviewez un sportif après un match.
Utilisez le passé composé pour raconter l'événement sportif.

Le TGV Est

• Objectifs communicatifs

- Comprendre les informations du reportage de manière globale puis de manière sélective.
- Identifier les mots clés.
- Relever les données chiffrées du reportage.

• Objectifs linguistiques

- Développer le champ lexical du voyage (étendre à *l'avion, le bateau,* etc.).
- Repérer les adjectifs possessifs et démonstratifs.
- Savoir comparer en utilisant des phrases comparatives.

• Objectif culturel

- Parler des moyens de transport de son pays.
- Parler des voyages.

Résumé du reportage

C'est l'inauguration du TGV Paris-Metz. Réactions des passagers pour cet événement qui va permettre de relier ces deux villes en 1 h 30. Le reportage parle également d'un autre train à grande vitesse, l'ICE allemand.

Transcription

Voix off : Aujourd'hui, c'est le premier voyage du TGV sur la ligne Paris-Metz... Le train à grande vitesse est complet... Au bar, il y a du monde... Avec ce train, pour aller de Paris à Metz, les voyageurs vont mettre seulement 1 h 30... Alors on boit le champagne...

Passager : Ça fait un mois et demi qu'on cherchait des billets. On les a trouvés. On en a acheté 18. Il y a deux groupes. J'en ai acheté 18 pour inviter tous mes amis à faire ce trait d'union avec Paris en aller-retour. On trouve ça magique.

Voix off : D'autres voyagent en famille.

Jeunes mariés : Demain, c'est notre anniversaire de mariage. En fait, on a prévu ça depuis longtemps, quoi, pour organiser cet aller-retour sur Paris à 15 €, donc.

Voix off : Aujourd'hui, on peut aussi découvrir un autre train à grande vitesse sur la même ligne : l'ICE allemand (l'Intercity-Express)... Un train avec sièges avion et service à bord... Il circule à 320 km/h... C'est le train commercial le plus rapide du monde... et ce Coréen apprécie...

Coréen et son interprète : Je préfère le train parce que l'avion, ça prend trop de temps de prendre l'avion entre la France et l'Allemagne.

Voix off : Alors aujourd'hui, les voyageurs ont envie de faire la fête...

■ SUGGESTIONS D'EXPLOITATION DE LA VIDÉO

Activité 1

Avant de regarder le reportage, laisser le temps aux apprenants de lire les questions. Regarder le reportage avec le son mais sans les sous-titres. Visionner une seconde fois si nécessaire.

Activité 2

Enchaîner l'activité 2 sans regarder à nouveau le reportage.

Activité 3

Faire lire les questions. Puis dire aux étudiants de prendre des notes en regardant le reportage pour relever les informations précises demandées dans les questions de l'activité.

Activité 5

Faire deux groupes. Demander à un groupe de développer les avantages de l'avion et à l'autre les avantages du train. Confronter ces deux groupes dans une discussion en classe. Puis ouvrir une discussion en commun sur les transports et sur les voyages. Laisser les élèves libres de parler.

Quelques références

TGV : train à grande vitesse (270 à 320 km/h), ouvert au public pour la première fois en 1981, pour la ligne Paris-Lyon.

ICE : Intercity-Express, train à grande vitesse d'origine allemande. Il date de 1985 et dessert plusieurs grandes villes d'Allemagne.

Metz : chef-lieu du département de la Moselle et préfecture de la région Lorraine, dans le nord-est de la France.

Activité 1

Regardez le reportage et répondez aux questions.

a. Où sont les gens ? ....

b. Pourquoi c'est un événement aujourd'hui ? ....

c. Comment s'appellent les deux trains ? ....

d. Quelle est leur particularité principale ? ....

Activité 2

Barrez les verbes qui ne correspondent pas à une action que vous voyez dans le reportage.

boire – parler – s'embrasser – se disputer – téléphoner – embarquer – manger – jouer – chanter – voyager.

Activité 3

Réécoutez le reportage avec attention.

a. Retrouvez l'information qui correspond à chaque chiffre.

18 •	• euros
2 •	• temps du trajet entre Paris et Metz
15 •	• billets de train
320 •	• groupes
1 h 30 •	• vitesse du train

b. Complétez en utilisant…

– un adjectif démonstratif :

avec .... train – pour organiser .... aller-retour.

– un adjectif possessif :

pour inviter tous .... amis

c'est .... anniversaire de mariage.

Activité 4

Que pensent les trois passagers interrogés ? Choisissez la bonne réponse.

• 1er PASSAGER

❑ **a.** Il voulait inviter sa famille.

❑ **b.** Il voulait inviter ses amis.

❑ **c.** Il voulait vivre cet événement exceptionnel.

• 2e PASSAGER

❑ **a.** Il voyage à cause de son nouveau travail à Paris.

❑ **b.** Il voyage car le billet coûte seulement 15 euros.

❑ **c.** Il voyage car c'est l'anniversaire de son mariage.

• 3e PASSAGER

❑ **a.** Il préfère le train parce que c'est plus rapide que l'avion entre la France et l'Allemagne.

❑ **b.** Il préfère l'avion parce que c'est plus rapide.

❑ **c.** Il n'aime pas le train parce que le voyage est trop long depuis l'Allemagne.

Activité 5

Discussion en classe : préférez-vous voyager en train ou en avion ? Pourquoi ?
Parlez des moyens de transport dans votre pays.

Le festival de Mougins

• Objectifs communicatifs

– Relever et identifier les éléments entendus dans le reportage.
– Comprendre des personnes interviewées.
– Comprendre des recettes de cuisine.
– Écrire une recette de cuisine.

• Objectif linguistique

Savoir utiliser tous les articles (définis, indéfinis, partitifs).

• Objectifs culturels

– Découvrir un festival du sud de la France.
– Découvrir une région de France.
– Parler des spécialités de son pays.

Résumé du reportage

Le festival de Mougins a lieu chaque année à Mougins, village situé au nord de Cannes. Il réunit les plus grands chefs de la gastronomie internationale. Dans ce reportage, deux grands chefs parlent de leur vision de la cuisine, un grand chef français et un autre camerounais.

Transcription

Voix off : C'est le rêve des gourmets, Alain Llorca, Christian Willers et Pierre Gagnaire réunis. Sept étoiles du guide Michelin à eux trois et l'envie de partager leur passion comme tous les chefs venus du monde entier à Mougins. C'est Alain Llorca qui commence avec un risotto glacé.

Alain Llorca : Tous les chefs qui arrivent sont des chefs du monde entier : New York, Liban… Donc c'est aussi un partage, c'est aussi des connaissances différentes, c'est des recettes différentes, des saveurs différentes. C'est toujours intéressant d'avoir une palette comme ça de chefs internationaux qui viennent partager ces idées.

Voix off : Un peu plus loin, dans la vieille ville, c'est l'Afrique qui propose ses saveurs. Le chef camerounais Alexandre Bella Ola prépare un poulet DG ou « directeur général ».

Bananes, épices, huile d'arachide, les ingrédients de l'Afrique associés au riz asiatique et au concentré de tomate européen. Pour l'Afrique aussi une cuisine métissée.

Alexandre Bella Ola : Le plat de paix, c'est en fait… c'est le plat familial, généralement en Afrique, le *tcheboudiène*. C'est un grand plat où tout le monde mange avec la main, où tout le monde le partage, c'est la paix, c'est vraiment, c'est quelque chose que je ne sais pas comment je pourrais vous le dire et quand on mange dans la même assiette, forcément, on est en paix.

■ SUGGESTIONS D'EXPLOITATION DE LA VIDÉO

Activités 1 et 2

Demander aux apprenants de lire ce qu'on leur demande dans les activités 1 et 2. Visionner une première fois le reportage avec le son mais sans les sous-titres. Demander aux étudiants de commencer à remplir le tableau. Puis regarder une seconde fois et répondre à la totalité des questions des activités 1 et 2. Comparer les résultats en écrivant au tableau les différents éléments trouvés.

Activité 3

Focaliser le visionnage sur les interviews des deux chefs. Proposer aux apprenants de prendre des notes.

Activité 4

Demander aux étudiants de porter leur attention sur les définitions. À ce stade-là, éviter de montrer le reportage. Proposer aux apprenants de comparer leurs réponses et reproduire la grille au tableau. Cette activité permet de repérer certains mots du reportage.

Activité 5

Faire travailler les étudiants par petits groupes (2 ou 3 apprenants). Demander de choisir une recette de cuisine et de décrire les différentes étapes de la préparation. N'hésitez pas à intervenir pour des questions de vocabulaire (notamment pour les verbes utilisés dans les recettes). Demander aux apprenants de bien utiliser les articles partitifs quand nécessaire. Laisser 20 minutes. Après, faire un vote pour les « meilleures » recettes au sein de la classe.

Quelques références

Festival de Mougins : le premier festival international de la gastronomie de Mougins a eu lieu en 2006. Il regroupe de nombreux cuisiniers du monde entier.

Guide Michelin : appelé également *Le Guide rouge*, c'est l'un des plus anciens guides gastronomiques européens. C'est dans ce guide que sont attribués les *macarons* ou les *étoiles Michelin*. Ce guide est né au début du xxe siècle.

Alain Llorca : grand chef cuisinier qui tient le fameux Moulin de Mougins à Mougins depuis 2004.

Pierre Gagnaire : grand chef cuisiner qui tient plusieurs grands restaurants (à Paris, Tokyo, Londres et Hong Kong).

Christian Willer : grand chef du restaurant La Palme d'or au sein de l'hôtel Martinez (palace où descendent toutes les stars à Cannes). Originaire d'Alsace.

Alexandre Bella Ola : grand chef camerounais qui tient à Paris le restaurant nommé Moussa l'Africain.

Activité 1

Regardez le reportage. Complétez le tableau.

Les lieux (continent, pays, ville)	Les cuisiniers	Les aliments

Activité 2

1. Entourez les mots que vous avez entendus dans le reportage.

recette – plat – chef – riz – pomme – huile – fourchette – banane – couteau – restaurant – tomate.

2. Dites ce qu'il y a dans la recette d'Alexandre Bella Ola en utilisant les articles partitifs.

Il y a :

.... bananes
.... épices
.... huile d'arachide
.... poulet
.... riz

Activité 3

Écoutez le reportage. Que disent les deux chefs interrogés à propos de la cuisine ?

a. Alain Llorca
b. Alexandre Bella Ola

❑ C'est la paix.
❑ C'est intéressant.
❑ C'est un partage.
❑ C'est partager des idées.
❑ C'est partager des connaissances différentes.
❑ C'est familial.

Activité 4

Complétez la grille suivante. Trouvez le mot mystère.

1. Quelle activité font les personnes interrogées ? La ....
2. Quelle viande utilise le chef camerounais ? Du ....
3. Où se passe le festival ? À ....
4. Que font les cuisiniers ? Des ....
5. Dans toutes les recettes, on met du .... et du poivre.
Mot mystère : ....

Activité 5

Toute la classe participe au festival de Mougins. Vous écrivez une spécialité culinaire de votre pays que vous aimez, vous la présentez au festival, puis vous votez en classe.

Feria de Bayonne

• Objectifs communicatifs

– Anticiper le contenu du reportage à partir des images.
– Comprendre le reportage à partir des choses entendues.
– Être capable de rédiger des réponses courtes.

• Objectifs linguistiques

– Savoir repérer les expressions temporelles.
– Savoir utiliser le champ lexical de l'habillement (type d'habits et couleurs).

• Objectif culturel

Comparer les fêtes propres à chaque pays.

Résumé du reportage

Le reportage parle de la Feria de Bayonne qui a lieu chaque été dans cette petite ville du Pays Basque. Il montre les traditions vestimentaires et parle de son organisation. Des personnes sont interrogées pour parler de l'importance de la tenue pendant les fêtes.

Transcriptions

Voix off : Bayonne, petite ville du Pays Basque, à quelques heures du début des fêtes... La ville se prépare à accueillir 300 000 personnes, chaque soir, pendant cinq jours... Certains sont venus de très loin pour leur première feria...
Touriste étranger : C'est super ! Je viens d'Australie et c'est vraiment différent. C'est génial d'être ici pour s'imprégner de tout ça !
Voix off : À la Feria de Bayonne, ce qui est important, c'est la tenue. Par respect de la tradition, tout le monde s'habille de blanc et de rouge et on s'équipe au supermarché local...
Garçon au polo noir : On garde nos traditions, c'est oui... C'est... carrément, carrément... On arrive propre et on passe de bonnes fêtes jusqu'au lendemain... Et ainsi de suite quoi, oui...
Voix off : Avec la même tenue, on est vraiment ensemble...
Jeune fille : Ah ben oui, c'est ça justement qui crée aussi... Le fait que tout le monde soit habillé de la même façon, ça crée une certaine ambiance en plus, quoi. C'est ça qui est bien...
Voix off : Ce soir, 22 heures, du balcon de la mairie, le maire et ses invités vont remettre les clés de la ville aux habitants et ce sera le début de cinq jours de fête...

■ SUGGESTIONS D'EXPLOITATION DE LA VIDÉO

Activité 1

Demander aux étudiants de lire les mots. Regarder le reportage sans le son ni les sous-titres. Demander aux étudiants d'être attentifs aux choses qu'ils voient dans le reportage. Faire l'exercice. Demander aux apprenants s'ils comprennent les choses qu'on ne voit pas dans le reportage. Définir ensuite ces mots inconnus à la fin de l'exercice. Laisser parler les élèves sur d'autres choses qu'ils ont vues dans le reportage.

Activités 2 et 3

Demander aux apprenants de lire les questions. Regarder le reportage avec le son. Suggérer aux élèves de prendre des notes.

Activité 4

Réécouter le reportage. Focaliser l'attention des étudiants sur l'aspect sélectif de l'exercice. Demander éventuellement aux apprenants les différentes manières de parler du temps avant de faire l'exercice.

Activité 5

Exercice d'expression orale. Échange interculturel entre les apprenants. Développer avec toute la classe le vocabulaire de l'habillement ainsi que les couleurs. Pour étendre l'activité, demander aux étudiants d'apporter une photo de magazine et de décrire les vêtements d'un personnage.

Quelques références

Bayonne : ville du Pays Basque, proche de la frontière avec l'Espagne et traversée par le fleuve Adour. Elle possède un port actif. Durant l'été, on assiste à des corridas, c'est l'un des lieux les plus importants de la tauromachie en France. Les fêtes de Bayonne, ou Feria de Bayonne, ont aussi beaucoup de succès.
Feria de Bayonne : cette fête date de 1932, inspirée des fêtes de Pampelune. Elle débute le mercredi qui précède le premier week-end du mois d'août et se termine le dimanche suivant. Deux corridas ont lieu durant les fêtes, mais aussi le meilleur de la tradition basque : pelote, musiques et danses, défilé de *toros de fuego* (spectacle pyrotechnique), feux d'artifice, etc. Les clés de la ville sont lancées du balcon de la mairie pour inaugurer le début des festivités.

Activité 1

Regardez le reportage et dites si vous voyez les éléments suivants :

une rue – des musiciens – une terrasse de café – un foulard – un taureau – des ballons – un fleuve – une banque – un comptoir – un café – un supermarché – une église – une mairie – un pont – des magasins – une librairie.

Activité 2

1. Bayonne se trouve :

❑ **a.** sur la Côte d'Azur
❑ **b.** au Pays Basque
❑ **c.** en Bretagne

2. Combien de personnes viennent à la fête ?

❑ **a.** 150 000
❑ **b.** 350 000
❑ **c.** 300 000

3. La Feria de Bayonne dure :

❑ **a.** 3 jours
❑ **b.** 5 jours
❑ **c.** 1 jour

4. D'où viennent les trois jeunes hommes interrogés dans la rue ?

❑ **a.** d'Autriche
❑ **b.** d'Australie
❑ **c.** de Scandinavie

5. À quelle heure le maire rencontre-t-il les habitants ?

❑ **a.** à 20 heures
❑ **b.** à 22 heures
❑ **c.** à 23 heures

Activité 3

Répondez aux questions.

a. Quels sont les habits traditionnels de la Feria de Bayonne ? Quelles en sont les couleurs ?

....

b. Où peut-on les trouver ? ....

c. Pourquoi tout le monde s'habille de la même manière ?

....

d. Pourquoi c'est important d'avoir la même tenue ?

....

Activité 4

Écoutez à nouveau le reportage. Relevez cinq expressions de temps.

....

....

Activité 5

Comment voyez-vous les fêtes en France ? Connaissez-vous d'autres fêtes ? Dans votre pays, avez-vous des fêtes semblables ? Décrivez les habits traditionnels de ces fêtes (type de vêtements, couleurs, accessoires).

Les catherinettes

• Objectifs communicatifs

– Comprendre les informations du reportage de manière globale puis de manière sélective.
– Être capable d'utiliser le vocabulaire entendu dans le reportage.

• Objectifs linguistiques

– Décrire une personne.
– Développer le champ lexical des vêtements et de l'aspect physique.
– Enrichir son vocabulaire.

• Objectif culturel

Parler des traditions.

Résumé du reportage

À l'occasion de la Sainte-Catherine, de grandes maisons de couture organisent un concours de chapeaux pour leurs employées. C'est la maison Cartier qui a gagné le prix cette année.

Transcription

Voix off : Qu'est-ce qu'une catherinette ? Une fille de 25 ans qui n'est pas encore mariée. Comment peut-on la reconnaître ? Le jour de la Sainte-Catherine, elle porte un chapeau jaune et vert... Mais sainte Catherine, c'est aussi la protectrice des couturiers et, pour l'occasion, de grandes maisons de couture comme Dior, Cartier et Chanel ont organisé pour leurs employées un concours de création de chapeaux.
Homme styliste : Ah on fait cette tradition parce que tout d'abord, c'est pour maintenir vivantes les traditions de la couture, la couture qui est un savoir-faire français, un savoir exclusivement français. Et vous avez vu qu'il y avait deux filles derrière, toutes les deux qui ont été primées, qui avaient fait leur robe. C'est assez fantastique...
Voix off : Look seventy chez Chanel, plus classique chez Dior mais cette année, c'est la catherinette de chez Cartier qui a gagné le concours.
Femme styliste : C'est génial, le chapeau des catherinettes, parce qu'ils ne sont pas faits pour être portés toute la journée ni dans la rue. Ma fille n'a pas à s'inquiéter de ce que vont penser les gens. Il n'y a pas d'autre objectif que de célébrer la Sainte-Catherine. C'est une forme de créativité complètement différente, je ne me mets pas à dessiner des chapeaux pagodes tous les jours...
Voix off : Mais cette originalité va-t-elle séduire les hommes ?

■ SUGGESTIONS D'EXPLOITATION DE LA VIDÉO

Activité 1

Avant de regarder le reportage, laisser le temps aux apprenants de lire les questions. Regarder le reportage avec le son mais sans les sous-titres. Visionner une seconde fois si nécessaire. Faire l'exercice.

Activité 2

Visionner à nouveau le reportage si nécessaire. Inviter les étudiants à prendre des notes.

Activité 4

Faire l'exercice sans écouter le reportage. Développer le lexique, puis demander aux apprenants de compléter les phrases.

Activité 5

Placer les étudiants en petits groupes pour discuter. Passer auprès d'eux et corriger les éventuelles erreurs à l'oral. Pour la première question, encourager les élèves à utiliser le vocabulaire des vêtements et de la mode.

Quelques références

La Sainte-Catherine : le 25 novembre, jour de la Sainte-Catherine, est le jour des catherinettes. On y fête les jeunes filles de 25 ans qui ne sont pas encore mariées. La tradition veut qu'elles portent un chapeau aux tons jaune et vert confectionnés pour ou par elles, à leur image. Cette tradition date du Moyen Âge. Les jeunes filles de 25 ans non mariées allaient au bal et celles qui voulaient trouver un mari se mettaient un chapeau extravagant sur la tête. Elles y accrochaient des objets jaune et vert pour se faire remarquer.

Activité 1 **Choisissez la bonne réponse.**

1. Que montre le reportage ?
- ❑ **a.** Un défilé de mode
- ❑ **b.** Un concours
- ❑ **c.** Une réception mondaine

2. Comment définir une catherinette ?
- ❑ **a.** Une fille de 25 ans déjà mariée
- ❑ **b.** Une femme mariée depuis 25 ans
- ❑ **c.** Une fille de 25 ans non mariée

3. Quelle est la particularité de la catherinette ?
- ❑ **a.** Elle porte un chapeau vert et jaune.
- ❑ **b.** Elle porte une robe jaune ou noire.
- ❑ **c.** Elle porte des boucles d'oreilles sous son chapeau.

4. Qui est sainte Catherine ?
- ❑ **a.** La protectrice des jeunes mariés
- ❑ **b.** La protectrice des couturiers
- ❑ **c.** La protectrice des employés

5. Quelles maisons de couture fêtent l'événement ?
- ❑ **a.** Dior, Chanel et Yves Saint Laurent
- ❑ **b.** Chanel, Cartier et Dior
- ❑ **c.** Yves Saint Laurent, Cartier et Chanel

6. Pour qui ces maisons de couture organisent ce concours ?
- ❑ **a.** Pour leurs mannequins
- ❑ **b.** Pour leurs employés
- ❑ **c.** Pour leurs clientes

7. Quelle maison de couture gagne au concours ?
- ❑ **a.** Chanel
- ❑ **b.** Cartier
- ❑ **c.** Dior

Activité 2 **Reliez les phrases qui correspondent à la bonne personne. Attention, certaines phrases ne sont pas dites dans le reportage.**

a. Maintenir les traditions de la couture.
b. C'est fantastique.
c. C'est incroyable.
d. C'est génial.
e. Célébrer la Sainte-Catherine.
f. La couture est un savoir-faire français.
g. Ma fille va s'inquiéter de ce que pensent les gens.

• le styliste
• la styliste

Activité 3 **Barrez l'intrus.**

a. le chapeau – la coiffure – la robe – le chemisier
b. rouge – beige – jaune – rond
c. un styliste – un physique – un couturier – un créatif
d. gagner – s'habiller – un concours – primer

Activité 4 **Complétez le texte avec les mots proposés.**

créativité – célébrer – tradition – savoir-faire – dessiner – couture

a. On fait cette .... parce que tout d'abord, c'est pour maintenir vivantes les traditions de la ...., la .... qui est un .... français [...].

b. Il n'y a pas d'autre objectif que de .... la Sainte-Catherine. C'est une forme de .... complètement différente, je ne me mets pas à .... des chapeaux pagodes tous les jours.

Activité 5

- **Pensez-vous que la mode soit nécessaire ? Voyez-vous les grands couturiers comme des artistes ?**
- **Pensez-vous que la Sainte-Catherine est une tradition démodée aujourd'hui ?**

Après Vélib', Piélib'

• Objectifs communicatifs

- Comprendre le reportage à partir des éléments entendus.
- Approche sélective des informations comprises dans le reportage.
- Comprendre de façon détaillée le reportage.
- Savoir argumenter à l'écrit de façon simple.

• Objectifs linguistiques

- Savoir employer les pronoms relatifs (*qui, que, où*).
- Réviser l'emploi du passé (passé composé et imparfait).
- Utiliser les formes d'argumentation (donner son avis, contester ou approuver un fait).

• Objectif culturel
Parler d'un événement insolite.

Résumé du reportage

Le comédien Sébastien Brochot a fait une parodie du Vélib', ce fameux système de location de vélos à Paris. Il nous présente donc le Piélib', système similaire mais avec la location de chaussures. On nous explique comment utiliser ces chaussures en location.

Transcription

Voix off : On connaissait Vélib', le système de location de vélos, voici maintenant Piélib'... Pour zéro euro, les Parisiens peuvent découvrir ou redécouvrir la capitale... avec leurs pieds...
Tout simplement, au lieu de vélo, on loue des chaussures... C'est le comédien Sébastien Brochot qui a eu l'idée de cette parodie...
S. Brochot : J'ai voulu reprendre un vélo, impossible ! Je suis allé à pied à une autre borne, impossible ! La station buggait. Il y avait des petits bugs, c'est vrai, au démarrage de Vélib'. Donc je suis rentré chez moi à pied, finalement, après avoir essayé trois stations en vain. Et je me suis dit que Paris à pied, c'était très beau, c'était très agréable. Alors pourquoi pas ne pas faire Piélib' ? Ça m'est venu comme ça !
Voix off : Donc si vous trouvez le vélo trop fatigant, trop dangereux, vous avez la solution : Piélib'.
S. Brochot : On prend son petit portable. On envoie un SMS en mettant la marque de la chaussure que l'on veut, la forme, la couleur, la pointure... Et 12 heures après, vous voyez sur cette borne vos chaussures qui vous attendent. Vous passez le petit code-barres que vous aurez reçu par SMS au-dessus de la borne. Il y a un petit bip et après, vous prenez vos chaussures et vous partez avec vos chaussures.
Voix off : Évidemment, tout cela n'est pas sérieux. C'est surtout pour Sébastien Brochot l'occasion de faire parler de lui.

■ SUGGESTIONS D'EXPLOITATION DE LA VIDÉO

Activité 1

Demander aux apprenants de lire les questions. Présenter brièvement le Vélib' pour les aider à mieux comprendre le sujet, qui est en rapport avec ce système de location de vélos à Paris. Puis regarder le reportage avec le son mais sans les sous-titres.

Activité 2

Faire l'exercice sans écoute du reportage. Travailler sur les pronoms relatifs et demander aux élèves de composer par petits groupes une série de définitions simples avec des pronoms relatifs, en rapport avec les images du reportage. Si l'exercice leur paraît trop difficile, leur proposer d'écrire simplement des phrases qui intègrent les pronoms relatifs. Exemple : *Qu'est-ce que le Vélib ? C'est un système qui permet de louer des vélos dans Paris. / Qui est S. Brochot ? C'est un comédien qui a inventé le Piélib'.*

Activité 3

Faire une révision sur les verbes réfléchis et leur utilisation au passé composé si nécessaire.
Selon le temps qu'il reste, développer cette activité en demandant aux apprenants de raconter un événement en utilisant le passé composé et l'imparfait (actions / description d'une situation).

Activité 4

Demander aux apprenants de lire les questions. Écouter à nouveau le reportage. Si nécessaire, focaliser une seconde écoute sur la partie où S. Brochot explique le fonctionnement de Piélib'. Faire l'exercice et comparer les résultats.

Activité 5

Avant de demander aux étudiants de rédiger un petit texte, discuter d'abord avec eux de ce sujet. Écrire au tableau les mots de vocabulaire inconnus. N'écrire au tableau que les mots employés par des étudiants et qui sont éventuellement inconnus des autres.

Quelques références

Vélib' : c'est un système de location de vélos à Paris. Il existe depuis le 15 juillet 2007. On peut s'abonner à l'année ou bien louer le vélo pour le temps qu'on veut avec une carte bancaire. Des stations sont prévues tous les 300 mètres, et les vélos sont disponibles 24 heures sur 24, 7 jours sur 7. Plus de 26 millions de locations en un an. C'est un grand succès.
Sébastien Brochot : comédien et comique français. Il n'est pas très connu, mais il a réalisé cette parodie du Vélib' en inventant le Piélib', système semblable mais avec la location de chaussures.
On peut avoir de plus amples informations sur le site parodique www.pielib.fr.

Activité 1 **Répondez aux questions.**

1. Qu'est-ce que le Piélib' ?

❑ **a.** Un système de location de vélos
❑ **b.** Un système de location de chaussures
❑ **c.** Un système de location de voitures

2. Qui est Sébastien Brochot ?

❑ **a.** Un comédien
❑ **b.** Un musicien
❑ **c.** Un technicien

3. Combien coûte le Piélib' ?

❑ **a.** C'est gratuit
❑ **b.** 2 euros par heure
❑ **c.** 12 euros par semaine

4. Est-ce que le projet est sérieux ?

❑ **a.** Oui, c'est un nouveau système de déplacement pour les Parisiens.
❑ **b.** Non, c'est une parodie du Vélib'.
❑ **c.** Non, la Ville de Paris a interdit cette location.

Activité 2 **Complétez les phrases avec les pronoms relatifs qui manquent.**

a. C'est le comédien Sébastien Brochot .... a eu l'idée de cette parodie.
b. On envoie un SMS en mettant la marque de la chaussure .... l'on veut, la forme, la couleur, la pointure.
c. Vous voyez sur cette borne des chaussures .... vous attendent.
d. Vous passez le petit code-barres .... vous aurez reçu par SMS.

Activité 3 **Complétez le texte du reportage avec les verbes proposés ci-dessous.**

buggait – avait – suis rentré – était – suis dit – ai voulu – suis allé

J'............................... reprendre un vélo, impossible ! Je .... à pied à une autre borne, impossible ! La station .... Il y .... des petits bugs, c'est vrai [...]. Donc je .... chez moi à pied [...]. Et je me .... que Paris à pied c'............................... très beau.

Activité 4 **Remettez les phrases dans l'ordre pour reconstituer l'explication de Sébastien Brochot.**

a. On envoie un SMS en mettant la marque de la chaussure.
b. Il y a un petit bip.
c. On prend son portable.
d. Vous passez le code-barres que vous avez reçu par SMS.
e. Vous partez avec vos chaussures.
f. Vous voyez vos chaussures qui vous attendent.

Activité 5 **Connaissez-vous le Vélib ? Est-ce que ce système existe dans votre pays ? Pensez-vous que ce soit une bonne idée ? Rédigez un petit texte expliquant les avantages et les inconvénients du vélo en ville.**

....

....

....

Élection présidentielle

• Objectifs communicatifs

- Compréhension globale du reportage. Savoir répondre aux questions posées.
- Savoir repérer des informations du reportage.
- Compréhension sélective à partir de pistes données.
- Analyse de l'image en tant que média et support de communication.
- Savoir argumenter et débattre.

• Objectifs linguistiques

- Exprimer l'inquiétude, rassurer.
- Expression de la condition avec « si » et le futur simple.

• Objectif culturel

Parler de la politique et des élections dans son pays.

Résumé du reportage

Nous sommes à quelques minutes des résultats de l'élection présidentielle de mai 2007. Le journaliste interroge des gens dans un café et décrit ensuite les différentes réactions après l'annonce des résultats et de la victoire de Nicolas Sarkozy.

Transcription

Voix off : Lyon, le 6 mai 2007, à 10 minutes des résultats de l'élection présidentielle…
Chacun est venu soutenir son candidat …
Les uns ont le sourire, les autres sont plutôt tendus…
Jeune à casquette : J'espère qu'elle va gagner. J'y crois. On y croit et vive la République ! Et vive la France !
Jeune fille brune : Si Sarkozy passe, j'aurais honte d'être française.
Voix off : Mais dans leur bière, tous ne voient pas le même gagnant.
Homme à lunettes : Mais il va gagner. Il ne peut que gagner !
Homme à côté d'une femme : Oui, surtout Sarko !
Voix off : Quelques minutes plus tard, c'est l'heure de vérité…
Jeune à polo rose : Je suis déçu par les Français, voilà, c'est tout…
Femme à lunettes : J'ai peur de ses idées extrémistes.
Jeune à la cigarette : Très… ravi. Le score était un peu juste mais c'est une bonne chose que Sarkozy soit passé.
Homme à l'enfant : Qui c'est qui est le président ? C'est… Nicolas… Ah, il est timide, le pauvre. C'est Nicolas Sarkozy. On est vraiment contents. Et moi, j'avais prédit 54 pour lui, et 53… c'est super.
Voix off : Les habitants de Lyon ont souvent voté au centre. Cette fois, ils ont nettement voté à droite.

■ SUGGESTIONS D'EXPLOITATION DE LA VIDÉO

Activité 1

Demander aux apprenants de lire les questions. Visionner le reportage avec le son mais sans les sous-titres. Répondre aux questions individuellement, puis confronter les résultats.

Développer cette activité en parlant un peu du système politique en France. Travailler sur le champ lexical de la politique et écrire au tableau le vocabulaire (*président, élire, élection, ministre, voter*, etc.)

Activités 2 et 3

Écouter à nouveau le reportage. Inviter les étudiants à prendre des notes pendant le visionnage. Demander aux apprenants de remplir le tableau et de relever les différentes opinions pour l'activité 3. Comparer les résultats et repasser les moments du reportage qui justifient leur choix.

Activité 4

Cet exercice permet d'analyser la composition d'un reportage. Travailler en classe et donner des pistes aux apprenants. Montrer une composition très étudiée par le journaliste : une première partie qui relate les opinions, les espoirs de chaque camp, qui présente une confrontation entre deux candidats, puis une deuxième partie, après les résultats, qui montre les réactions de tout le monde, enfin un schéma en deux parties qui présente le vainqueur et les vaincus. Le but de cet exercice est la lecture de l'image comme outil de communication.

Activité 5

Lancer un débat en classe. Laisser les apprenants libres de parler et de réinvestir le vocabulaire entendu dans le reportage.

Activité 6

Demander aux étudiants de rédiger un programme. Ils sont libres de laisser cours à leur imagination. La seule règle est d'employer l'expression de la condition avec futur simple (ex. : *Si je suis président, je ferai…*).

Quelques références

Lyon : ville située dans le sud-est de la France. Deux fleuves la traversent : le Rhône et la Saône. Environ 1,3 million d'habitants. Par sa population, Lyon est la deuxième ville de France. Ville industrielle, économique et culturelle importante. Parmi de nombreuses choses, Lyon est connue pour sa gastronomie (les fameux restaurants lyonnais, nommés les bouchons) et pour ses canuts (ouvriers qui travaillaient la soie).
Nicolas Sarkozy : actuel président de la République de la France. Il appartient au groupe politique de droite Union pour la majorité parlementaire (UMP), devenu Union pour un mouvement populaire.
Ségolène Royal : candidate à l'élection présidentielle de 2007. Elle appartient au Parti socialiste (PS).

Activité 1

Écoutez le reportage puis répondez aux questions.

a. Dans quelle ville se passe le reportage ? ....

b. Quel jour sommes-nous ? ....

c. Pour quelle occasion se sont réunis les gens ? ....

d. Où sont filmés les gens ? ....

e. On parle d'un candidat dans le reportage. Quel(le) est l'autre candidat(e) ? ....

f. Quel est le score final de Nicolas Sarkozy ? ....

g. Les habitants de Lyon ont souvent voté à gauche ? au centre ? ou à droite ? ....

Activité 2

Écoutez à nouveau le reportage et relevez les mots ou les phrases qui expriment des sentiments.

L'espoir	L'enthousiasme	Le mécontentement	La déception

Activité 3

Dites si les personnes interrogées sont favorables à Nicolas Sarkozy (S) ou à Ségolène Royal (R).
Justifiez en relevant un mot ou une phrase.

a. le jeune à casquette : ....

b. la jeune fille brune : ....

c. l'homme à lunettes : ....

d. la femme à lunettes : ....

e. le jeune à la cigarette : ....

Activité 4

Analysez la composition du reportage. Comment le réalisateur présente-t-il les images ?
Pourquoi ? Par quel moyen montre-t-il parfaitement l'évolution d'une soirée de résultats ?

....

Activité 5

Participez à un débat à partir des sujets de discussion suivants :

- Avez-vous déjà voté ? À quelle occasion ? Comment se déroulent les élections dans votre pays ?
- Selon vous, est-ce que c'est un changement important qu'une femme se présente à l'élection présidentielle ? Pourquoi ?

Activité 6

Vous êtes candidat. Imaginez un programme pour votre pays. Utilisez la condition : « Si... »

....

Corrigés des exercices

Alice et Antoine

Épisode 1, page 86

1. une maison – une chambre – une fille – un homme – une femme – un lit – une porte – un vêtement.
2. a. excusez-moi, désolée – **b.** n'ai pas – **c.** êtes – **d.** n'est pas, c'est.
3. a. Tu me réveilles ! – **b.** J'étudie le français.
4. a. vrai – **b.** faux – **c.** vrai – **d.** faux – **e.** faux – **f.** vrai.
5. a. habite – **b.** sont – **c.** connaissez – **d.** parlent – **e.** connais.
6. a. les lits – **b.** les oreillers – **c.** les chambres.

Épisode 2, page 88

1. a. nerveux – **b.** un travail.
2. Désiré – Antoine – Martinique – Paris – française – comptable.
3. a. Comment vous vous appelez ? / Comment vous appelez-vous ? / Quel est votre nom ? – **b.** D'où vous venez ? / D'où venez-vous ? – **c.** Qu'est-ce que vous faites ? / Quelle est votre profession ? – **d.** Vous habitez où ? / Où vous habitez ? / Où habitez-vous ?
4. a. entrez – **b.** cherche – **c.** habitez – **d.** cherchez.
5. a. d' – **b.** de l' – **c.** du – **d.** de – **e.** de la.

Épisode 3, page 90

1. a. Ils prennent leur petit-déjeuner. – **b.** du jus d'orange, une tasse, du thé, du beurre, du lait, du sucre, un croissant, un yaourt, etc. – **c.** Elle fait de la gymnastique.
2. a. faux – **b.** vrai – **c.** vrai – **d.** faux – **e.** faux.
3. a. veux – **b.** veut – **c.** voulez – **d.** veux.
4. a. va comprendre – **b.** vais préparer – **c.** allez trouver – **d.** vas quitter – **e.** vont aider.
5. a. à – **b.** au – **c.** à la.
6. a. eux – **b.** elle – **c.** lui – **d.** d'elle.

Épisode 4, page 92

1. a. matin : 9 h-12 h ; après-midi : 13 h-18 h – **b.** 16 h.
2. a. Je me réveille à… – **b.** Je déjeune à… – **c.** À quelle heure vous terminez le travail ? – **d.** Je suis né(e) en 1974 / le 14 septembre / en septembre 1974. – **e.** Quel jour sommes-nous ? / Quel jour nous sommes (aujourd'hui) ? – **f.** Il est … heure(s).
3. a. 4 – **b.** 3 – **c.** 5 – **d.** 2 – **e.** 1.
4. a. bureaux, bureau – **b.** timide, collaborateur – **c.** charmante – **d.** ravie.
5. a. moi aussi – **b.** moi non plus – **c.** moi aussi – **d.** moi aussi – **e.** moi non plus.

Épisode 5, page 94

1. a. Il est dans la rue. – **b.** Il va au travail. – **c.** Elle veut parler à Antoine, elle fait un sondage – **e.** une rue, un trottoir, un parapluie, un arbre, une voiture, etc.
2. a. vrai – **b.** faux – **c.** faux/vrai (au choix car elle joue la comédie et on le sait à la fin) – **d.** faux – **e.** vrai – **f.** faux – **g.** faux – **h.** vrai.
3. a. mon – **b.** vos – **c.** ses – **d.** mon, ton.
4. a. prenez – **b.** prends – **c.** prenons.
5. a. Quelle ville vous préférez ? – **b.** Quel est votre pays préféré ? – **c.** Comment vous voyagez ?

Épisode 6, page 96

1. a. un bar – **b.** un café allongé – **c.** un appartement – **d.** 3 pièces – **e.** 500 euros.
2. a. sers – **b.** connaît – **c.** travaillez – **d.** fais – **e.** cherchez – **f.** suis.
3. a. si – **b.** oui – **c.** si.
4. a. Vous cherchez quoi ? – **b.** Que cherchez-vous ? – **c.** Qu'est ce que vous cherchez ?
5. a. Où travaille Alice ? – **b.** Qui est-ce qu'elle rencontre ? – **c.** Qu'est-ce qu'Antoine boit ? – **d.** Quand est-ce qu'Antoine visite un appartement ?

Épisode 7, page 98

1. a. Ils sont dans la cour d'un immeuble. – **b.** Ils font la queue pour visiter un appartement. – **c.** Il pense qu'elle est bizarre. – **d.** Elle va faire semblant d'être enceinte pour passer devant tout le monde. – **e.** Parce qu'il veut aussi et appartement et donc le visiter en premier.
2. a. se connaît – **b.** me demande – **c.** t'appelles – **d.** nous tutoyons – **e.** se connaissent.
3. a. Excusez-moi, je peux entrer ? – **b.** Levez-vous, c'est le directeur. – **c.** Regardez la vidéo. – **d.** Sortez dans la rue.
4. a. plusieurs – **b.** un peu – **c.** quelques.
5. a. Sois attentif. – **b.** N'ayons pas peur de le dire. – **c.** Ne soyez pas inquiet. – **d.** Ayez le courage de le faire.

Épisode 8, page 100

1. entrez – visite – charmant – heureux – dans un mois – prends – ensemble – cet appartement – moi – veux – faut.
2. Sont à barrer : **a.** un appartement non meublé – **b.** trois chambres et un salon – **c.** une cuisine séparée – **d.** un four à micro-ondes, un placard.
3. a. J'ai besoin de – **b.** Tu dois/Vous devez – **c.** Il vous faut.
4. a. vrai – **b.** faux – **c.** vrai – **d.** vrai.

Épisode 9, page 102

1. a. une gare – **b.** un pont – **c.** rue Molière.
2. a. faux – **b.** vrai – **c.** vrai – **d.** vrai – **e.** vrai – **f.** vrai – **g.** faux – **h.** vrai – **i.** vrai.
3. a. tu as confirmé – **b.** j'ai oublié – **c.** nous sommes trompés.
4. a. nièce, cousine – **b.** cousin, neveu.
5. a. Depuis combien de temps (quand) vous habitez à Bruxelles ? – **b.** Ça fait combien de temps qu'elle travaille dans ce restaurant ? / Depuis quand elle travaille dans ce restaurant ?
6. sont allés – il y avait – ils ont alors décidé.

Épisode 10, page 104

1. a. capable d'être indépendante – **b.** impatients de goûter – **c.** au régime – **d.** aime le plat – **e.** aller au restaurant.
2. du fromage fondu / thon / piment – **de la** mayonnaise – **des** œufs / pommes de terre.

3. a. un, de la, la – **b.** du, le – **c.** le, du – **d.** du, le.
4. Pronoms COD : **a., c., g.** – Pronoms COI : **b., d., e., f.**

Épisode 11, page 106

1. Mots à barrer : **a.** écrit, mange, parle – **b.** cuisine, tricote – **c.** les jambes, les pieds – **d.** la chambre, la salle de bains – **e.** les jambes, les bras – **f.** assise.
2. a. faux – **b.** faux – **c.** faux – **d.** vrai – **e.** vrai – **f.** vrai.
3. a. Ne t'inquiète pas – **b.** Calme-toi – **c.** Tu devrais te calmer – **d.** Ne stresse pas.
4. Intrus : **a.** repasser – **b.** se faire mal – **c.** la chemise – **d.** un présentateur.
5. a. Antoine dit qu'il est fatigué. – **b.** Antoine pense qu'il a besoin de partir en vacances. – **c.** Hélène demande à Antoine de se calmer.

Épisode 12, page 108

1. a. faux – **b.** faux – **c.** vrai – **d.** faux – **e.** faux – **f.** vrai – **g.** vrai – **h.** vrai.
2. a. beige ; rouge – **b.** marron ; bleue ; vert, jaune et rose – **c.** bordeaux – **d.** beige ; marron ; blanche.
3. a. Quel beau pull ! – **b.** Tu as vu mon pantalon vert ? – **c.** J'ai acheté trois belles chemises blanches. – **d.** Antoine est un garçon sympathique. – **e.** Alice est une belle fille. – **f.** André a un nouveau rasoir électrique.
4. prête, prêtes / verte, verts / blanc, blancs, blanches / rouge, rouges, rouges / beige, beige, beiges / heureux, heureux / seul, seuls, seules.
5. a. dans, devant, dans – **b.** sur, dans – **c.** près du pull rouge – **d.** à côté de, en face d'.

Épisode 13, page 110

1. Alice : manteau bleu, robe dorée, chaussures à talon, lunettes, collier, bague, sac à main noir, elle est maquillée,
elle porte du rouge à lèvres, etc.
L'autre candidate : elle est blonde, elle a les cheveux attachés, elle porte une robe grise, un sac à main gris, des boucles d'oreilles, etc.
Le directeur de casting : il a les cheveux châtains, il porte un polo vert kaki, une veste bleu marine.
2. a. ira – **b.** ferai – **c.** irez – **d.** verrai, sera – **e.** viendras – **f.** seras, pourras.
3. a. 2 – **b.** 3 – **c.** 1.
4. Intrus : **a.** Je suis en forme – **b.** Réfléchis !

Épisode 14, page 112

1. a. faux – **b.** faux – **c.** vrai – **d.** faux.
2. a. je n'ai pas le temps – **b.** se relaxer – **c.** avoir l'air – **d.** être stressé.
3. Propositions : **a.** Vous pouvez prendre ce dossier ? – **b.** Vous êtes nerveux ? – **c.** Le dossier est prêt ? – **d.** Où est-ce que je mets le dossier terminé ? – **e.** Le client arrive bientôt ?

4. a. Ils y sont. – **b.** Il en a besoin. – **c.** Elle le dépose. – **d.** Il y a pensé. – **e.** Il doit les finir à midi. – **f.** Il y en a beaucoup à faire. – **g.** Prends-le ! – **h.** Écoute-les !
5. b. Oui, j'en ai un. / Non, je n'en ai pas. – **c.** Oui, j'en écoute. / Non, je n'en écoute pas. – **d.** Oui, j'en mange. / Non,
je n'en mange pas. – **e.** Oui, j'en mets. / Non, je n'en mets pas.

Épisode 15, page 114

1. a. faux (maman) – **b.** vrai (j'ai le trac) – **c.** faux (Quelle équipe de tournage ?) – **d.** faux (Qu'est-ce que c'est ?, je ne comprends pas, Qu'est ce que je dois faire avec cela ?) – **e.** vrai (j'ai vraiment chaud dans ce costume) – **f.** vrai (donner envie aux gens de les acheter) – **g.** faux (je reviens à vingt heures) – **h.** vrai (il est midi).
2. a. mettiez – **b.** vendiez – **c.** finissiez – **d.** trouviez – **e.** fasse.
3. a. te – **b.** t' – **c.** le – **d.** vous – **e.** les.
4. Intrus : **a.** un boulot – **b.** une boîte.
5. b. Non, il n'habite qu'avec Alice. / Non, il habite seulement avec Alice. – **c.** Non, elle ne doit vendre que des petits pois./ Non, elle doit vendre seulement des petits pois. – **d.** Non, elle ne va jouer que le rôle du lapin. / Non, elle va seulement jouer le rôle du lapin.
6. a. viennes – **b.** est – **c.** soit – **d.** écrives.

Épisode 16, page 116

1. Surprise : Vraiment ? – **Satisfaction :** C'est incroyable !, Quelle énergie ! – **Déception :** J'en ai marre.
2. a. que, qui – **b.** où – **c.** que, qui – **d.** qui – **e.** que.
3. Intrus : **a.** un collier – **b.** un cahier – **c.** un journaliste.
4. a. Alice vend des petits pois en jouant la comédie. – **b.** Le producteur observe Alice en étant sous le charme. – **c.** Alice est devenue une star en écoutant les conseils d'Antoine.
5. a. courageusement – **b.** joyeusement – **c.** intelligemment.

France 24

Bienvenue aux touristes, page 118

1. a. À Paris, en France – **b.** dans la rue – **c.** un arbre, un plan, un vélo, une église, un kiosque, un lampadaire, une voiture, les quais, etc. – **d.** un bateau-mouche.
2. 1. a – **2.** b – **3.** a, c – **4.** c.
3. français, espagnol, russe, italien, anglais, allemand, japonais.
4. 97 %, revenir.

Allez la France, page 120

1. Le lieu et l'événement : Paris, Champs-Élysées, victoire de l'équipe de France de rugby sur les All Blacks, équipe de Nouvelle-Zélande.
Les actions des gens : crier, sauter, fêter, rire, sourire, boire, danser, etc.
Les objets symboliques : drapeau bleu blanc rouge, béret.
2. supporters, champions, équipe, match, les Bleus, battre, victoire, monde.

3. a. vrai – **b.** faux – **c.** faux – **d.** vrai – **e.** faux.
4. bon ≠ mauvais – victoire ≠ défaite – beau ≠ laid – magnifique ≠ horrible – difficile ≠ facile
5. a. a été – **b.** ont eu – **c.** est arrivé – **d.** (ce n') est (pas) fini.

TGV Est, page 122
1. a. dans un train, le TGV – **b.** parce que c'est le premier trajet Paris-Metz – **c.** TGV et ICE – **d.** Ce sont des trains à grande vitesse.
2. Verbes barrés : se disputer – embarquer.
3. a. 18 billets de train – 2 groupes – 15 euros – 320 km/h : vitesse du train – 1 h 30 : temps du trajet. – **b.** ce, cet –
mes/nos, notre.
4. 1. b – **2.** c – **3.** a.

Festival de Mougins, page 124
1. Les lieux : Mougins – Liban – New York – Afrique (Cameroun).
Les cuisiniers : Alain Llorca – Christian Willers – Pierre Gagnaire – Alexandre Bella Ola.
Les aliments : risotto – poulet – épices – bananes – huile d'arachide – riz – concentré de tomate.
2. 1. recette – plat – chef – riz – huile – banane – tomate. – **2.** Des – des – de l' – du – du.
3. Alain Llorca : c'est un partage – c'est partager des connaissances différentes – c'est partager des idées – c'est intéressant.
Alexandre Bella Ola : c'est la paix – c'est le partage – c'est familial.
4. 1. cuisine – **2.** poulet – **3.** Mougins – **4.** plats – **5.** sel. – **Mot mystère :** soupe.

Feria de Bayonne, page 126
1. une rue – une terrasse de café – un foulard – des ballons – un fleuve – une banque – un comptoir – un café – un supermarché – une église (le clocher) – une mairie – un pont – des magasins.
2. 1. b – **2.** c – **3.** b – **4.** b – **5.** b.
3. a. une tenue blanche avec un foulard rouge – **b.** dans les supermarchés – **c.** par respect de la tradition – **d.** pour se sentir ensemble.
4. chaque soir – pendant cinq jours – ce soir – 22 heures – cinq jours.

Les catherinettes, page 128
1. 1. b – **2.** c – **3.** a – **4.** b – **5.** b – **6.** b – **7.** b.
2. le styliste : Maintenir les traditions de la couture – C'est fantastique – La couture est un savoir-faire français.
la styliste : C'est génial – Célébrer la Sainte-Catherine.
3. Intrus : **a.** la coiffure – **b.** rond – **c.** un physique – **d.** s'habiller.
4. a. tradition, couture, couture, savoir-faire – **b.** célébrer, créativité, dessiner.

Après Vélib', Piélib', page 130
1. 1. b – **2.** a – **3.** a – **4.** b.
2. a. qui – **b.** que – **c.** qui – **d.** que.
3. ai voulu – suis allé – buggait – avait – suis rentré – suis dit – était.
4. c – a – f – d – b – e.

Élection présidentielle, page 132
1. a. à Lyon – **b.** le 6 mai 2007 – **c.** pour l'élection présidentielle – **d.** dans un café et dans la rue – **e.** Ségolène Royal –
f. 53 % – **g.** au centre.
2. L'espoir : j'espère – j'y crois – on y croit.
L'enthousiasme : vive la République – vive la France – il va gagner – il ne peut que gagner – très ravi – c'est une bonne chose – on est vraiment contents – c'est super.
Le mécontentement : j'aurais honte d'être française – j'ai peur.
La déception : je suis déçu par les Français.
3. a. R – **b.** R – **c.** S – **d.** R – **e.** S.
4. Composition binaire du reportage. D'un côté, le soutien à Ségolène Royal, de l'autre, celui à Nicolas Sarkozy. Analyse des réactions des deux camps. Dernière image, N. Sarkozy a gagné, caméra focalisée sur un électeur favorable, puis une autre image sur le visage des vaincus.

N° éditeur : 10169655 – Imprimé en France par La Nouvelle Imprimerie Laballery – 58500 Clamecy
N° d'impression : 003338– Dépôt légal : Avril 2010

La Nouvelle Imprimerie Laballery est titulaire de la marque Imprim'Vert®